Дина Рубина

Дина Рубина

Русская канарейка

Желтухин

ЭКСМО
Москва
2014

УДК 82-3
ББК 84(2Рос-Рус)6-4
   Р 82

Оформление серии *Н. Ярусовой*

       Рубина Д.
Р 82   Русская канарейка. Желтухин / Дина Рубина. — М. :
       Эксмо, 2014. — 480 с.

       ISBN 978-5-699-71725-5

Кипучее, неизбывно музыкальное одесское семейство и — алма-атин-
ская семья скрытных, молчаливых странников... На протяжении столетия их
связывает только тоненькая ниточка птичьего рода — блистательный маэстро
кенарь Желтухин и его потомки.

На исходе XX века сумбурная история оседает горькими и сладкими вос-
поминаниями, а на свет рождаются новые люди, в том числе «последний по
времени Этингер», которому уготована поразительная, а временами и подозрительная судьба.

«Желтухин» — первая книга трилогии Дины Рубиной «Русская канарейка», красочной, бурной и многоликой семейной саги...

                                        УДК 82-3
                                        ББК 84(2Рос-Рус)6-4

ISBN 978-5-699-71725-5

Посвящается Боре

Пролог

«...Нет, знаете, я не сразу понял, что она не в себе. Такая приятная старая дама... Вернее, не старая, что это я! Годы, конечно, были видны: лицо в морщинах и все такое. Но фигурка ее в светлом плаще, по-молодому так перетянутом в талии, и этот седой ежик на затылке мальчика-подростка... И глаза: у стариков таких глаз не бывает. В глазах стариков есть что-то черепашье: медленное смаргивание, тусклая роговица. А у нее были острые черные глаза, и они так требовательно и насмешливо держали тебя под прицелом... Я в детстве такой представлял себе мисс Марпл.

Короче, она вошла, поздоровалась...

И поздоровалась, знаете, так, что видно было: вошла не просто поглазеть и слов на ветер не бросает. Ну, мы с Геной, как обычно, — можем ли чем-то помочь, мадам?

А она нам вдруг по-русски: "Очень даже можете, мальчики. Ищу, — говорит, — подарок внучке. Ей исполнилось восемнадцать, она поступила в университет, на кафедру археологии. Будет заниматься римской армией, ее боевыми колесницами. Так что я на-

8 мерена в честь этого события подарить моей Владке недорогое изящное украшение".

Да, я точно помню: она сказала "Владке". Понимаете, пока мы вместе выбирали-перебирали кулоны, серьги и браслеты — а старая дама так нам понравилась, хотелось, чтоб она осталась довольна, — мы успели вдоволь поболтать. Вернее, разговор так вертелся, что это мы с Геной рассказывали ей, как решились открыть бизнес в Праге и про все трудности и заморочки с местными законами.

Да, вот странно: сейчас понимаю, как ловко она разговор вела; мы с Геной прямо соловьями разливались (очень, очень сердечная дама), а о ней, кроме этой внучки на римской колеснице... нет, ничего больше не припоминаю.

Ну, в конце концов выбрала браслет — красивый дизайн, необычный: гранаты небольшие, но прелестной формы, изогнутые капли сплетаются в двойную прихотливую цепочку. Особенный, трогательный браслетик для тонкого девичьего запястья. Я посоветовал! И уж мы постарались упаковать его стильно. Есть у нас VIP-мешочки: вишневый бархат с золотым тиснением на горловине, розовый такой венок, шнурки тоже золоченые. Мы их держим для особо дорогих покупок. Эта была не самой дорогой, но Гена подмигнул мне — сделай...

Да, заплатила наличными. Это тоже удивило: обычно у таких изысканных пожилых дам имеются изысканные золотые карточки. Но нам-то, в сущности, все равно, как клиент платит. Мы ведь тоже не первый год в бизнесе, в людях кое-что понимаем. Вырабатывается нюх — что стоит, а чего не стоит у человека спрашивать.

Короче, она попрощалась, а у нас осталось чувство приятной встречи и удачно начатого дня. Есть такие люди, с легкой рукой: зайдут, купят за пятьдесят евро плевые сережки, а после них ка-ак повалят толстосумы! Так и тут: прошло часа полтора, а мы успели продать пожилой японской паре товару на три штуки евриков, а за ними три молодые немочки купили по кольцу — по одинаковому, вы такое можете себе представить?

Только немочки вышли, открывается дверь, и...

Нет, сначала ее серебристый ежик проплыл за витриной.

У нас окно, оно же витрина — полдела удачи. Мы из-за него это помещение сняли. Недешевое помещение, могли вполовину сэкономить, но из-за окна — я как увидел, говорю: Гена, вот тут мы начинаем. Сами видите: огромное окно в стиле модерн, арка, витражи в частых переплетах... Обратите внимание: основной цвет — алый, пунцовый, а у нас какой товар? У нас ведь гранат, камень благородный, теплый, отзывчивый на свет. И я, как увидал этот витраж да представил полки под ним — как наши гранаты засверкают ему в рифму, озаренные лампочками... В ювелирном деле главное что? Праздник для глаз. И прав оказался: перед нашей витриной люди обязательно останавливаются! А не остановятся, так притормозят — мол, надо бы зайти. И часто заходят на обратном пути. А если уж человек зашел, да если этот человек — женщина...

Так я о чем: у нас прилавок с кассой, видите, так развернут, чтобы витрина в окне и те, кто за окном проходит, как на сцене были видны. Ну и вот: проплыл, значит, ее серебристый ежик, и не успел я подумать, что старая дама возвращается к себе в отель, как открылась дверь, и она вошла. Нет, спутать я никак не мог, вы что — разве такое спутаешь? Это было наваждение повторяющегося сна.

Она поздоровалась, как будто видит нас впервые, и с порога: "Моей внучке исполнилось восемнадцать лет, да еще она в университет поступила..." — короче,

10 всю эту байду с археологией, римской армией и римской колесницей... выдает как ни в чем не бывало.

Мы онемели, честно говоря. Если б хоть намек на безумие в ней проглядывал, так ведь нет: черные глаза глядят приветливо, губы в полуулыбке... Абсолютно нормальное спокойное лицо. Ну, первым Гена очнулся, надо отдать ему должное. У Гены мамаша — психиатр с огромным стажем.

"Мадам, — говорит Гена, — мне кажется, вы должны заглянуть в свою сумочку, и вам многое станет ясно. Сдается мне, что подарок внучке вы уже купили и он лежит в таком нарядном вишневом мешочке".

"Вот как? — удивленно отвечает она. — А вы, молодой человек, — иллюзионист?"

И выкладывает на витрину сумочку... черт, вот у меня перед глазами эта *винтажная* сумочка: черная, шелковая, с застежкой в виде львиной морды. И никакого мешочка в ней нет, хоть ты тресни!

Ну, какие мысли у нас могли возникнуть? Да никаких. У нас вообще крыши поехали. А буквально через секунду громыхнуло и запылало!

...Простите? Нет, потом такое началось — и на улице, и вокруг... И к отелю — там ведь и взорвалась машина с этим иранским туристом, а? — понаехало до черта полиции и "Скорой помощи". Нет, мы даже и не заметили, куда девалась наша клиентка. Вероятно, испугалась и убежала... Что? Ах да! Вот Гена подсказывает, и спасибо ему, я ведь совсем забыл, а вам вдруг пригодится. В самом начале знакомства старая дама нам посоветовала канарейку завести, для оживления бизнеса. Как вы сказали? Да я и сам удивился: при чем тут канарейка в ювелирном магазине? Это ведь не караван-сарай какой-нибудь. А она говорит: "На Востоке во многих лавках вешают клетку с канарейкой. И чтоб веселей пела, удаляют ей глаза острием раскаленной проволоки".

Ничего себе — замечание утонченной дамы? Я даже 11
зажмурился: представил страдания бедной птички! А
наша "мисс Марпл" при этом так легко рассмеялась...»

Молодой человек, излагавший эту странную историю пожилому господину, что вошел в их магазин минут десять назад, потолокся у витрин и вдруг развернул
серьезнейшее служебное удостоверение, игнорировать
которое было невозможно, на минуту умолк, пожал
плечами и взглянул в окно. Там карминным каскадом блестели под дождем воланы черепичных юбок на
пражских крышах, двумя голубыми оконцами мансар-
ды таращился на улицу бокастый приземистый домик,
а над ним раскинул мощную крону старый каштан,
цветущий множеством сливочных пирамидок, так что
казалось — все дерево усеяно мороженым из ближай-
шей тележки.

Дальше тянулся парк на Кампе — и близость реки,
гудки пароходов, запах травы, проросшей меж кам-
нями брусчатки, а также разнокалиберные друже-
любные собаки, спущенные хозяевами с поводков,
сообщали всей округе то ленивое, истинно пражское
очарование...

...которое так ценила старая дама: и это отрешен-
ное спокойствие, и весенний дождь, и цветущие каш-
таны на Влтаве.

Испуг не входил в палитру ее душевных пережи-
ваний.

Когда у дверей отеля (за которым последние десять
минут она наблюдала из окна столь удобно расположенной ювелирной лавки) рванул и пыхнул огнем неприметный «Рено», старая дама просто выскользнула

12   наружу, свернула в ближайший переулок, оставив за собой оцепеневшую площадь, и прогулочным шагом, мимо машин полиции и «Скорой помощи», что, вопя, протирались к отелю сквозь плотную пробку на дороге, миновала пять кварталов и вошла в вестибюль более чем скромной трехзвездочной гостиницы, где уже был заказан номер на имя Ариадны Арнольдовны фон (!) Шнеллер.

В затрапезном вестибюле этого скорее пансиона, нежели гостиницы постояльцев тем не менее старались знакомить с культурной жизнью Праги: на стене у лифта висела глянцевая афиша концерта: некий *Leon Etinger, kontratenor* (белозубая улыбка, вишневая бабочка), исполнял сегодня с филармоническим оркестром несколько номеров из оперы «Милосердие Сципиона» («La clemenza di Scipione») Иоганна Христиана Баха (1735—1782). Место: собор Святого Микулаша на Мала-Стране. Начало концерта в 20.00.

Подробно заполнив карточку, с особенным тщанием выписав никому здесь не нужное отчество, старая дама получила у портье добротный ключ с медным брелком на цепочке и поднялась на третий этаж.

Ее комната под номером 312 помещалась очень удобно — как раз против лифта. Но, оказавшись перед дверью в свой номер, Ариадна Арнольдовна почему-то не стала ее отпирать, а, свернув влево и дойдя до номера 303 (где уже два дня обитал некий Деметрос Папаконстантину, улыбчивый бизнесмен с Кипра), достала совсем другой ключ и, легко провернув его в замке, вошла и закрыла дверь на цепочку. Сбросив плащ, она уединилась в ванной, где каждый предмет был ей, похоже, отлично знаком, и, первым делом намочив махровое полотенце горячей водой, с силой провела им по правой стороне лица, стащив дряблый мешок под глазом и целую россыпь мелких и крупных морщин. Большое овальное зеркало над умывальником явило безумного арлекина со скорбной половиной старушечьей маски.

Затем, поддев ногтем прозрачную клейкую полоску надо лбом, старая дама совлекла седой скальп с абсолютно голого черепа — замечательной, кстати сказать, формы, — разом преобразившись в египетского жреца из любительской постановки учеников одесской гимназии.

Левая сторона морщинистой личины оползла, как и правая, под напором горячей воды, вследствие чего обнаружилось, что Ариадне Арнольдовне фон (!) Шнеллер неплохо бы побриться.

«А недурно... ежик этот, и старуха чокнутая. Удачная хохма, Барышне понравилось бы. И педики смешные. До восьми еще куча времени, но — распеться...» — подумала...

...подумал, изучая себя в зеркале, молодой человек самого неопределенного — из-за субтильного сложения — возраста: девятнадцать? двадцать семь? тридцать пять? Такие гибкие, как угорь, юноши обычно исполняли женские роли в средневековых бродячих труппах. Возможно, поэтому его часто приглашали петь женские партии в оперных постановках, он бывал в них чрезвычайно органичен. Вообще, музыкальные критики непременно отмечали в рецензиях его пластичность и артистизм — довольно редкие качества у оперных певцов.

И думал он на невообразимой смеси языков, но слова «хохма», «ежик» и «Барышня» мысленно произнес по-русски.

На этом языке он разговаривал со своей взбалмошной, безмозглой и очень любимой матерью. Вот ее-то как раз и звали Владкой.

Впрочем, это целая история...

Зверолов

1

...А по-другому его в семье и не называли. И потому, что многие годы он поставлял животных ташкентскому и алма-атинскому зоопаркам, и потому, что это прозвище так шло всему его жилисто-ловчему облику.

На груди у него спекшимся пряником был оттиснут след верблюжьего копыта, вся спина исполосована когтями снежного барса, а уж сколько раз его змеи кусали — так то и вовсе без счету... Но он оставался могучим и здоровым человеком даже и в семьдесят, когда неожиданно для родных вдруг положил себе умереть, для чего ушел из дому так, как звери уходят умирать, — в одиночестве.

Восьмилетний Илюша эту сцену запомнил, и впоследствии она, очищенная памятью от сумбура восклицаний и сумятицы жестов, обрела лаконичность стремительно завершенной картины: Зверолов просто сменил тапочки на туфли и пошел к дверям. Бабушка кинулась за ним, привалилась спиною к двери и крикнула: «Через мой труп!» Он отодвинул ее и молча вышел.

И еще: когда он умер (заморил себя голодом), бабушка всем рассказывала, какая легкая у него была после смерти голова, добавляя: «Это потому, что он сам умереть захотел — и умер, и не страдал».

Илюша боялся этой детали всю свою жизнь.

* * *

Вообще-то звали его Николай Константинович Каблуков, и родился он в 1896 году в Харькове. Бабушкины братья и сестры (человек чуть ли не десять, и Николай был старшим, а она, Зинаида, — младшей, так что разделяли их лет девятнадцать, но душевно и по судьбе он всю жизнь оставался к ней *ближайшим*) — все родились в разных городах. Трудно понять, а сейчас уже никого и не спросишь, каким ненасытным ветром гнало их папашу по Российской империи? А ведь гнало, и в хвост и в гриву. И если уж мы о хвосте и о гриве: лишь после распада Советской державы бабушка посмела оголить кусочек «страшной» семейной тайны: у прадеда, оказывается, был свой конный завод, и именно что в Харькове. «Как к нему лошади шли! — говорила она. — Просто поднимали головы и шли».

На этих словах она каждый раз поднимала голову и — высокая, статная даже в старости, делала широкий шаг, плавно поводя рукой; в этом ее движении чудилась толика лошадиной грации.

— Теперь понятно, откуда у Зверолова страсть к ипподромам! — однажды воскликнул на это Илья. Но бабушка глянула своим знаменитым «иваногрозным» взглядом, и он заткнулся, дабы старуху не огорчать: вот уж была — хранительница семейной чести.

Вполне возможно, что разгулянная прадедова повозка тряслась по городам и весям вперегонки с неумолимым бегом бродяжьей крови: самым дальним известным его предком был цыган с тройной фамили-

16 ей Прохоров-Марьин-Серегин — видать, двойной ему
казалось мало. А Каблуков... да бог знает, откуда она
взялась, немудреная эта фамилия (еще и тем осканда-
ленная, что одна из двух алма-атинских психушек, та,
что на одноименной улице, одарила эту фамилию на-
рицательным смешком: «Ты что, с Каблукова?»).

Возможно, тот же предок откаблучивал и выкаблу-
чивал под гитару так, что летели набойки от каблуков?

В семье, во всяком случае, бытовали ошметки никому не известных, да и просто малопристойных песенок, и все их мурлыкали, от мала до стара, с характер-
ным надрывом, не слишком вдаваясь в смысл:

> Цыган цыганке говорит:
> «У меня давно стоит...
> Эх, ды — на столе бутылочка!
> Давай выпьем, милочка!»

Было кое-что поприличнее, хотя и на ту же застоль-
ную тему:

> Ста-а-кан-чи-ки гра-ане-ны-ия
> Упа-а-али со-о стола...

Эту Зверолов и сам любил напевать под нос, когда
канареечные клетки чистил:

> Упа-али и раз-би-ли-ся —
> Разби-илась жизнь моя...

Канарейки были его страстью.

По четырем углам столовой от пола до потолка
громоздились клетки.

Приятель у него в зоопарке работал, мастер изумительный. Каждая клетка — маленький ажурный дом,
и каждая — наособицу: одна — как резная шкатулка,

другая — точь-в-точь китайская пагода, третья — собор с витыми башенками. А внутри вся обстановочка, заботливое кропотливое хозяйство для певчих жильцов: «купалка» — воротца, наподобие футбольных, с дном из оргстекла, и поилка — сложно устроенная штука, куда вода поступала из резервуара; менять ее надо было каждое утро.

Но главное — кормушка: деревянный ящичек, куда засыпали пшено с просом. Хранился корм в ситцевом мешочке, перетянутом на горловине серебряной тесьмой от новогоднего подарка из раннего Илюшиного детства. Мешочек зеленый, с оранжевыми цветами, и совок к нему привязан, тоже — младенческий лепет...

...бред, почему это помнится?

И ясно, очень ясно помнится бровастое носатое лицо Зверолова, заштрихованное тонкими прутьями птичьей клетки. Глубоко посаженные черные глаза с выражением требовательного любования и в каждом — по желтому огоньку скачущей канарейки.

И тюбетейка! Он всю жизнь их носил: четырехгранные чустские «дуппи» — твердые коробочки, с простеганными белой ниткой перцами-каламлир, самаркандские «пилтадузи», бухарские золотошвейные... Самые разные тюбетейки, любовно вышитые женской рукой. Вокруг него всегда вилось множество женщин.

Он бегло говорил по-узбекски и по-казахски; если брался готовить плов, от чада нечем было дышать, и морковка прилипала к потолку, но получалось вкусно. Чай пил только из самовара и не меньше семи эмалированных кружек за вечер — чашек не признавал. Если бывал в хорошем настроении, много шутил, смеялся громоподобно и заливисто, со смешными всхлипами и канареечной фистулой на высоких нотах; вечно сыпал какими-то никому не известными прибаутками: «Деревня Юшта! Вот глушь-то!» — и при каждом

18 удобном случае, будто фокусник, извлекал из памяти
подходящий огрызок стихотворения, изобретательно
меняя по ходу рифму, если вдруг слово забудется или
по смыслу не личит.

Илюша лазал по Зверолову, как по дереву.

Гораздо позже, узнав о нем кое-что еще, Илья припоминал отдельные жесты, взгляды и слова, запоздало
наделяя его личность не затоптанными, тлеющими и в
поздние годы страстями.

Вообще, было время, когда он много думал о Зве-
ролове, раскапывая какие-то замороченные простодушной детской памятью воспоминания. Например,
как из шашлычных палочек тот плел корзинки для
канареечных гнезд.

Палочки они вместе собирали в траве у соседней
шашлычной, потом долго мыли их под колонкой во
дворе, соскабливая затверделый воск давнего жира.
После чего великанские пальцы Зверолова пускались
в замысловатый танец, выплетая глубокие корзинки.

— Разве гнезда такие — как короб? — спрашивал
Илюша, внимательно следя за ловким большим пальцем, что без усилия сгибал алюминиевое копье и легко продевал его под уже сплетенный каркас.

— Иначе яички выпадут, — серьезно пояснял Зверолов; всегда подробно растолковывал — что, как и
зачем делает.

На готовый каркас накручивались кусочки вер-
блюжьей шерсти («чтоб мальцы не замерзли») — а
если шерсти не было, выковыривался из старого, еще
военных лет ватника желтый комковатый ватин. Ну, а
поверх всего вязались полоски цветной материи — тут
уже бабушка доставала щедрой рукой лоскуты из своего заветного портновского тючка. И гнезда выходили

праздничные — ситцевые, сатиновые, шелковые, — очень цветные. А дальше, говорил Зверолов, птичья забота. И птицы «наводили уют»: устилали гнезда перышками, кусочками бумаги, выискивали клубки бабушкиных «цыганских» волос, вычесанных поутру и случайно закатившихся под стул...

— Поэзия семейной жизни... — умиленно вздыхал Зверолов.

Яички получались очень милые, голубовато-рябенькие; их можно было рассматривать, только если самка выбиралась из гнезда, но трогать запрещалось. А вот птенцы выклевывались страшенные, похожие на Кащея Бессмертного: синеватые, лысые, с огромными клювами и водянистыми выпуклыми глазами. Скоро они покрывались пухом, но страшными оставались еще долго: новорожденные драконы. Иногда выпадали из гнезд: «Эта самочка неопытная, вишь, сама их роняет», — а бывало, какой-нибудь помирал, и Илюша, заметив окоченевший трупик на полу клетки, отворачивался и зажмуривался, чтобы не видеть белесой пленки на закатившихся глазах.

Зато подросших птенцов ему разрешалось кормить. Зверолов разминал яичный желток, смешивал с каплей воды, поддевал кашицу спичкой и точным движением вдвигал ее птенцу прямо в разинутый клюв. Все птенцы почему-то норовили купаться в поилках, и Зверолов объяснял Илюше, как их надо учить, откуда пить, а где купаться. Любил качать в ладонях; показывал — как брать, чтоб, не дай бог, не причинить птахе боли.

Но все эти ясельные заботы меркли перед волшебным утренним мигом, когда Зверолов — уже проснувшийся, бодрый, ранне-трубный (он сморкался в большой клетчатый платок так, что бабушка затыкала уши и

20   восклицала всегда одно и то же: «Труба иерихонская!» — за что немедленно получала в ответ: «Ослица Валаамова!») — выпускал всех канареек из клеток полетать. И воздух становился *джунглевым*: плотным, переливчатым, желто-зеленым, веерным... и немного опасным; а Зверолов стоял посреди комнаты — высоченный, прямо Колосс Родосский (это опять бабушка) — и нежным воркотливым басом с внезапным фистульным писком вел с птицами беседы: щелкал языком, цокал, губами вытворял такое, что Илюша хохотал, как безумный.

И еще утренний номер был: Зверолов смешно поил птиц изо рта: набирал в рот воды, принимался «гулить и горлить», чтоб их привлечь. И они слетались к его губам и пили, младенчески закидывая голову. Так весной птицы слетаются к могучему дереву с высоко прибитым скворечником. Да и сам он, с закинутой головой, становился похож на гигантского птенца какого-нибудь птеродактиля.

Бабушке это не нравилось, она сердилась и повторяла, что птицы — переносчики опасных заболеваний. А он лишь смеялся.

Все птицы пели.

Илюша различал их по голосам, любил смотреть, как дрожит у канарейки горлышко на особо громких трелях. Иногда Зверолов разрешал положить палец на поющее горло — пальцем слушать пульсирующую россыпь. А петь учил их сам. Было у него два способа: собственное громкое пение русских романсов (птицы подхватывали мелодию и подпевали) — и пластинки с голосами птиц. Пластинок было четыре: аспидно-черные, с бегущим по кругу кинжальным просверком, с розовыми и желтыми сердцевинами, где мелкими буквами указывалось, какие птицы поют: синицы, славки, дрозды.

— Из чего состоит ценная песня благородного певца? — вопрошал Зверолов. Мгновение держал паузу, после чего бережно ставил пластинку на проигрыватель и осторожно пускал иглу в ее зачарованное кружение. Из далекой тишины голубых холмов рождались и звонкими ручьями приплывали, потренькивая по камушкам, вычиркивая-вызванивая и дробно-серебристо роясь в воздухе, птичьи голоса.

Илюша наперечет знал колена песни русской канарейки; умел уже отличить «светлую овсянку» от «горной», «подъемной» — когда, начиная петь в низком регистре, постепенно, будто в гору поднимаясь, певец вытягивает песню наверх, на запредельные трели с замирающей сладостью звука (а ты боишься, не оборвет ли) и долго держит трепетное «и-и-и-и», переводя его то на «ю-ю-ю-ю», то на «у-у-у-у», а после короткого вздоха выдыхает полный и круглый звук («Кнорру пустил!» — шепотом замечал Зверолов) — и заканчивает низкими, нежно-вопросительными свистками.

На ночь клетки покрывали платками и шалями, и сразу в комнате становилось очень-очень тихо. Последней жизнь шорохов замирала не в клетках, а в огромном шкафу, где обитал...

Вот... теперь, хочешь не хочешь, придется вспомнить о Желтухине Втором и, главное, о дубовой резной исповедальне, что служила ему домом.

* * *

В столовой, помимо клеток по углам, стояли тахта и круглый обеденный стол со стульями, а также большая зеленая кадка, где росла финиковая пальма, выращен-

22 ная бабушкой из косточки. В сущности, эта светлая комната выглядела бы вполне просторно (бабушка не любила «громоздить барахло»), если б не странное монументальное сооружение у «слепой» стены, похожее на орган без труб или надгробие епископа.

Это была исповедальня, выброшенная из ташкентского костела за ненадобностью, когда тот перестраивали — то ли в овощехранилище, то ли еще в какой-то склад. Бабушка утверждала, что Зверолов (он и жил тогда в Ташкенте) притащил к себе исповедальню на закорках. Это, положим, выглядело подвигом Геракла — без грузовика и пары грузчиков там вряд ли обошлось, — но уж как-то доставил, ибо сразу решил, что сей таинственный грот, хранящий отзвуки грехов и страстей человеческих, должен стать обителью Желтухина Второго, его любимого кенаря.

— Почему Второй? — спросил однажды Илюша. — И где же Первый?

— Первый в бозе почил, — вздохнул Зверолов, и мальчик представил эту самую «бозю» в виде той же исповедальни, только лежащей на боку и похожей на деревянный лакированный саркофаг, где лакированным клювом вверх, пугающе неподвижный, как мумия фараона, *почил* Желтухин Первый.

Все дело в том, что Желтухин Второй был — в отличие от остальных зеленых канареек овсянистого напева — желтым и ослепительно гениальным. Свою песню инкрустировал каскадом вставных колен. Пел с открытым клювом, в манере сдержанной страсти, виртуозно меняя тональность и силу звука, «балуясь»: то проходя низами, то поднимая тон, то сводя звук к обморочному зуммеру, трепещущим горлом припадая к тончайшей тишине. Не было случая, чтоб оскорбил он свое искусство акустической грубостью или вдруг громче крикнул, чем это было уместно. Зверолов уверял, что на любом мировом конкурсе, ежели бы на такой попасть, Желтухин Второй обязательно отхватил бы первый приз.

Как сладко было просыпаться утром под его песню...

Начинал он синичкой-московкой: *«Стыдись-стыдись-ты! Стыдись-стыдись-ты!»* — словно укорял Илюшу-засоню. И, как бы не веря в то, что мальчик сейчас же вскочит, на ироническом выдохе проборматывал: *«Скептически-скептически... скептически-скептически...»*

О, Илюша мог часами толмачить *разговоры-канары* птичьего народца. Желтухин, когда еще к песне не приступал, выщелкивал такие речи! *«Нетеберассказывать!»* *«Незадавайвопросов!»* И после секундного размышления, решительно и четко: *«Предпринял, предпринял!..»* — затем следовала попискивающая нить многоточия и: *«Воттеперьуходи... воттеперьуходи-и-и...»*

А дальше гневным стрижом: *«Щщассввыстрелю!!! Щщассввыстрелю!!!»*

И наконец плавно переходил на россыпи...

Из мечтательного далека, из звукового небытия вытягивал и вил нежную, еле уловимую «червячную» россыпь: стрекот кузнечика в летний зной. Хотя коронной его была редкая в пении канарейки россыпь *серебристая*: витая блескучая нить, на слух — разноцветная, желто-зеленая... А там уже катились «смеющиеся овсянки», с их потешными «хи-хи-хи-хи» да «ха-ха-ха-ха», подстегнутыми увертливой скороговоркой флейты. И вдруг выворачивал он на звонкие открытые бубенцы, и те удалялись и приближались

24 опять, будто старинная почтовая тройка кружила в поисках тракта... А заканчивал «отбоями»: «Дон-дон! Цон-цон!.. Дин-динь!» — колокольцы в морозном воздухе зимнего утра.

Вообще, изобретательность его композиторского дара не знала границ. Одну и ту же тему он варьировал, перерабатывая ее по ходу исполнения, с филигранной точностью и грациозным изяществом вплетая в нужное колено.

Но бывало, в конце длинной и пылкой арии брал крошечную паузу и вдруг на одном дыхании выдавал «Стаканчики граненыя», хитро кося на хозяина черным своим глазком-бусиной, отчего Зверолов хохотал и плакал одновременно, сморкаясь в платок, качая головой и повторяя:

— Ах ты ж, боже мой, какой артист! Сколько иронии, блеска, страсти!

И утверждал, что это — самый безгрешный голос, когда-либо звучавший в исповедальне, «сей обители грехов и печалей».

2

Дом стоял на окраине Алма-Аты, у самых гор, в апортовых садах Института плодоводства и виноградарства, где когда-то работала бабушка Зинаида Константиновна. Чуть ли не за калиткой начинался виноградник — бетонные столбики с натянутой между ними проволокой, увитой мозолистой шершавой лозой.

Справа тянулся бетонный забор за шеренгой серебристых тополей, раскидистых и светлых, с большими, в две женские ладони, плескучими листьями; за ним — дощатая беленая помойка, над которой в летние дни бушевала беспощадная хлорная вонь. А дальше слева, и справа, и вокруг простирались сады, и уж они были безбрежны и благоуханны.

Путь до нижнего края занимал целый час, а если пойти направо, вдоль гор, — еще часа полтора. Они просто назывались так: апортовые сады, но, помимо яблонь, в огромных этих угодьях были малиновые, смородиновые и клубничные поля, несметное количество дикой ежевики, терна и барбариса, карагачевые и тополиные аллеи, когда-то высаженные как снегозащитные полосы, и богатейшие россыпи грибов — шампиньонов, дождевиков, синих степных, а под карагачами — голубоватых вешенок.

Еще была поляна, обсаженная пирамидальными, с недовольным вороньем в кронах, прямыми и темными тополями, где Илюша играл с одноклассниками в футбол, а после — вспотевший, возбужденный, ошпаренный солнцем — бежал купаться «в поливные краны»: вокруг них всегда собиралось небольшое озерцо ледяной даже летом воды.

Вечером, часам к девяти, налетал ветер с гор, властно вплетая сильные плодотворящие струи в любовные испарения садов, будоражил и нежил листву.

И всегда висел над садами, то потрескивая и вибрируя от зноя, то разбухая — особенно весной после дождя, — терпкий слоистый запах, вернее, пестрый ковер из неописуемых горных запахов: шалфея, душицы, лаванды, сладковатого красного клевера и лесных фиалок, что росли в укромных уголках сада.

К травным и древесным примешивались острые запахи животных — лисы, ежа, каких-то полевых грызунов; понизу стлались вязкий холодный запах тины и сырой дух грибницы и влажной земли.

И запах полыни... Ее много вокруг было, и в садах, и возле дома: красной, белой, серебристой... Бабушка

26   ее любила, и каждую весну полынные веники развешивались на стенах кухни и веранды.

Но главное, по всей округе воздух закипал всепобеждающим ароматом яблок сорта апорт.

Апорт называли символом Алма-Аты: яблоко весило чуть не килограмм. Гигантские, круглые пахучие плоды, красно-полосатые от малинового до бордового, с зеленоватой кисло-сладкой сердцевиной — они до февраля могли храниться просто в серванте. Бабушка рассказывала, что раньше их продавали с телег, выстланных сеном, — горы пунцовых яблок, покрытых тонким слоем воска.

На вокзалах апорт ведрами выносили к поездам, ведрами продавали на подходе к базару; золотисто-малиновыми курганами пузатились прилавки фруктовых рядов на Зеленом базаре.

На улице Абая, где яблони росли вдоль арыка, роняя в воду плоды, а те плыли, плыли, стремительно кружась, как поплавки, и скапливались у коллектора, можно было просто опустить руку в холодную воду и выудить самое красное, самое пахучее и уже мытое яблоко: бери и надкусывай, успевай лишь отирать ладонью сладкий сок с подбородка.

А на складе Института плодоводства (был это просто гигантский земляной ангар, одна лишь крыша над поверхностью земли) работала тетя Тамара, которой, по тайному мнению Илюши, очень эта работа подходила. Мужеподобная, почти лысая — так что в полутьме подвала ее череп, склоненный над горой яблок, и сам напоминал розоватый, особо уродившийся апорт, — она выуживала плоды из круглобоких курганов, сортировала и укладывала в опилки, в ящики, а некоторых красавцев — в вощеную бумагу и в отдельные коробки. Затем рабочие вытаскивали их наверх, и полные алого золота, пурпура и янтаря коробки стояли во дворе на снегу в ожидании грузовиков. Куда и к кому они в конце концов приплывали, райские эти плоды?

Бабушка — она занималась и апортом тоже — однажды объяснила, что сорт этот — воронежский; просто в тамошнем климате яблоки не разрастались столь чудесным образом, как здесь, в предгорьях Алма-Аты. И добавила, что срок жизни любого сорта яблок — лет сорок, после чего им снова нужно заниматься: се-лек-ци-они-ро-вать. А зачем, думал Илюша: сорок лет — это ж какая даль незаглядная! Это ж коммунизм давно будет, не то что — яблоки.

В Институте бабушка уже не работала, но продолжала его «курировать»: приходила в свою лабораторию виноделия, обсуждала с учениками и бывшими коллегами результаты опытов, проверяла чистоту химической посуды. Сады, виноградник, поля, снегозащитные аллеи и, кажется, даже дощатую помойку она воспринимала как свое хозяйство: строго расспрашивала сторожей на лошадях, осматривала виноград и яблони, следила за тем, как проходит полив.

Илюша с раннего детства сопровождал бабушку в ее «инспекциях». Привык послушно вкладывать руку в ловушку сильной и жесткой бабушкиной руки — почему-то она любила всегда чувствовать руку мальчика у себя в ладони; привык слушать бабушкины объяснения всему вокруг. Годам к шести знал от нее много неожиданных, необычных и «взрослых» явлений природы и мира.

Бывало, остановится она внезапно и спросит:

— Знаешь, как найти Гнилой угол?

— Гни-лой? — удивляется Илюша. — А где он?

— Да на небе, — говорит бабушка. — Такое место на небе, на северо-западе. Мы в полукольце гор, понимаешь? Получается, ветер попадает к нам только с северо-запада. Там и тучи скапливаются, оттуда и все дожди приходят. Если хочешь узнать, что за погода будет через час-другой, — ищи глазами Гнилой угол... Во-о-он он, над школой...

Все улицы в округе, носящей странное название Экспериментальная база, были застроены неказистыми частными домиками, и по каждой можно было прийти к школе. За школой — тоже неказистой, типовой трех-этажной, с футбольным полем и сарайным зданием мастерских — протекала речка, Большая Алматинка; за ней тянулись пригороды и поселки. А дальше хол-мились предгорья, заселенные кладбищами и дачами. С них начинался подъем в настоящие горы, в Алатау. Почему-то назывались эти предгорья по-базарному, «прилавками», и каждой весной Илюша с бабушкой хо-дили туда за подснежниками.

Он поднимал голову и вглядывался в небо, где во-обще не было никаких углов, одни лишь громады опа-лово-белых облаков. Они сталкивались друг с другом, внедряясь в боевые ряды противника. Белая конница настигала врага и валила, опрокидывая колесницы, бесшумно взрываясь клубами небесных петард. А из свалки выползал длинный кудрявохребетный дракон с надорванным брюхом, истекающим сизо-черным дымом, и медленно умирал, волоча за собой темные клочья тлеющих на закате внутренностей...

* * *

За садом смотрел Абдурашитов — тощий уйгур с уз-кими желтыми глазами на смуглом лице без малейше-го намека на растительность. Он бы выглядел и совсем молодым, если б не клетчатая от морщин длинная шея.

Ходил враскачку на кривоватых ногах, руки носил вдоль туловища, не размахивая, и казалось, что выросли они у него лишь затем, чтоб поводья держать. Когда сидел на лошади, казался очень ловким; спустившись с коня, запутывался в собственной походке. Был обременен большой девчачьей семьей — аж девять дочерей, рожденных, как говорила бабушка, «в затылочек друг другу». Так в весенней капели одна за другой падают большие неторопливые капли: все были крупными, волоокими задумчивыми девочками.

Пятая, Аида, лет через двадцать выкормит своим молоком новорожденную дочь Ильи, осиротевшую через час после рождения.

Со времен «инспекций» осталась фотография — та, что и сейчас смотрит с полки бабушкиного бюро: Илюша с бабушкой стоят, как плывут, в ажурной тени еще голых струнных тополей. Она крепко держит внука за руку, то ли спасаясь от качки в волнах света, то ли боясь, что мальчик деру даст, а над ними мачтой возвышается Абдурашитов на лошади. На фото не видать, что лошадь — рыжая, с черной гривой (бабушка говорила — саврасая), такая же блекло-рыжая, как галифе на стороже. И судя по его одежде, по мягким азиатским сапогам, овчинной душегрейке поверх клетчатой рубахи, по казахской войлочной шапке, это ранняя весна; зимой он носил ватник и кирзовые сапоги.

А снимал, вероятно, Разумович — «богато разносторонний человек».

Вслед за бабушкой Илюша называл Разумовича «учеником», хотя неясно было, где и когда тот у нее учился. Он *принял лабораторию* после ухода бабушки на пенсию и считался другом семьи. Нервный, преданный, непременно с кем-нибудь выяснял отношения, говорил пылкими рваными фразами, пересыпая речь непонятным словом «конеццитаты»:

— Я, Зинаида Константиновна, не понимаю! Зачем ждать, пока крыша провалится! Пришлю в среду Николая! Он покроет жестью вашу веранду! Конеццитаты! — Или: — Лаборанты распустились: Нина уходит в декрет! Сема непременно должен к матери ехать! Работать некому! Конеццитаты!

Разумович часто их навещал, но приходить старался в отсутствие Зверолова. По словам бабушки, они «почему-то находились в конфронтации». А тут и гадать незачем — все ж и так ясно: Разумович был оголтелым меломаном, сам играл на флейте, вечно где-то что-то «репетировал» и время от времени выступал на концертах каких-то любительских ансамблей. Появляясь у них с бабушкой после очередной воскресной репетиции, Разумович даже не пытался раскрыть футляр, не то чтоб инструмент из него извлечь.

Виной всему были канарейки: Зверолов пуще глаза берег их от «нежелательных влияний». Особенно Желтухина Второго — тот вообще сидел в своей исповедальне в настоящем карантине, потому что был для остальных самцов *учителем*, *«старкой»*. К нему подсаживали молодых кенарей — учиться настоящей песне. Так что флейта Разумовича была самым что ни на есть «нежелательным влиянием».

— Еще чего! — заявлял Зверолов. — Вначале флейта, потом телефон зазвонит, потом керосинщик запоет, а потом мы до крика ишака докатимся. — И если бабушка, сурово поджимая губы, пыталась выступить в защиту «ученика» и его «разносторонних интересов», особенно ненаглядной флейты, Зверолов вытягивал указательный палец в сторону исповедальни и громко декламировал:

Флейты свищут, клевещут и злятся,
Что беда на твоем ободу!..

Однажды Илюша слышал, как Разумович пробормотал себе под нос, пожимая плечами, что, мол, не
дом это, а «сущая канареечная чума, конеццитаты!..».

* * *

Там же, в садах, выпасала своих коз старая казаш-
ка баба Марья — маленькая, в накрученном на голову
белом платке, в бархатной жилетке и длинной юбке,
с большим, круглым, очень морщинистым лицом. Ее
диковинный русский язык Илюше был непонятен
и смешон, но бабушка понимала все и очень нежно
с ней разговаривала. Иногда вполголоса упоминала,
что Марьин муж, с тех пор как вернулся с войны и из
лагерей, бьет ее смертным боем.

— За что? — тревожно спрашивал Илюша, оглядываясь на приветливо кивающую вслед им старуху: отой-
дешь на тыщу километров, обернешься, — а она все кивает и кивает.

— Контузия, — коротко бросала бабушка.

С бабой Марьей, вернее, с ее стадом, был связан
дикий случай, тот, что потом бабушка именовала
«скачками на козле», а Илюша сердился, краснел и
таращил глаза, чтобы влага стыда и обиды не выка-
тилась на щеки. Это Зверолов уговорил Илюшу по-
кататься на козле. Уверял, что в древней Элладе (они
как раз вечерами читали «Легенды и мифы Древней
Греции») на олимпиадах был такой вид соревнова-
ний. И, продолжая уговаривать заробевшего маль-

чика, поднял его под мышки, пронес канарейкой по воздуху и опустил на козла. Тот постоял, разбежался, резко наклонил голову и скинул Илюшу под откос, в валуны, оставшиеся от давнего селя. Так в них бедный Илюша и застрял — головой вниз. Громко причитая и охая смущенным басом, Зверолов его вытащил за ноги, и долго они обмывали у поливного крана ссадины и кровоподтеки. А потом очень долго шли домой через сады — молча, как чужие. Только перед самым крыльцом Зверолов попросил ничего не говорить «нашей грозной хозяйке». И Илюша кивнул — конечно же, ничего-ничего. Хотя было очень больно и хотелось пожаловаться. Но он Зверолова не выдал, а скандал — грандиозный! — все равно состоялся по полной домашней программе: темперамента и склонности к жестам и драматическим сценам (ау, цыганский предок Прохоров-Марьин-Серегин!) в семействе было с избытком.

* * *

Тут надо наконец пояснить, что Зверолов не обитал у сестры постоянно, хотя и живал подолгу: последняя женщина, к которой его прибило, занудная старая учительница Елена Матвеевна, занимавшая комнату в коммуналке где-то в районе Зеленого базара, в конце концов выгнала его вместе со всеми канарейками. Да и то: канареек было штук двадцать, не помещались они в тесной комнате. А у сестры Зинаиды все уживались естественно и уютно: канарейки, ужи-ежи, величественная исповедальня, а в ней — Желтухин Второй с наследной семейной песенкой про «стаканчики граненые» и с грезами о тезке, что давно *в бозе почил*.

А еще раньше Зверолов жил в Ташкенте, и это тоже отдельная глава его одиссеи, смешно и не без злорадства пересказываемая бабушкой. Якобы однажды он там обнаружил пустующий участок на берегу Салара и незаконно его занял. («Простодушно!» — поправлял Зверолов; «Незаконно!» — упрямо уточняла бабушка. Илюша в этом месте ее рассказа всегда представлял Зверолова на берегу *пустынных волн* Салара, в позе Петра, с рукой простертой: «Здесь будет город заложен назло надменному соседу!»)

На незаконном участке он простодушно построил дом, вырыл бассейн и напустил в него золотых рыбок, которые выросли до размера окуней; высадил чуть ли не пятьдесят сортов гладиолусов — от белоснежных до почти черных, цвета жженой пробки — и установил переносной туалет. («Простодушно?» — «Конечно, простодушно, мой ангел!») Еще одна навязчивая страсть, добавляла бабушка: ему почему-то нравилось этот туалет переставлять. Так и носился по участку с переносным туалетом.

— В конце концов, — подытоживала она, делая последнюю стежку, склоняя к шитью чернокосую корону и перекусывая нитку, — в конце концов земля понадобилась горсовету, и дом отобрали, а наш герой в свои шестьдесят пять лет остался бездомным.

Ну и отлично, втайне полагал Илюша, а то совсем было бы скучно жить. Зверолов же со своими канарейками, прибаутками, песенками, громоподобными утрами, внезапными исчезновениями и столь же внезапными появлениями очень украшал жизнь их, как говорил он, «сильно усеченного семейства».

Бабушка сердилась, когда это слышала. Тема усеченного семейства была запретной. Например, нельзя было спрашивать о смерти Илюшиных родителей — вернее, об их отсутствии. (Благопристойную смерть

34 родителей в авиакатастрофе Илюша открыл в своих мечтаниях случайно, просто однажды натолкнулся на нее: ведь у каждого человека есть мама и папа? ну, хотя бы одна мама? ну, должны же они были куда-то деться, если сейчас их нет? — и постепенно смерть родителей проросла и отвердела страшными и втайне желанными деталями.)

На деле бабушка просто запрещала ему задавать любые вопросы на эту тему. Сухощавая, опрятная, всегда пахнущая какой-то лавандовой водой, которую сама и настаивала, с гладко выплетенной и выложенной надо лбом косой, черной даже в старости, была она человеком властным, прямолинейным и без воображения. Всякие детские «почему» и прочие «несдержанности» угрюмо игнорировала или обрывала простым кратким «помолчи!». Трудновато с ней приходилось. Бывало, проснувшись в плохом настроении, не разговаривала с внуком до полудня, так что он озадаченно пытался припомнить, не натворил ли чего. Илюша был крепеньким вихрастым мальчиком с дивными шоколадными глазами, тихо излучавшими мудрую кротость. Бабушку он не то что боялся, но предпочитал не будоражить этот вулкан, по собственному опыту зная силу его извержений.

...Итак, они умерли. Это хорошо. Спокойно. Туманных родителей он по умолчанию похоронил. Гибель матери хотелось бы как-то расцветить; мать представлялась мальчику полной противоположностью бабушке: нежно-воздушной полноватой блондинкой с розовым маникюром на нежных пальцах. Да, что-нибудь такое. Но все натыкалось на тайну, на отсутствие деталей. А что можно выдумать про человека, о котором не знаешь ничего — ни цвета волос или глаз, ни как она училась, ни даже любила ли кататься на коньках, как он, Илюша, любит?

Однажды он слышал утреннюю перебранку бабушки со Зверoловом, но было то на пробуждении, на переходе в яркую россыпь канареечного пения, так что все могло оказаться и продолжением сна. Его и разбудило бабушкино отрывистое, на взрыде: «...его мать!!!» — и еще какое-то сложное слово, связанное почему-то с кашей, с манной крупой. Что-то... «манка»? «Нимфоманка»! И в ответ ей Зверолов:

— Ты безумна, Зинаида, бог тебя накажет!

— Он меня уже наказал!

А однажды — это было в первом классе, когда бабушка забрала его из школы и они шли к автобусной остановке, — Илюша заметил высокую, очень худую тетеньку, шедшую вровень с ними по другой стороне улицы. Заметил, потому что, слегка их обгоняя, она неотрывно смотрела на мальчика и раза три даже натыкалась на прохожих.

А когда Илюша обратил бабушкино внимание на странную тетеньку, бабушка обернулась и, больно вцепившись ему в руку (он почувствовал, как ее передернуло), прошипела:

— Не смей оборачиваться! Не смотри на нее!

— А кто это? — испуганно спросил мальчик. — Ты ее знаешь, ба?

— По-мол-чи! — как обычно, отчеканила бабушка и спустя минуту буркнула: — Какая-нибудь сумасшедшая...

Ну, сумасшедших-то Илюша любил. Встреча с безумцами всегда была — нечаянный театр. Две его знакомые чокнутые старушки ездили в троллейбусе номер девять — от проспекта Ленина до кинотеатра «Целинный».

Он никогда не видел их обеих одновременно, они словно принадлежали разным мирам и существовали в разных пространствах и временах года. Одна была летняя, другая — зимняя.

Летняя — русская, в мелких рыжих кудряшках, поверх которых, залихватски кренясь, сидела нежно-бирюзовая грязная шляпка с цветами и ягодами. Весь ее облик — мятое личико, грубо зашпаклеванное застарелым потрескавшимся гримом, кокетливая блузка с рюшами на большой груди, цветастая юбка фасона «солнце-клеш» и обутые в полураспавшиеся туфельки некогда стройные ноги в страшных венах, будто оплетенные синими косами, — излучал тем не менее подлинно артистическое вдохновение.

Она входила в переднюю дверь, бодро подкидывая юбку узловатыми коленями, чинно брала билет и, обернувшись лицом к салону, принималась тоненьким голосом выводить что-то из области романсов. Порой Илюша с удовольствием узнавал кое-что из домашнего репертуара Зверолова.

Вот это, например:

— Опустел наш сад, вас давно уж нет... Я брожу один, весь измученный. И нево-о-о-льные слезы капают пред увядшим кустом хризантэ-э-э-эм!

А вот это еще лучше:

— Не-е-е-т! не пурпурный руби-и-ин, не аметист лило-овый, не на-а-аглой белизной сверкающий алмаз! не подошли бы так к лучистости суровой холодных ваших глаз!.. — Тут небольшая лукавая пауза, и вначале медленно и врастяжку, затем все быстрее, завихряясь низким контральто: — ...Как этот то-онко ограненный, хранящий тайну темных руд! ничьим огнем не опаленный! в ништо на свете не влюбленный!.. — и, страстно откинув мятые кудряшки с иссеченного морщинами лба: — ...Темно-зелё-о-о-оный и-и-и-и-изумруд!..

Остановки через три-четыре выходила.

Другая, зимняя старуха, была казашкой, кряжистой, сильной и — так казалось мальчику — глубже погруженной в туман безумия. Носила мужскую шляпу «без крыши», надвинутую на бледный широкий лоб, из дыры в низкой тулье выбивались два-три кустика жидких волос. Фантастический шарф возлежал у нее на плечах мужского полупальто, свисая чуть не до полу — длинный, широкий, необычайной пестроты, весь связанный из остатков ниток. Она ловила пестрый хвост шарфа руками в митенках (короткие сизые пальцы как-то непристойно из них топорщились) и закидывала за спину, поцелуйно вытягивая пунцовые, сильно преувеличенные карандашом губы. Но самым интригующим во внешности были две пары бровей: одни родные, жиденькие, разрушенные безжалостной природой, другие — домиком над ними, нарисованные густой сурьмой. Эта запасная пара бровей почему-то пугала — словно грозный посланец явился. Но от кого? И — к кому?

Зимняя старушка читала отрывки длинных монологов. Илюша, конечно, не мог еще опознать их происхождение. Но однажды она вошла в троллейбус, когда Илюша ехал вдвоем со Звероловом, и тот, прослушав весь репертуар старухи, выданный прерывистым низким голосом, задумчиво проговорил:

— Во шпарит! Шекспир, Чехов, Мериме. А толку что, ежели мозги набекрень...

Когда она вышла, пробормотал себе под нос:

— И шестибровый серафим на перепутье нам явился.

Странным образом обе эти старухи, и летняя, и зимняя, напоминали Илюше канареек, то ли плохо обученных, то ли вдруг «заяривших» от неправильного обращения, но только уже безнадежно бракованных и никому не нужных.

Поскольку все детство Илюша сопровождал бабушку в ее «инспекциях» по апортовым садам, он тоже считал сады своими.

У него были тут особо любимые места — *свои* деревья, им посаженные (вроде выросшего из прутика желто-оранжевого куста ивы, за который Илюша всегда тревожился: по округе шлялись мужики-душегубы, что корзины плели; они безжалостно нарезали прутья даже у самых молодых деревьев); были *свои* дупла, пещеры, пни и коряги; «берлога» — яма, вырытая под огромным, с козырьком-крышей гранитным валуном, — да и сами прогретые солнцем замшело-крапчатые валуны, с накипью лишайников и ракушек, что намертво вросли в каменное тело за миллионы лет.

Это были его рыцарские владения: поместья, замки, леса для охоты, и он буйно, с гиканьем и свистом, властвовал над ними, но лишь когда играл один; вообще, он рос застенчивым мальчиком.

Особо любимой была «индейская пирога» — продолговатый, расколовшийся надвое огромный камень: он плыл в высокой заросли полыни к крепостной стене замка — кирпичному забору территории Горводоканала.

К «пироге» они, гуляя в садах, приходили со Звероловом — слушать соловьев и наблюдать муравейники и осиные гнезда. Часто встречали там Земфиру — старшую и самую красивую дочь Абдурашитова; заметив их, та каменела широким прекрасным лицом, опускала пухлые веки длинных сердоликовых глаз и некоторое время шла за ними на приличном расстоянии. Илюше казалось, Зверолов повышал голос, чтобы и Земфира слышала про то, как сидел он в засаде на снежного барса (тогда еще они встречались высоко в горах). Вот какой наш Зверолов щедрый, думал Илюша, не жалко ему, чтобы каждый встречный слушал *наши* потрясающие истории. (То, что они так часто встречали тут Земфиру, совсем не казалось мальчику странным: за дочерьми Абдурашитова он готов был признать наследное право на сады.)

Именно здесь Зверолов научил его чувствовать «воздушный пирог» — загадочное и чудесное метеорологическое явление: вечерами в садах теплый и холодный воздух перемещались слоями, и теплый пах яблоками, а холодный — стылым камнем и росными травами; и если стоять тихо-тихо, закрыв глаза, чувствуя кожей дыхание сада, то можно ощутить, как ходят волны — то один слой пирога, то другой.

— Ты вдыхай его, питайся, — говорил Зверолов, — ноздрями втягивай — смакуй... Хороший нюх человеку очень пригождается. Я зверя чую за километр...

Годы спустя Илья сокрушался, что многое позабыл из этих «ловчих» рассказов: избирательная детская память сохраняет образы, а не детали. То, как Зверолов часами сидел в засаде на снежного барса, помнил потому, что мгновенно и ясно представил его — огромного, по пояс в снегу, в меховой шапке, в тулупе; одни только черные брови шевелятся на белом от мороза лице. А дальше-то — что? Стреляли патронами со снотворным, вроде бы так? Вроде бы так, а точнее — где, у кого узнаешь? Вот и про ловушки — ямы, прикрытые ветвями, — поди разбери: помнил о них со слов Зверолова или видел гораздо позже в передаче «В мире животных»?

Зато подробно мог пересказать, как сачками ловят лягушек, и, вероятно, и сегодня смог бы завязать скользящую петлю на лассо, как учил его Зверолов, рассказывая про охоту на диких верблюдов и на лошадок Пржевальского.

Илюша ясно помнил день их последней осени: близкие горы, будто оправдывая свое название — Алатау, «пестрые», — принакрылись ворсистым густотканым ковром, с бесчисленными оттенками желто-багряных, пунцовых, ржаво-золотых кустов и деревьев. По небу кружили дырявые — пенка на молоке — облака. Плыли, сцепившись оборками, выпуская солнце на миг-другой и вновь пряча его за широкими кисейными подолами. Чуть пониже плавным хороводом кружили какие-то перелетные длинноногие птицы, нежно посылая вниз бесшумный плеск длиннопалых опаловых крыльев. А по земле, по деревьям и камням точно таким же хороводом кружили дырявые тени облаков, и, вынырнув на мгновение, солнце из последних сил согревало камень, где сидели Илюша со Зверо-ловом.

Тот, раздевшись до пояса — «Лови последнее солнце!» (а и впрямь оказалось последним) — и вынув из кармана брюк длинную веревку, показывал, как мастерить скользящую петлю на настоящем лассо.

И в этом многослойном скользящем кружении на другом камне, напротив них молча сидела загадочная Земфира, похожая на красавца-принца из книжки казахских народных сказок...

Робкое солнце, возникая нырками, падало ей на лицо, всякий раз вылепливая его до алебастрового сияния, а ее прекрасные сердоликовые глаза то погружались в тень, то вспыхивали блескучей слезой.

И этих глаз она не сводила с мускулистых рук Зверо-лова, вяжущих узлы и петли.

Бедная... Она выучила этот его урок.

Маленьких степных лошадок со стоячими рыжими гривами Илюше было страшно жаль. Он не любил зоопарк и втайне, слушая рассказы Зверолова, всегда надеялся, что в конце какой-нибудь истории тот разведет руками и скажет: «Эх... сорвалось в тот раз!»

Но, как и бабушку, стеснялся огорчить и послушно тащился за ним в Парк культуры и отдыха имени Горького. А там послушно шагал мимо тесных бетонных отсеков, где метались степные волки, мимо бассейна с грязным белым медведем в зеленой воде, мимо клеток с угрюмыми орлами и беркутами, что взмахивали культями обрезанных крыльев.

Были там еще слоны, бегемоты, носорог и тапир — Зверолов шутил, что тот в белых трусах.

Просторнее всех — одна в вольере — жила большая черепаха, да еще верблюды: те хоть двигаться могли; впрочем, у них и морды такие, будто на людей им плевать.

Мальчик все это ненавидел; главное — ненавидел острый звериный запах, лучше повествующий о беде животных, чем любые рассказы.

После зоопарка всегда навещали старика Морковного. Тот жил в Татарке, неподалеку от Малой Станицы — некогда старой казачьей окраины. Татарка граничила с зоопарком, и потому днем и ночью над ее разбитыми, запутанными, тесными колеями улочек — шириной в одну то и дело застревающую машину — разносился вой, клекот и рык обитателей клеток.

Вообще, весь район Татарки (Зверолов говорил, что прежде здесь *по логике* обитало много татар, даже мечеть была) почему-то напоминал Илюше те глубокие гнезда из шашлычных палочек, что плели они со Звероловом для канареек.

Помимо типичных казачьих домов в полтора этажа — беленых, с наличниками и ставнями на окнах, с высоким крыльцом, окруженным курами, — встречались там дома из вагонных шпал. И если б не буйная зелень вокруг, выглядели бы эти угрюмые темные жилища с подслеповатыми окошками совсем уж дико. Но вились по заборам голубые и розовые вьюнки; цветники вокруг дома пестрели белыми и пунцовыми астрами, георгинами, мелкими сиреневыми хризантемами, барвинками и непременными золотыми шарами.

А на заборах — в первых рядах партера — восседали пестрые сонмища кошек, и в каждом дворе мельтешили «звонки» — мелкие дворняжки.

Старик Морковный снимал комнату в полуподвале одного из таких домов. Найти его было легко: на крыше дома, чуть ли не единственная в Татарке, сидела огромная голубятня. Возможно, хозяева потому и терпели старика Морковного с его канарейками, что сами держали голубей и были заядлыми птичниками.

В кривозубом заборе, захлестнутом высокими кустами бледно-розовой и бордовой мальвы, голубела калитка с осевшим левым плечом — отворить ее получалось, только если хорошенько приналечь, а там уж оголтелым перебрехом гостей встречала упряжка трех мелкотравчатых дворняг: рыжей, пегой и белой. Бездельники радовались любому поводу дать концерт, и пока меж кустов сентябринок гости шли по тропинке к дому — желтому, с ярко-синими наличниками и ставнями, — в спины им неслись вдохновенные переливы этого трио — хриплый гав, торопливый захлеб и визгливое дребезжание шавок.

В обитель жильца вела низкая дверь со двора, и надо было еще спуститься по семи ступеням крутой деревянной лестницы. Сразу ты попадал в настоящий птичник: клетки стояли одна на другой в четыре этажа, располагаясь рядами, как стеллажи в районной библиотеке. Воздух тут был густой, кормовой, перистый, перенасыщенный птичьими слабыми звучками.

Один свободный от клеток угол занимала «кушетка» — просто матрац, уложенный на доски и поставленный на кирпичи; в другом углу на кирпичных столбиках алтарем возвышалась старая газовая плита. Был еще самодельный дощатый стол, заставленный и заваленный какими-то коробками, пакетами и птичьим инвентарем. На уголке его, расчищенном «для разговору» и застеленном клеенкой, гостей ожидало непременное пиршество. Но — не сразу, не в начале вечера.

Долгое время Илюша был уверен, что Морковный — это не имя, а прозвище старика, данное потому, что в корм своим канарейкам он подкладывает кусочки моркови. Был тот настоящим «разводчиком», настоящим, по словам Зверолова, «канареечным охотником», хотя *охотника* Илюша представлял себе иначе: молодым, ловким, с сетью в одной руке, с клеткой в другой. Но Зверолов старика уважал и покупал у него молодых самцов хорошей зеленой линии.

— О, Федор Григорьич — это!.. — говорил он. — Федор Григорьич, знаешь, в пятнадцать лет пацаном сел за руль и всю жизнь шоферил. А когда работал дальнобойщиком, даже в дорогу брал с собой кенаря в клеточке, чтоб пел в кабине. Во какой человек... страстный! (Определение «страстный» у Зверолова означало высшее одобрение.)

А вообще Илюша скучал, слушая неинтересные разговоры про спаривание птиц и содержание их в пролетных клетках, про «дрессировку» и про «отбивание брака». Порой в заветном ожидании прекрасного окончания вечера даже задремывал под эти разговоры, уютно пристроив на руках вихрастую голову. Просыпался — вернее, вздрагивал — от сиплых выкриков Морковного:

— А я тебе скажу: столько брехни, сколько в нашем деле, — еще поискать! Мол, и в бочки кенарей сажали, и в чулках подвешивали, и палками с перьями щекотали... Это все мифы! Васильев тот — да, могу рассказать, как он птиц темнил, сам видел, своими глазами: он клетку ставил в ящик, ящик заворачивал в мешок, тот — еще в какой-то тулуп... и все это запиралось в шифоньер.

— А воздух-то, воздух?

— Что — воздух? Дышать как-то птица еще дышала, а вот пила-ела, надо думать, на ощупь. Куда твоему Желтухину!

— Да-а-а...

Комната, где обитал со своими канарейками Морковный, даже в самый яркий день была погружена в полуподвальный сумрак: свет в нее с трудом протискивался через два оконца, мало того, что под самым потолком, так еще снаружи, со двора заросшие барвинками. Поэтому дверь — снизу она казалась корабельным люком, распахнутым в синее небо, — почти весь день он держал открытой. С наступлением темноты старичок Морковный щелкал выключателем, и над столом загоралась низко висящая лысая лампа величиной с младенческую голову. Но кроме лампы обязательно запаливались три свечи в трех разностильных старых подсвечниках. Это тоже было — «для разговору».

И разговор длился и длился до ночи — можно было на месяц вперед под него выспаться. И про то, что лучшими канарейками в старину считались вовсе не с Полотняного завода, хотя и про тех худого слова не скажешь, а боровские; и что в Москве в Охотном ряду именно боровские шли первым сортом, а калужские, тульские и нижегородские шли вторым и третьим. И что настоящая «концертная» канарейка стоила когда-то дороже офицерской лошади, а «отучали» ее дудками и натурой...

Мальчик скучал, но, вышколенный бабушкой Зинаидой Константиновной, терпел в тайной надежде на гренки, которыми старик Морковный всегда угощал их на прощание. Жарил сразу в двух больших сковородах на своей старой плите — с ножом в руке подскакивая то к одной, то к другой сковороде, «подстерегая момент» и с фехтовальной ловкостью переворачивая гренку именно тогда, когда «щечка» зарумянивалась «в нужной кондиции». Толстые, сочные, с поджаристыми хрупкими кружевцами, обсыпанные угольками куриных шкварок, лука и чеснока — эти гренки стоили самого пропащего вечера.

И пока за столом шли все те же скучные разговоры о кормах — надо ли включать в зерновую смесь льняное семя («Ни в коем случае! — горячился старик Морковный. — Льняное семя — маслянистое, доведет птицу до ожирения, особенно во время линьки, убьет печень, расстроит пищеварение... Давать — только как слабительное. — И со страстным лицом повторял: — Только как слабительное!»), — Илюша, обжигаясь и шумно втягивая воздух, пользуясь тем, что бабушка не видит «этого безобразия», хватал гренки руками под одобрительные кивки старика Морковного, а запивал мутнохолодным, в нос шибавшим квасом — тоже самодельным, настоянным на яблоках, на апорте.

Домой возвращались поздно, по вымершим улицам — фонарей там сроду не водилось, — косясь на зловещие заросли мальвы у заборов и непременно ошибаясь то поворотом, то переулком, то водной колонкой. И оттого, что они плутали, и оттого, что густая пахучая темень дрожала голосами зверей и птиц из зоопарка, и оттого, что голоса эти были исполнены тоски и угрозы, можно было представлять, что пробираются они опасными джунглями, под улюлюканье и вой преследующих индейцев...

Но даже и в эти минуты, перешибая ночную мощь травных и древесных запахов, догоняя их и обещая райское блаженство, над Татаркой витал аромат неописуемых гренок старика Морковного.

Позже, скучая по Зверолову, Илюша так и не решился однажды сесть в знакомый трамвай и кривыми тесными улицами, среди тополей и карагачей, поехать в Татарку «просто так». Бабушка сказала бы, что это неприлично; да и самому себе неохота было признаваться, что во многом им движет мечта еще хоть раз отведать незатейливой, но такой вкусной еды.

Зато он приходил к «индейской пироге» и подолгу оставался там один, привалившись спиной к нагретому солнцем валуну в кустах ежевики, вспоминая, как они слушали здесь соловья («сладостно бушующего», сказал тогда Зверолов, вытирая глаза большим клетчатым платком), как ловили ежей и черепах, а однажды поймали даже ласку, и Илюша умолил отпустить ее на волю.

Но вскоре после смерти Зверолова там повесилась старшая, самая красивая дочь Абдурашитова Земфира, и мальчик («Опустел наш сад, вас давно уж нет...») перестал туда ходить, не сумев понять и принять молчаливого предательства сада, когда с веткой одного и

того же дерева связаны высочайшее блаженство и непо-
стижимые ужас и боль.

4

То, что Зверолов — отчаянный игрок, бабушка старательно и ревниво скрывала. Та еще *лакировщица действительности* была. Все, что ею расценивалось как «семейный позор», запрятывалось в такие подвалы-анналы, что из этих застенков мало что вырывалось. Удивительно, что не уничтожила весь архив. Много чего пожгла, это точно, и бесполезно сейчас догадываться, что именно. (Впрочем, почему бесполезно? Наверняка все то, что могло связать Илью с его несчастной матерью после бабушкиной кончины. Хотя прожила она так долго, что вполне могла пережить и свою таинственную преступную дочь.)

Совсем уж в глубокой ее старости выплывало на свет то одно, то другое. Вот, конный завод прадеда нарисовался — видимо, старуха сочла его безопасным (смешно: для кого — безопасным?). А перед смертью вдруг рассказала, как именно Зверолов просаживал деньги: срезáл все свои гладиолусы, складывал в чемодан, летел в Москву, сдавал цветы знакомому на рынке — и мигом на ипподром. Кончалось все одинаково, судя по связке однообразных телеграмм, обнаруженных Ильей в бабушкином бюро после ее смерти: «Зинаида срочно телеграфом 50 (или 100) тчк Николай».

Биография Зверолова тоже сложилась у Ильи в самых общих чертах, уже спустя много лет после его смерти. И странно было осознать, что этот человек, проникнутый любовью к малым птахам, воевал, воевал и воевал: сначала в гренадерском полку Его Величества, потом в конной бригаде Котовского, затем — в Финскую, Отечественную... Он и строил, конечно, — Турксиб, например, и, вероятно, много чего еще.

Но главным было другое: его уникальная способность к мгновенным и внезапным исчезновениям и перемещениям в пространстве. Никогда и нигде он не жил подолгу. Любимой присказкой, если случалось куда отлучиться — неважно, на сколько, на четверть часа или на полгода, — была: «Я мигом, фигара-здесь-фигара-там!», и потому, в отличие от остальных братьев и сестер, этот весьма заметный «фигара» ни разу не попал в лагеря — не успевали за ним.

В конце концов помнилось только то теплое, родное, что имело к Илье самое непосредственное отношение: как вечерами он качался у Зверолова на ноге, верхом на огромной ступне в войлочном тапке. А тот читал или слушал радио, будто и не замечая маленького всадника, что обнимал мощную икру, щекой прижимаясь к мягкой брючине фланелевой пижамы. Когда передавали «Полонез» Огинского — плакал: громадный, с черными кустистыми бровями и толстым носом, плакал и вытирал слезы большим клетчатым своим платком.

— Ты чего плачешь? — интересовался мальчик. — От музыки?

— От музыки, — соглашался тот. — Эту пьесу играла одна дорогая прелестная девочка. Мно-о-ого лет назад.

Вот что еще запомнилось: ссора взрослых перед шестым днем рождения Илюши, когда бабушка, заламывая руки, ходила за Звероловом по квартире, уговаривая не дарить мальчику привезенного из Ташкента ослика. Илюша не спал и слышал каждое слово; ужасно переживал, куда определят ослика — в столовую?

на веранду? Во дворе его держать не разрешили бы соседи — двор у них был общим. Бабушка то кричала тягучим шепотом, то ласково умоляла: ну, чего тебе еще, и так уже не квартира, а филиал зоопарка: черепахи, ежи, хомяки, канарейки!

Уговорила в конце концов. Но день был тяжелым, и вечер выдался под стать: сидели оба мрачные по разные стороны стола, раскладывали каждый свой пасьянс. Молчали.

Между прочим, в семействе гадали все. Вообще, карты в доме присутствовали вещественно и зримо, хотя играть в них было запрещено. Когда однажды в детстве Илюшу — он валялся тогда с ангиной — забежали проведать дворовые подружки, близнецы Нинка и Яся, и, увидев на столе карты, стали уговаривать его научиться «резаться в дурачка», бабушка, застав это кощунство, с руганью вырвала карты из Нинкиных рук, подтвердив тем самым репутацию «злыдни».

Сама она гадала молча, ничего никому не говоря, свои карты в руки никому не давала. Никакой мистики и прочих глупостей в ее жестком характере не водилось в помине. Но... карты всегда в руках. Разложит — и тотчас смешает одним движением руки.

За неделю до Гулиных родов выложила — Илья случайно увидел — все смертные карты. Испугалась, побелела, быстро их смешала... И затихла.

* * *

В последние годы у Зверолова обнаружилась глаукома; он ее никак не лечил. Кажется, даже любовался некоторыми изменениями, принесенными ею в окружающий мир. Во всяком случае, Илюше хвастался:

— Исповедальню видишь? Просто шкаф, да? Во-о-от. А у меня она вся в лиловом мерцании... Окно видишь? Окно и окно, да? А у меня все оно сиянием охвачено, вроде северного: острые лучики — от белого до сиреневого.

Почему все оборвалось так нелепо и грустно; почему еще бодрый могучий старик ушел помирать (в коммуналку ушел, к своей скучной учительнице, которая как раз уехала на два месяца к сестре в Семипалатинск, да и вся коммуналка, все три комнаты — как только в пьесах бывает, чтобы сюжет сладился, — разъехалась на каникулы. Так и лежал там один до самого конца), для Ильи долго оставалось загадкой, как и загадочная бабушкина фраза о *легкой* его голове.

Бабушка всем объясняла, что Зверолов боялся ослепнуть и стать беспомощным, в тягость родным.

Чепуха! Ее обычная *лакировочная* версия.

Как он *замучивал* себя? — пытался представить Илюша. Представлять было трудно, совсем невозможно: ведь напоследок Зверолов все равно должен был видеть свою нежную радугу, очарованным странником уйти, *с легкой головой*, в ореоле ее острых бело-сиреневых лучей...

Вот, собственно, и все — о нем. Осталось только добавить, что тахта, на которой он спал, называлась «рыдван»; чемодан, что под ней хранился, — «рундук». А еще по всему дому валялись химические карандаши — с Гражданской их полюбил, уверял, что писать удобно.

Илья впоследствии долго натыкался на эти карандаши по разным углам, разок подобрал и сам пристра-

стился; правда, удобно: послюнил грифель, и вот, по-
жалте, — «не вырубишь топором».

* * *

В рундуке под «рыдваном» оказались:

плащ из бычьей кожи времен Гражданской войны;

кальсоны, рубашка, очки;

зеленое, легчайшее верблюжье одеяло;

справочники «Гладиолусы» и «Русская канарейка»;

неказистая белая монета царской чеканки: на одной стороне — затертый двуглавый орел, на обратной — буквы: «3 рубли на серебро 1828 Спб»;

и папка с документами.

В папке хранились мандат двадцатых годов на но-
шение огнестрельного оружия за подписью какого-то
Якова Михайлова, телеграмма с просьбой о поставке
лягушек для Ташкентского зоопарка, записки людей,
безуспешно искавших его между Ташкентом и Алма-
Атой, и старая коричневатая, с обломанными угол-
ками карточка (понизу выведено славянской вязью:
«Придворная фотография Я. Тираспольский и А. Горн-
штейн, г. Одесса»), на которой манерная, знойного облика девица губами тянулась к кенарю на жердочке.

Плащ был Илюше и раньше знаком — огромный,
тяжелый, из толстой бычьей кожи, он мог стоять на
полу сам, без человека внутри. От него довольно приятно пахло: кожей и чуть-чуть касторкой — смазыва-
ли на лето, чтобы не растрескался. В раннем детстве
Илюша играл в нем, как в шалаше. Так что плащ был
давним знакомцем — помнится, летом они с бабушкой сообща выносили его во двор (весил он кило-

граммов семь-восемь), переваливали через веревку и караулили, по очереди сидя посреди двора на старом венском стуле, из-за треснутого сиденья изгнанном из парадных стульев столового ранжиру.

Да, плащ был выдающийся, и кроя отменного. Илья потом видел похожий на Жеглове из места встречи, которое нельзя изменить: два ряда пуговиц, карманы-прорези, кожаный пояс с пряжкой и большой воротник, застегивающийся под горло, — тогда остается еще воротник маленький. Длинный черный плащ, даже Зверолову длинный: до середины икры.

Якобы тянулся за ним романтический шлейф: бабушка говорила, что в этом плаще Зверолов ночевал зимой под окнами какой-то одесской балерины. Ну, ночевал или не ночевал, балерины или кого там еще, а только плащ бабушка отдала Абдурашитову. Под зеленым легчайшим верблюжьим одеялом (полезная вещь!) много лет потом спал сам Илья, а позже — его единственная, обожаемая драгоценная дочь, которая...

Нет! Рановато о ней.

Сначала о канарейках.

Само собой, ухаживать за всем этим птичьим населением стало некому. Пригласили старика Морковного с Татарки, и тот за бесценок — да у бабушки и сил не было торговаться — забрал всех птиц, в том числе и Желтухина Второго. А главное, забрал исповедальню. Вот чего Илья долго не мог бабушке простить: она всегда мечтала избавиться от «этого саркофага». Хотя, если подумать, не лишать же такого выдающегося артиста, такого, по словам Зверолова, «страстного маэстро», как Желтухин Второй, его законного жилища.

Сделка свершилась, когда мальчик был в школе. Вернувшись, он застал странно пустую, странно облезлую и, главное, странно безмолвную комнату. «Опустел наш сад, вас давно уж нет...» Вот теперь Разумович мог играть на своей проклятой флейте до потери сознания.

Это потрясло Илюшу сильнее, чем сама смерть Зверолова, чем похороны, чем плывущая в гробу на плечах незнакомых и хмурых мужчин его *легкая голова* — голова человека, что вдруг *захотел умереть и потому не страдал*.

Весь вечер Илюша проплакал, словно лишь теперь понял, что Зверолов не вернется никогда. А может, в этом бесптичье и безмолвии его сердце подспудно прозрело образ *иного* безмолвия — того, что много лет спустя обрушится на любимое существо?..

5

К девятому этажу бетонно-стеклянной башни, населенной редакциями чуть ли не всех казахстанских газет и журналов, сладкими волнами поднимались одуряющие запахи из соседней кондитерской фабрики. Ароматы ванили, патоки, цукатов, горячего темного шоколада под конец дня становились невыносимы, а с голодухи даже тошнотворны — тем более что с утра просыпался Зеленый базар напротив, раскочегаривал свои тандыры, раздувал угли для шашлыков, насаживал кусочки баранины на палочки и выкладывал их рядком на мангалы.

Опрятные кореянки выставляли на прилавки миски со своими остро-пахучими салатами и закусками, всеми этими пряными морковками, капустами, грибами, требухой, фунчозой, рыбным и мясным хе... Сухие терпкие струи запахов — перец, куркума, кинза, зира, барбарис — витали над мисками и горками разноцветных специй, и вся эта благоуханная отрава, смешавшись за день с приторным духом кондитерского рая, под вечер способна была довести голодного человека до обморока.

В редакции время от времени появлялся Ванильный Дед — старый казах с покалеченным лицом: правая половина была окаменелой и какой-то рубчато-вельветовой; левая беспрестанно дергалась, будто он не переставал ухмыляться миру и людям. Ванильный Дед приносил ворованную на кондитерской фабрике ваниль, расфасованную в пробирки, заткнутые пробкой из жеваной газеты. Редакционные бабы дожидались его появления с каким-то исступленным хозяйственным вожделением (ходил он по одному ему известному графику), гоняясь за ним по всем этажам здания, словно его товаром был не этот кондитерский вздор, а какое-нибудь спасительное заграничное лекарство для безнадежного больного.

— Ванильный Дед не появлялся? — влетая в комнату, спрашивала запыхавшаяся машинистка Люба. Ей отвечала корректор Александра Трофимовна:

— Бегите на третий, Люба. Должен быть там, если не ушел.

Илья терпеть не мог эту советскую стеклянную девятиэтажку, студеную зимой и нестерпимо душную летом. На всю редакцию республиканской пионерской газеты «Веселые отряды» был один бестолковый кондиционер, работавший в каком-то своем творческом режиме.

Выросший на земле, в апортовых садах, Илья высоту ненавидел и втайне ее боялся. А в здании даже лестницы были мерзкими: ступени — просто бетонные плиты на опорах, сквозь них — пустота. Он предпочитал спускаться в лифте, но за годы студенчества пережил тут несколько землетрясений, однажды надолго застряв в темной и душной кабине; и пока, упершись лбом в фанерованную стенку, обреченно ожидал вызволения, думал почему-то о Желтухине Втором, который всю жизнь провел вот в такой кромешной тьме ради редких минут ликующего пения.

С тех пор твердо решил спускаться на своих двоих, стараясь, однако, не слишком заглядывать под ноги.

После работы Илья выскакивал из здания редакций и бежал на Зеленый базар: купить в забегаловке поджаристую кунжутную лепешку, острый домашний сыр с тмином и базиликом или запихнуть за щеку соленый курт — поскорей заесть першащую в горле кондитерскую сладость...

Уже в то студенческое время он начал лысеть — поразительно рано. Но высокий рост, обаятельная легкая сутулость и немного рассеянные, ироничные темно-карие глаза вполне обеспечивали ему внимание женщин, тем более что бабушкино «хорошее воспитание», столь досаждавшее ему в детстве и вконец осточертевшее в юности, как выяснилось, в любой компании выгодно его отличало.

Впрочем, его карьера покорителя женских сердец (три очень разных блицромана на первом же курсе; особенно приставучая благосклонность секретарши ректора Сони Сопрыкиной) оборвалась в тот воскресный день на Медео, когда он увидел Гулю — заметил ее на огромном слепящем катке: в этом своем синем платье, с широченной юбкой, вихрящейся вокруг невероятно тонкой талии. Сидя на деревянной лавочке, он надевал коньки. И когда поднялся на ноги, чтобы выйти на лед, увидел впереди стремительное кружение синей юлы. Вмиг это напомнило ему облачножуравлиное кружение далекого весеннего дня, и, возможно, поэтому Илью даже издали поразило сходство ее разгоряченного под горным весенним солнцем лица с почти забытым лицом Земфиры.

Он решительно подъехал и заговорил, мысленно благословляя свой какой-никакой *галантерейный* мужской опыт, а иначе не решился бы ни за что.

И после, счастливый, ошеломленный тем, что *получилось*, на очень легких после коньков ногах повел угощать ее шашлыком — много их, шашлычников, стояло вдоль дороги: пряный синий дымок в холодном воздухе. И ели они стоя, жадно стаскивая зубами с палочек кусочки вкуснейшей баранины. Под мостом среди снега, льда и камней стеклянно бренчала речка. Футляр со скрипкой (после катка Гюзаль должна была ехать на репетицию) он неудобно и осторожно держал под мышкой, боясь уронить и время от времени делая вид, что роняет, — тогда она округляла в испуге длинные сердоликовые глаза под высокими *ласточкиными* бровями.

Это было время его короткого и вялого мятежа против бабушки: борясь за свою хотя бы номинальную самостоятельность и взрослость, он не брал у нее денег, не сообщал, когда придет домой, а однажды, не предупредив, остался ночевать у сокурсника, о чем потом сильно сожалел: вернувшись, застал ее в состоянии невменяемом: исступленные глаза блестели окаменелым горем, руки тряслись, а Разумович, оказывается, за ночь успел обегать все больницы и морги.

— Да что, что со мной может случиться?! — кричал Илья.

— Прекратите третировать бедную старуху! — сквозь зубы сказал ему Разумович, и оттого, что тот, знавший Илью с младенчества, вдруг обратился к нему на «вы», а бабушку назвал «старухой», Илья замешкался, криво ухмыльнулся, собираясь с ответом, но уже в следующую минуту понял, что проиграл, и мысленно махнул рукой на свои революционные потуги. Конец цитаты.

Кстати, в редакцию «Веселых отрядов» его пристроила племянница Разумовича, работавшая там корректором. И все годы учебы в институте Илья исправно отсидел в отделе писем, среди синих и красных карточек, на которых требовалось записывать адрес и имя корреспондента. Поначалу его удручала возня с бесконечными конвертами, тем более что каждого новенького подвергали своеобразной дедовщине, исподтишка наблюдая, как бедняга облизывает уголок, прежде чем заклеить конверт. Один, другой конверт, десятый... и вот уже омерзительный вкус клея во рту, шершавый язык одеревенел и еле шевелится. И тогда насмешники разъясняли с невинными лицами, что существуют кисточка или губка да стакан с водой, а конверты можно выложить елочкой — вот так, чтоб уголки с клеем один под другим: мазнул сразу все — и заклеил.

* * *

В один из августовских вечеров, что разливают в воздухе странное желтоватое свечение, Илья с завернутым в кулек увесистым куском *саномяна* — рассольного острого сыра, похожего на брынзу, — вышел из центрального павильона Зеленого базара на улицу Горького. На ходу развернув бумагу и жадно отхватывая зубами ломти сыра прямо из кулька, он чуть не столкнулся с каким-то стариком — тот стоял у него на дороге с птичьей клеткой в руке. Илья чертыхнулся, извинился, притормозил. Вообще-то старики с клетками околачивались на Тастаке — был там птичий рынок. Но этот, видимо, где-то неподалеку жил, а до Тастака добираться сил уже не хватило: совсем изношенный старичок, в одной руке клетка, другая, паркинсоновая — с самодельной, приплясывающей палкой.

Но дело не в этом; чем-то его старик зацепил, напомнил что-то смутное, давно забытое: какую-то мальву у заборов, заливистую брехню дворняжек, звяканье ведер вокруг уличной колонки...

А тот, приметив, как Илья замедлил шаг и внезапно остановился, крикнул неожиданно громким петушиным говорком:

— Молодой человек! Купите кенаря, не пожалеете! Старинный народный промысел, благородный овсянистый напев, замечательная раскладистость! Купите, ей-богу! Дом, где птицы поют, никакого сглазу не боится!

И вдохновленный тем, что юноша не уходит, а все стоит, неподвижно уставясь на клетку в руке продавца, наддал дребезжащего голосу:

— Этот кенарь — не просто певец, а большой артист! Знаменитая желтая линия. Потомство легендарного Желтухина!

— Желтухина?! — Илья рванул к нему так, что сыр вывалился из кулька и шмякнулся под ноги. Но ему не до сыра было: неужели перед ним старичок Морковный?! Неужели дотянул до нынешних времен?! Да сколько ж ему теперь?! Фу-ты, забыл имя-отчество... — Вы... простите, вы — Морковный? — Илья почему-то страшно разволновался и растрогался. Словно перед его глазами возник сам Зверолов, пусть даже тень его. — Вы меня, конечно, не помните. Я — внучатый

племянник Николая Константиновича Каблукова. 59
Мы приходили к вам, и вы... гренки жарили... и квас
был еще, очень вкусный!

— Что ж — гренки, — ничуть не смутившись, ни на
мгновение не запнувшись, отозвался старик Морковный. — Я б тебе, сынок, и сейчас гренки замастырил
хоть куда... кабы яичек штуки три-четыре, а?

Минут через двадцать они уже ехали в такси к старику Морковному в Татарку, все той же заблудистой
сетью улочек, мимо заборов, полоненных неряш-
ливой розовой и белой мальвой. В одной руке Илья
держал клетку с наследником Желтухина Второго, а в
другой, так же осторожно — бумажный пакет с десят-
ком яиц.

И точно в детство вернулся: старик Морковный,
Федор Григорьич, так и жил у тех же хозяев, в своей
большой странной комнате в полуподвале.

— Скажу тебе как родному, Илюша: другие давно б меня выгнали, уж очень я им задолжал по всем
статьям.

А главное, едва спустился по хлипкой крутой лестнице (голову-то теперь пришлось хорошенько при-
гнуть) — точно родное существо встретил: в сумраке
полуподвала у единственно свободной от клеток стены стояла исповедальня. Будто все эти годы ждала его,
притихшая темная утроба. И уже не казалась такой ве-
личественной, как в детстве. Просто нелепое культовое
сооружение, нечто вроде двойной телефонной кабины
с приступочкой, изумительно сработанное старинным
мастером. И, конечно, в ней уже не было, не могло
быть легендарного Желтухина Второго с его «стаканчи-
ками гранеными». Вообще, клеток у Морковного явно
поубавилось:

— Порараспродал молодых кенарей, Илюша, надо как-то сводить концы с концами. — Заметив, что Илья то и дело оборачивается на исповедальню, вкрадчиво добавил: — Но шкаф — он, конечно, по-прежнему обитаем. И жилец, доложу, очень серьезный... *Тебе*, — голосом приналег, — покажу.

Открыл пузатую резную дверцу, нырнул по пояс вглубь, шебурша там, возясь в темноте. Наконец, извлек наружу клетку — акушер так извлекает младенца из утробы матери — и поставил ее в центр стола. Неприметный блекло-желтый кенарь озирался на жердочке. Несколько мгновений в воздухе легчайшими перышками мерцали его вздохи-попискивания, затем вздулся тугой шар тишины, и в нем вначале короткими побаловками, низами, синичкой грянула звонкая серебристая россыпь, широко и вольно разливаясь, вознося мелодию ввысь, заплетая длинные витые пряди, подстегивая себя увертливой скороговоркой флейты. На особо трогательном переходе от овсянки к бубенцам у Ильи сжалось горло, на глаза — хорошо, что свету маловато, — навернулись слезы. Вспомнились их *джунглевые* утра, высоченная фигура Зверолова с закинутой, как у птенца, головой, сердитое бабушкино ворчание про «переносчиков заразы». Все так ярко вдруг ожило перед ним в череде рассыпчатых канареечных колен...

Это была *плановая* песня хорошего певца. И заканчивалась артистично: звонкими отбоями.

— Спасибо, — проговорил Илья, приходя в себя после песни, смущенной улыбкой благодаря то ли Морковного, то ли самого кенаря. — Спасибо. Я куплю у вас, Федор Григорьич, самца? Вы мне только порасскажите кое-что из дела... Хотя я помню, конечно, многое помню от... дяди Коли.

— Дорогой ты мой! — вскинулся старик. — Да я **61** тебе все передам, всю душу свою канареечную, только знай — бери!

Весь вечер он, как бывало, взахлеб и почему-то сердито говорил о своем: о кормах, о том, что к каждому самцу требуется подход: ежели он слишком темпераментный, так ты его раскорми, чтоб позже *вышел на песню*, чтоб не *заярил*. А другого, *хладнокровного* — наоборот, корми меньше, но зато стимулирующими кормами. И что все зависит от степени *прорванности*, то есть выхода на песню...

И так же аппетитно скворчали восхитительные гренки на двух сковородах, исправно ворочаясь с боку на бок.

— А квас, Илюша, нынче мне не по карману, извини. Да и хлопотно, вон рука-то... ходуном ходит.

Илья просидел у Морковного до ночи и ушел, унося в маленькой клетке кенаря, молодого самца, Желтухина — а как же иначе — Третьего, первого питомца, с которого затеплилась его личная страсть, его канароводная звезда, будто сам Зверолов через своего едва ли не потустороннего посланника озаботился приставить к покинутому делу «внучонка».

Странно только было, что старик Морковный почти не вспоминал Зверолова, как это было бы понятно и очень даже приятно Илье. Только напоследок, когда прощались у лестницы, ведущей к двери-люку, распахнутому в желтоватую тьму августовской ночи, сдержанно проговорил:

— А ты другой...

— Что — другой?

— Другой, чем он. Ты смиренный. Тихий. Это в нашем терпеливом деле гораздо лучше. Николай —

тот буйным был, и во всем — буйным: в жизни, в канарейках... в женщинах. Я ж говорил ему тогда: как ты мог, старый подлец, — девочку, девочку! — в себя влюбить...

Вгляделся в полутьме в обомлевшее лицо Ильи и запнулся:

— А ты что... не знал, выходит?

— Не понимаю... — пробормотал юноша. — О чем — не знал? Вы что... вы...

— Ну так дочка же... несчастная девочка этого садового егеря...

Илья аж в перила лестницы вцепился, чтобы на ступеньку не осесть, — так тело огрузло. Вмиг пронеслось: кружение молочной пенки облаков на высоких небесах, обнаженные сильные плечи и грудь Зверолова с печатным пряником верблюжьего копыта, его мускулистые руки, ловко затягивающие узлы на скользящей петле. И — бессильными плетьми висящие руки Абдурашитова на похоронах дочери.

«Опустел наш сад, вас давно уж нет...»

— Вишь, как оно выходит, если буйствовать, — вздохнул старичок Морковный. — Хотел он ее отпустить своей смертью, а оно вон как повернулось: это она своей смертью его догнала и уже не отпустила...

* * *

С того вечера он часто заглядывал к старику, иногда в неделю раз, а бывало, и чаще. И всегда находилось о чем потолковать, тем более что Илья только приступал к дотошному постижению канароводного дела. Морковный же был — неутомимый рапсод своей страсти. Глубокий старик, слабеющий с каждым днем, он оживлялся только на теме жизненного промысла: на кана-

рейках. У него и голос становился тверже, и рука будто 63
меньше тряслась.

Сидели за гренками целыми вечерами, потом еще
минут сорок договаривали, стоя у лестницы под распахнутой в небо дверью.

И однажды Илья решился.

— Федор Григорьич, я вот что хотел... Только не ду-
майте, что непременно обязаны рассказать, но вдруг
вы что-то... может, слышали, пусть даже сплетни, мне
все равно! А если нет, то простите и забудьте.

Они опять прощались, стоя под распахнутой дверью. Высоко вокруг лампы вилась золотая мошкара.
Илья, как в медленном сне, пытался вымолвить, произнести слово, реже которого он вряд ли что в жизни
произносил. Наконец, выдохнул:

— Моя мать. Вы, случайно, не знаете о ней?

Морковный помолчал, рассматривая лицо Ильи,
будто сверяя его черты с чертами кого-то забытого, от-
ринутого, возможно, и преступного.

— А сам не знаешь? — спросил он.

— Нет.

— Ну, так тебе, значит, и не велено знать.

— Кем не велено? — оторопел Илья, думая, что старик имеет в виду бабушку Зинаиду Константиновну с
ее строгостями, под старость уже смешными.

Но тот, очевидно, отнюдь не бабушку держал в
уме. Молча поднял указательный палец трясущейся
руки вровень с плечом и ткнул им в потолок. И палец этот ходил и ходил, точно отыскивал где-то там,
вверху — возможно, в небе самом — единственную
достойную цель. Потом опустил руку, помолчал и
устало добавил:

— Я, мил ты мой, толком не скажу. Николай рассказывал, а я уж и не помню подробностей. Но тяжелая вышла история с этой ее дочерью.

— Чьей? Чьей дочерью? — чуть не крикнул Илья.

— Ну так... Зинаиды дочерью, чьей же еще, — недоуменно отозвался старик. — Татьяной ее звали... Вроде она с детства была такой... убегала и убегала...

Золотая мошкара вилась под притолокой вокруг лампы, добавляя к звездной россыпи блесткое канареечное мельтешение. Сердце Ильи тяжело бухало о ребра. Рука сжималась и разжималась, будто припоминая жесткую хватку бабушкиной ладони, все детство не отпускавшей руки внука.

— Николай говорил, это болезнь такая, вот забыл, как называется: человек бежит, бежит... сам не знает куда. Только на месте оставаться не может никак. И вот она, значит, девочка, ее дочь... убегала лет с двенадцати. Мать головой о стенку билась: сначала молила, потом под замок сажала, а после уже прямиком в милицию — с воем: помогите, мол. В какие-то закрытые интернаты девчонку определяли, так она — где обманом, где ловкостью — отовсюду выворачивалась и убегала. Ну, и... однажды явилась домой не одна, а... — Он взглянул на Илью и оборвал себя.

— Не одна, а со мной, — закончил тот. Повернулся и взбежал, раскачивая лестницу, в черное небо, пересыпанное огоньками невозмутимых звезд.

* * *

Года через полтора старик Морковный умер.

Выпустил утром птиц полетать, прилег на топчан и уснул под сенью желто-зеленых крыл — что может быть прекрасней? Нарядная, благостная смерть.

Оказалось, что он оставил бумагу, в которой яс- **65**
ным крупным почерком в одном предложении отпи-
сал Илье все свое птичье хозяйство вместе с «дубовым
шкафом».

Гуля тогда уже была беременна и тяжело носила,
вся опухла, но с веселым недоумением смотрела, как,
пыхтя и шепотом матерясь, чтобы не услышала бабушка, два сослуживца Ильи помогали втаскивать в дом
тяжелую резную громадину, от которой до сих пор еле
слышно, перешибая запах птичьего корма и перьев, ве-
яло тревожным церковным запахом — возможно, что
и ладаном.

— Это алтарь? — спрашивала Гуля. — Это... ку-
пель? Паперть?

Так исповедальня проделала челночный рейс, вновь
причалив на окраине апортовых садов. И встала у той
же самой слепой безоконной стены, рядом с финико-
вой пальмой, выращенной из косточки.

В раннем детстве в ней любила прятаться дочь
Ильи Айя, будто врожденной ее глухоты недостаточно
было, чтобы отгородиться от мира, — Айя, кровиноч-
ка, вина и награда, его горькое счастье...

Но — нет, не о ней еще. Это так, к слову пришлось:
просто Айя пряталась в исповедальне, как маленький
Илюша когда-то прятался в стойма стоявшем знаменитом плаще-шалаше — том самом, в котором влюбленный Зверолов спал зимой под окнами одной всеми забытой одесской балерины...

Дом Этингера

1

Да никакой балериной она не была! И не бывает балерин с такой грудью. Тоже мне хозяйство — балерина: полфунта жил на трудовых мослах. Нет, Эська заколачивала тапершей в синема, и заколачивала крепкими пальчиками, и востро глядела в ноты, читая с листа, а грудь у нее была... как две виноградные грозди («Песнь песней» в исполнении хора поклонников) — как виноградные грозди, созревшие свободно и сладко в ее неполные шестнадцать лет.

Спал ли некий Николай Константинович Каблуков под окнами ее дома? Вполне вероятно; да и кто бы пустил его спать в иное место? Много их околачивалось под ее окнами, любителей ноты переворачивать; возможно, кто и прилег с устатку.

Но в семье он запомнился: подаренный им кенарь по кличке Желтухин прожил ни много ни мало — да бывает ли такое?! — двадцать один год. Шутка ли? Двадцать один год, копеечка в копеечку, семья просыпалась под надрывную песенку «Стаканчики граненыя», высвистываемую Желтухиным с такими фиоритурами, что любой тенор позавидует. Не мудрено, что эта песенка въелась в быт, нравы и эпос данного семейства.

Кстати, о теноре.

Изрядные голосовые достоинства (помимо прочего музыкального блеска) были присущи всем мужчинам «Дома Этингера», как говаривал сам Большой Этингер — Гаврила Оскарович, он же Герц Соломонович, но все тот же Этингер, хоть ты тресни. Так вот, немалые достоинства тенорового регистра демонстрировал и он сам, и его единственный, сгинувший в чекистском аду, но перед тем проклятый им сын Яша, и...

...и — забегая вперед — правнук его, тот последний по времени Этингер, «выблядок Этингер», в ком выдающиеся теноровые свойства воплотились в предельной мере: в гибком его, пленительном контратеноре, этом ангельском то ли стоне, то ли вое, то ли канареечной россыпи (столь странной в теле мужчины), — словом, тот «последний по времени Этингер», которому аплодирует публика в разных залах мира.

Вообще, если уж мы заговорили о музыке и о Доме Этингера, то надо бы захватить пригоршню времени поглубже и пошире, насколько хватит глаз; полновесной октавой взять, черпнуть глубоким ковшом, в который угодил бы даже и Соломон Этингер, тот николаевский солдат из кантонистов, трубач военного оркестра, запевала и буян, который всю жизнь утверждал, что его, десятилетнего мальца, пойманного «ловчиком» где-то в местечке под Вильно и увезенного в телеге с такими же перепуганными еврейскими мальчиками на Урал, в живодерню кантонистской рекрутчины, спас только заливистый дискант, впоследствии излившийся в тенор, странно высокий для человека столь могучей комплекции; спас, подкормил и в люди вывел: «Ох, кабы не мой соловей-соловей-пташечка!»

После двадцати пяти лет военной службы (напоследок он оттрубил и отпел Крымскую кампанию) Соломон осел в местечке под Полтавой и женился на дочери местного раввина. Хроменькая девушка была и болезная по женской части, но все ж раввинская дочь. Да и он, если трезво глянуть: солдат, конечно, хуже гоя, невежа в райских кущах святых наших книг, но все ж георгиевский кавалер, да и сорок-то целковиков кантонистской пенсии от царя-батюшки тоже, поди, на земле не валяются.

И вот, случается ж такое чудо — мощь чресел библейских старцев! — прожив в бездетном браке десять лет, уже в преклонном возрасте ухитрился родить со своей хромоножкой глазастого и ушастого сынка Герцэле и обучить его...

...и обучить его не только игре на нескольких инструментах, но и способности к выдающейся мимикрии — во всем, в том числе и в такой мелочи, как перемена места жительства, привычного окружения и имени.

— Имена — вздор, — говаривал отставной николаевский солдат. — Я тебе на свист отзовусь. Когда нас, пацанов-кантонистов, крестил полковой батюшка, — (в баню загнали, якобы мыться, а после окатили всех холодной водой из шаек), — мне имя дали, Никита Михайлов, и служил я под ним царю и России двадцать пять лет. «Отче наш» во сне отбарабаню. Ну так что ж? Какая в том беда Дому Этингера?

Стоит ли говорить, что сын его Герц — Гаврила — был, как и положено по закону, обрезан на восьмой день своей жизни, и, прислушиваясь к звенящему крику младенца, его папаша, запевала и буян, одобрительно заметил: тенор, мол. И ведь в точку попал.

Но место в оркестре знаменитого Оперного театра города Одессы Гаврила Оскарович получил в свое время вовсе не как тенор, а как — поклон папаше-кантонисту — незаурядный кларнетист.

К тому времени он был удачно женат на Доре Маранц, дочери известного в Одессе биржевого маклера Моисея Маранца, члена правления кредитного общества и ловкого хлебного спекулянта, которого не могла разорить даже постоянная карточная игра. В приданое дочери, к нескольким недурным семейным драгоценностям, размашистый и громогласный папаша Маранц присовокупил шестикомнатную квартиру в новом доме на углу Ришельевской и Большой Арнаутской — великолепную фасадную квартиру в бельэтаже, со всеми новомодными «штуковинами»: электрическими лампами, паровым, но и каминным отоплением, ванной и туалетной комнатами и чугунной печью в просторной кухне, из которой деревянная лесенка взбегала на антресоль, в комнатку для прислуги.

* * *

Дора была женщиной изумительно стервячего нрава, зато обладала монументальным бюстом.

— Ге-е-ерцль!!! Где моя грудка-а?! — с этого начиналось каждое утро.

Обслужить этот бюст могла только знаменитая одесская портниха Полина Эрнестовна: каждый год она шила Доре Моисеевне специальный лиф, напоминавший бронированное сооружение со шнуровкой. Вот его-то Дора и называла «грудкой».

Каждое утро первый кларнет оркестра оперного театра Гаврила Оскарович Этингер, бывало, уже и одетый, и при бабочке, сжав зубы, шнуровал супругу, упираясь коленом в ее обширную поясницу. Он ненавидел «грудку», ненавидел ежеутреннее шнурование и ненавидел Дору. В те минуты, когда его сильные пальцы профессионального музыканта тянули шнуры и вязали узлы, он мечтал оказаться вдали от супружеской спальни и от Дориной откляченной задницы — приложив к губам мундштук кларнета, искоса поглядывать в ложу второго яруса, где в бархатной полутьме, смутно белея истомной ручкой на пурпуре барьера, маячит белокурая Ариадна Арнольдовна фон Шнеллер, дочка антрепренера театра. Она всегда приходила на утренние репетиции, и ее тишайшее присутствие волновало сердца многих семейных оркестрантов. (Ну так что ж, скажем мы вслед николаевскому солдату, — какая в том беда Дому Этингера?)

А вот о ком следует упомянуть особо, так это о Полине Эрнестовне.

О, эта дама заслуживает некоторой остановки в повествовании, своих пяти минут восхищения и оваций.

Бесподобно уродливая, одышливая, лохматая, с больными ногами, со страшными круглыми бородавками по всему лицу, Полина Эрнестовна была гением линии и формы. Обшивала она артистов оперного театра и одесскую аристократию. За работу брала дорого и несуразно: не за изделие, не за час — за день шитья. Потому к заказчику приходила жить. И жила неделями, неторопливо обшивая всю семью. Но перед «работой» являлась с визитом загодя, дня за три, и, бывало, с самого утра и до полудня сидела с хозяйкой и кухаркой, обсуждая подробное меню:

— Значитца, оладьи у нас записаны на четверьг, файв-о-клок? — уточняла, почесывая указательным пальцем главную свою бородавку на лбу: черноземную, урожайную на конский волос, ту, что в профиль придавала ее отекшему лицу неожиданный ракурс устремленного к бою единорога. — Тогда в пятницу на *завтрек* — заливная риба с хреном и с гренками. И смотри, Стеша, не передержи! В прошлом разе вышло суховато.

Заказчицы шли на все, благоговели, трепетали. Портниха была богоподобная: ваяла Образ, создавала Новую Женщину.

В назначенный день, незадолго до завтрака, на квартиру к Полине Эрнестовне посылался дворничий сын Сергей, и оттуда, со швейной машинкой «Зингер» на спине, отдуваясь и тихо под нос себе матерясь, он отбывал *до квартиры* Этингеров. За ним на извозчике, с саквояжем на слоновьих коленах следовала сама Полина Эрнестовна.

Выкроек она не знала. Царственным движением руки, широким жестом сеятеля в поле набрасывала материю на стол, вынимала из чехла большие ножницы и — к черту мелки-булавки-стежки-прихватки! — на глаз, по наитию вырезала силуэт платья, затем молниеносно приметывала и *усаживала* его на фигуру. Эта неопрятная карга, своими бородавками пугающая малых деток, изумительно чувствовала форму.

Заказчиц и их робкие пожелания в расчет не брала: эдакий вздор, отрезной верх — при ваших ногах-колонках?! при вашем животе-подухе?! Не делайте мне

72 головную боль! И отмахивалась — великий стратег, ваятель Фидий, единорог перед битвой. Вот так, так и так. Ну, пожалуй, плечики можно поднять, чуток выровнять ваш горб, мадам Черниточенко...

Полина Эрнестовна сама изобретала модели, да что там — она была родоначальницей нового стиля: «долой корсеты»! Долой-то долой, добавим мы вскользь, но только не в случае Доры. Той она при первой же встрече заявила:

— Мы закуем тебя в латы, Дормосевна, солнце. Ты у нас будешь Орлеанской Девой, а не дойной коровой...

Не любила она две вещи: во-первых, возню с обработкой швов (оперные костюмы не нуждаются в мелких глупостях: выходит в «Онегине» дородная Татьяна в лиловом сарафане, сидящем на ней как влитой — и кто там из зала станет разглядывать, насколько тщательно обработаны швы?), во-вторых, крутить ручку «Зингера».

Ручку крутил кто-либо из домашних — обычно Стеша (кухарка, прислуга, приблуда... но о ней позже, позже, в свое время). Если же какой-нибудь пирог или жаркое требовали неотлучного присутствия той на кухне — звали дворничьего сына Сергея; ежели и он отлучился от ворот, рекрутировали старшенького, гимназиста Яшу. А вот когда, бывало, и Яша усвистал, и Гаврила Оскарович на репетиции... так тут уж чего? Тут уж на ручку «Зингера» безропотно, что было ей не свойственно, наваливалась сама Дора и, тяжело колыхая незаурядными выменами, прилежно крутила, и крутила, и крутила, смахивая пот со лба, искоса любуясь бисерной стежкой двойного шва, выплывавшего на атласную голубую гладь очередной «грудки».

«Большим Этингером» Гаврилу Оскаровича за глаза почтительно называли все — коллеги, знакомые, соседи, жена, прислуга... Он и вправду был большим: два аршина двенадцать вершков росту, с красивой крупной головой, увенчанной весело рассыпчатым каштановым коком. На крышке концертного фортепиано в гостиной стояла фотография в серебряной рамке: он с Федором Ивановичем Шаляпиным в дни гастролей того в Одессе — два великана, в чем-то даже похожих.

Была во всем облике Большого Этингера некая размашистая элегантность, непринужденная уверенность в себе, доброжелательная порывистость эмоций. Музыкантом был до кончиков длинных, нервных, с приплюснутыми «кларнетными» подушечками пальцев, и все интересы жизни сосредоточены только на ней — на Музыке! При всей оркестровой занятости преподавал в музыкальном училище по классу кларнета, состоял в попечительских советах трех благотворительных обществ, а кроме того, руководил хором знаменитой Бродской синагоги, куда на праздники и на субботние богослужения являлись даже и неевреи, даже и христианские священники — послушать игру немецкого органиста из лютеранской церкви, а также изумительные голоса, среди которых сильный драматический тенор Гаврилы Оскаровича вел далеко не последние партии.

Как известно, в начале двадцатого века Одесса была помешана на вундеркиндах. Помимо музыкального училища, в городе, как почки по весне, возникали и лопались частные музыкальные курсы. Чего стоил один только великий малограмотный Столярский со своей «школой имени мене», Петр Соломонович Столярский, часами стоявший перед детьми на коленях, ибо именно с такой «позитии» ему удобнее было наблюдать игру и исправлять ошибки.

Само собой разумеется, что детей своих, сына Якова и дочь Эсфирь, Гаврила Оскарович с детства приладил к занятиям музыкой: он всегда мечтал о семейном ансамбле.

Вообще, как все дети из приличных семейств, они, конечно, учились в гимназиях: Яша — в Четвертой мужской, на углу Пушкинской и Греческой, Эсфирь — в Женской Второй классической, угол Старопортофранковской и Торговой (образцовое, заметим в скобках, учебное заведение). Кроме того, до Яшиных пятнадцати лет в семье жила Ада Яновна Рипс, дальняя родственница из Мемеля, обучавшая детей французскому и немецкому; заполошная старая дева, подверженная приступам внезапной и необъяснимой паники, она покрикивала на них то на одном, то на другом языке.

Дора считала этот метод идеальным, *жизненным*:

— Главное, чтоб за словом в карман не лезли!

— Неглубокий же тот карман! — иронически отзывался на это Гаврила Оскарович. Тем не менее дети неплохо болтали на обоих языках, чего не скажешь о самой Аде Яновне относительно языка русского. Несколько ее выдающихся фраз вошли в семейный обиход, намного пережив саму эту, похожую на встрепанную галку, старуху в пенсне. *«Уму нерастяжимо!»* — восклицала она, услыхав пикантную, радостную или горестную новость. Диагнозом чуть ли не всех болезней у нее было решительное: *«Это на нервной почке!»* Она путала понятия «кавардак» и «каламбур» («В голове у нашего Яши полный каламбур!»), «набалдашник» называла «балдахином», гостей и домашних провожала пожеланием *«ни пуха, ни праха!»*, а когда в семейных застольях галантный и насмешливый Гаврила Оскарович неизменно поднимал тост за здоровье «нашей дорогой Ады Яновны, великой наставницы двух юных разбойников», — она столь же неизменно всхлипывала и страстно выдыхала: «Я перегу их, как синицу — окунь!»

Но все это общее *так себе образование* (включая гимназии) отец рассматривал исключительно как домашнюю уступку жене, как несущественную прелюдию к образованию *настоящему*. Ибо Гаврила Оскарович Этингер не мыслил будущего своих детей без музыки и сцены, без волнующего сумрака закулисья, где витает чудная смесь пыли, запахов и звуков: дальняя распевка баритона, разноголосица инструментов, рыдания костюмерши, которую минуту назад примадонна назвала «безрукой идиоткой»... но главное, праздничный гул оживленной публики, заполняющей полуторатысячный зал, — тот истинно оперный гул, что, смешиваясь с оркестровыми всполохами из ямы, прорастает и колосится, как трава по весне.

Так что Яша *сел на виолончель*.

— Виолончель, — втолковывал сыну Большой Этингер, — это воплощенное благородство! Невероятный диапазон, потрясающий теноровый регистр, напряженная мощь звука... Да, из-за огромной мензуры на ней не звучит вся эта головокружительная скрипичная акробатика; да, виртуозные пассажи выглядят чуток суетливыми — вроде как дама габаритов нашей мамочки падает на руки партнеру в аргентинском танго. Но! Эта неуклюжесть с лихвой окупается качеством тембра.

Никакие скрипичные «страсти в клочья» не сравнятся по накалу с яростным речитативом виолончельного *parlando!* И кто лучше виолончели создает эффект грусти? Ты можешь возразить: «А фагот?» Да, фагот потрясающе печалится. Но где ему, бедняге, взять красоту вибрации струнных! Нет, довольно Одессе батальона младенчиков-скрипачей, — заключал он, решительно прихлопывая огромной ладонью ручку кресла. — Все это мода и глупость, а вот хороший виолончелист, что в оркестре, что в ансамбле, всегда найдет себя на нужном месте.

Шестилетнюю Эсфирь, согласно этой практичной концепции, собирались усадить за арфу (арфа — вечная Пенелопа оркестра, прядущая свою нежную пряжу), и, надо признать, лебединый изгиб сего древнего инструмента очень шел к кольчатой волне Эськиных ассирийских кудрей. Но девочка была такой крошечной, что не доставала до последних коротких струн. Тогда, делать нечего, отец отправил ее на частные фортепианные курсы Фоминой в Красном переулке, где обнаружился и расцвел один из главных ее талантов: девочка поразительно быстро читала с листа, цепко охватывая страницу многозвучным объемным внутренним слухом. Так что именно Эська оказалась тем чудо-ребенком в семье, на которого стоило ставить.

Честолюбивый Гаврила Оскарович с двойным пылом, отцовским и педагогическим, бросился — как в свое время его папаша-кантонист на редуты противника — на муштру новоявленного дуэта.

По вечерам весь двор, засаженный каштанами, катальпой и итальянской сиренью, слышал из окон квартиры в бельэтаже трубный рев Большого Этингера:

— Вступай на «раз и два и»! Не тяни! Это ж *уму нерастяжимо!* Виолончель в твоих руках — как музы-

кальный гроб, шарманка надоедливая! Ну, вступил **77**
же, тупица!.. — И далее — мерный стук трости об пол
и одиночные вопли Яши, пронзительным дискантом
протестующего против музыкального насилия.

* * *

Но, между прочим, недурной вышел ансамбль —
«Дуэт-Этингер»: что ни говорите — отцовы гены, отцова выучка, да и музыкальные связи отцовы...

Спустя пять лет упорных занятий на первом кон-
церте в Зале благородного собрания, что по Дворянской улице (помещенье пусть небольшое, заметил
Гаврила Оскарович, однако публика порядочная, все
университетские люди), дети виртуозно исполнили довольно сложную программу — Третью, ля-мажорную
сонату Бетховена для виолончели и фортепиано и ви-
олончельную сонату Рахманинова, — заслужив апло-
дисменты искушенных ценителей. Сам трогательный
вид этой артистической пары вызывал улыбку: долго-
вязый Яша с долговязой виолончелью и малютка, едва
достающая до педалей рояля фирмы «Братья Диде-
рихс»; улыбка, впрочем, при первых же звуках музыки
сменилась уважительным и восхищенным вниманием.

Еще через год дети Гаврилы Оскаровича с успехом
концертировали в разных залах Одессы: в Импера-
торском музыкальном обществе, в Русском театре, в
Городской народной аудитории. Уже шли переговоры
Большого Этингера о летнем ангажементе в Москве
и Санкт-Петербурге, уже Полина Эрнестовна сшила
для Эськи настоящую концертную юбку со стекля-
русом по подолу, а приметанный Яшин фрак ждал
последней примерки у мужского портного. Уже отец
прикидывал, каким шрифтом набирать на афише

имена и какие давать фотографии — когда приключилась эта беда.

Никто из тех, кто знавал семейную жизнь Этингеров накоротке, кто хаживал к ним на обеды или заглядывал на чай, кто неделями гостил у них на даче, едва замечая тощего и очень застенчивого подростка-гимназиста, — никто не мог бы вообразить, что произойдет с этим юношей в самом скором времени.

А Яша переменился внезапно, необъяснимо и необратимо. В Одессе про такое говорили «з глузду зъихав». Мальчик стал совершенно несносен: грубил матери, на кухне перед Стешей нес, размахивая длинными руками, пылкую ахинею о каком-то «всеобщем равноправии свободных личностей» и, случалось, исчезал бог весть куда на целый вечер, манкируя репетицией. Причем с ним исчезал и футляр от виолончели, в то время как сама виолончель оставалась дома, точно брошенная кокотка, стыдливо приклонив к обоям роскошное итальянское бедро.

— Кого?! — кричал Гаврила Оскарович, воздевая руки и всеми десятью артистичными пальцами вцепляясь в каштановый, с седой прядкой кок надо лбом. — Кого он в нем перетаскивает?! Падших женщин?!

Между прочим, это замечание не лишено было некоторых жизненных оснований: окна спален просторной шестикомнатной квартиры Этингеров выходили в большой замкнутый двор, куда одновременно были обращены окна самого респектабельного борделя Одессы, так что музыкальный «Дуэт-Этингер» репетировал под ежевечерние возгласы: «Девочки, в залу!»

Всех «девочек» юные музыканты знали в лицо, а встречая во дворе, вежливо раскланивались: при свете дня и без густого слоя пудры и помады внешность многих «девочек» требовала уважения к летам. С утра они обычно отдыхали, а к вечеру тяжелые малиновые шторы волновал бархатный свет ламп; там двигались томительные тени, развязно и фальшиво бренчало фортепьяно, а из отворенных форточек разносилось по двору:

В Одессу морем я плыла на пароходе раз...

Или:

Меня мужчины очень лю-у-убят,
Забыла я победам счет,
Меня ласкают и голу-у-бят,
В блаженстве жизнь моя течет...

Заблуждению по поводу Яшиных отлучек поддалась даже Дора, женщина недоверчивая и истеричная.
— Яша! — кричала она. — Меня убивает одно: неизвестность! Ты можешь сгинуть на всю ночь, но даже из борделя отстучи телеграмму: «Мама, я жив!»
Ее рыдающему голосу вторил игривый и наглый голосок из-за малиновых штор напротив:

Все мужчины меня знают,
в кабинеты приглашают,
мне фигу-у-у-ра позволяет...

Шик, блеск, имер-элеган
На пустой карман!

Увы, какой там бордель! Яшу захватила совсем иная страсть, та, что в его боевых кухонных филиппиках перед оцепенелой в немом восторге Стешей именовалась «жаждой социальной справедливости» —

во имя которой, твердил он явно с чьего-то чужого и лихого голоса, «в первую голову трэба устроить бучу повеселее».

Наконец, однажды ввечеру на квартиру Этингеров — в крылатке, в дворянской фуражке с красным околышем, «лично и между нами-с» — наведался пристав Тимофей Семенович Жарков, культурнейший человек, большой любитель оперы и почитатель Гаврилы Оскаровича, да и сам бас-профундо в церковном хоре. И тут неприглядная и отнюдь не музыкальная правда о похождениях виолончельного футляра грянула зловещей темой рока, знаменитыми фанфарами из Четвертой симфонии Чайковского.

Яша, как выяснилось, перетаскивал в футляре какие-то гнусно отпечатанные босяцкие брошюры возмутительного анархистского содержания. «Их и в руки-то брезгуешь взять! Полюбуйтесь: от сего манускрипта пальцы все черные!» И противу должности и убеждений, исключительно из душевной и музыкальной расположенности к Гавриле Оскаровичу — столь почтенное, ко всему прочему, семейство, и такой-то срам, чтоб одаренный юноша, виолончелист, многообещающий, так сказать, талант, прибился к босо́те и швали! К налетчикам! Ведь в этой бандитской шайке известные подонки: тот же Яшка Блюмкин, и Мишка Японец, и какой еще только мрази там нет!

— Вообразите, на Молдаванке, на Виноградной, у них школа щипачей, где эту голоту, шпану малолетнюю, на манекенах обучают!

— На... на манекенах?

— Так точно! Манекены с колокольчиками по карманам. Исхитрился вытащить портмоне, не зазвенев, — получи от «учителя» высший балл! Или по шее, коли не успел. Вот откуда себе вербуют хевру эти молодчики-анархисты. Вот с каким отребьем связался ваш Яшенька, дорогой Гаврила Оскарович...

Словом, пристав Тимофей Семенович настоятельно рекомендовал как можно скорее и скрытнее ото всех Яшиных дружков спровадить юнца куда-нибудь подале, к родне, под замок. И молчок. Так как *на анархистов имеется предписание*, а служебный долг — он, сами понимаете, голубчик Гаврила Оскарович...

Тимофей-то Семенович был, разумеется, встречен как родной, усажен в кабинете в удобное кресло (еще папаши-кантониста приобретение), ублажен коньячком и контрабандной сигарой и заверен наитвердейшим образом в том, что...

Последний солнечный луч из-за портьеры угасал в его правой платиновой бакенбарде, сплетаясь с сигарным дымом и чеканя печатку перстня на среднем пальце правой руки (левая была изуродована еще в октябре пятого года, когда анархисты «безмотивного террора» взорвали кофейню Либмана на Преображенской).

Гаврила Оскарович сам проводил пристава, минут пять еще что-то горячо обсуждал с ним вполголоса в полутьме прихожей, а когда за Тимофеем Семеновичем закрылась дверь, вернулся в залу с перекошенным лицом и впервые в жизни организовал выдающийся семейный скандал, потрясший Дом Этингера до основания.

И дело не в том, что в ход были пущены некоторые, много лет хранившиеся под спудом, неизвестные детям и Доре крепкие выражения его покойного отца, николаевского солдата Никиты Михайлова. Дело не в том, что впервые в жизни Яша получил по физиономии отцовой рукой опытного оркестранта, и новому ощущению нельзя было отказать в известной свежести. Дело не в том, наконец, что Дора была названа «безмозглой коровой», а Эська зачем-то заперта в своей комнате до выяснения ее осведомленности о безобразиях брата.

Яше велено было собраться и наутро быть готовым к отъезду в Овидиополь, к двоюродному брату матери, на неизвестный срок. Гаврила Оскарович собственноручно запер до утра все двери и даже окна:

— Ты у меня узнаешь, паскудник, как декларации провозглашать! Манекены?! Колокольчики?! Освободительная чушь?! Ты у меня услышишь колокольчики в Овидиополе!

Не все, как выяснилось, не все замки запер. И той же ночью, не дожидаясь ни допроса в полицейском участке, ни бессрочного прозябания у дяди в пыльном захолустье, Яша — *ни пуха, ни праха!* — бесшумно удалился через окно кухни (и надо еще разобраться, вставляла Дора, какую роль в том сыграла Стешка!), из денег прихватив только семейную реликвию — «белый червонец», редкую монету из платины (хотя выбито на ней почему-то было «3 рубли *на серебро* 1828 Спб»), подаренную все тем же николаевским солдатом сынку Герцэле на бар-мицву.

В своем последнем «прости», бессвязном и бредовом, нацарапанном карандашом на листке из гимназического календаря «Товарищъ», Яша объяснял свой поступок «освободительными целями и нуждами "Вольной коммуны"», а также писал о «горящем сердце Данко» (вероятно, какого-нибудь босяка-цыгана с Пересыпи), что «рассек себе грудь и вырванным сердцем озарил людям тьму!».

Словом, «шик-блеск, имер-элеган на пустой карман».

Взбешенный Гаврила Оскарович смял и выбросил **83**
жалкий листок в корзину для бумаг. А зря: никогда вы
не знаете наверняка, в какие моменты судьбы пригож-
даются нелепые излияния вашего непутевого сына.

Хорошо, Стеша потихоньку вытянула из корзины
и расправила листок, поставив на него холодный чугунный утюг у себя на антресоли. Ведь там на обороте
Яшиной рукой был неосторожно записан дивный стих
(вообще-то Константина Бальмонта, но Яша на этом
не настаивал), относительно коего у Стеши имелись
некоторые основания для ночных вздохов и сладкого
сердцебиения:

> Хочу быть дерзким, хочу быть смелым,
> Из сочных гроздей венки свивать,
> Хочу упиться роскошным телом,
> Хочу одежды с тебя сорвать!..

И далее в столь же неукротимом духе, аккуратно
и до конца переписанное стихотворение, как ящери-
ца хвост сбросившее подпись автора. Но ведь не это
главное — тем более что Яша счел нужным сей шедевр
усыновить, а псевдонимом взять солдатское имя деда:
Михайлов.

Возможно ль такое, чтобы недалекая Стеша осознала необходимость сохранить пустобрехий листок,
который через каких-нибудь пять-шесть лет послу-
жит семье охранной грамотой в кровавой кутерьме
бандитских налетов, в кипящей воронке революции и
Гражданской войны?

*А ведь и правда: спустя всего несколько лет охот-
ников поживиться имуществом «буржуев» Этингеров
встречала на пороге рослая Стеша с льняной косой вкруг
головы и, подбоченившись, выставив перед собой пресло-
вутый листок с уже известной фамилией, зычным, шер-*

шавым, не своим голосом покрикивала: «А ну, кто тут посмелей — грабануть дом Якова Михайлова?»

Но до всего этого еще предстояло дожить, а пока многообещающий «Дуэт-Этингер» распался.

В доме воцарилась угрюмая тишина, в которой тягучие, взахлеб, рыдания Доры (Яша был ее любимцем) причудливо вторили разбитному треньканью и вечерним призывам «девочки, в залу!», кружили по двору над деревянной галереей, над цистерной для дождевой воды, гулко аукались под низкой сводчатой подворотней и сквозь вензеля чугунной решетки ворот уносились прочь — на улицу, чтоб безнадежно угасать там, в кроне старой акации.

2

«Вж-ж-ж-жиу! Вж-ж-ж-жиу! Вж-ж-жиу-вжик!» — сумасшедшие хрущи прошивали воздух вспышками бронзовых крыльев.

Уже заполнялись дачи Большого, Малого и Среднего Фонтанов, уже двинулись туда поездами парового трамвая (в народе прозванного «Ванька Головатый») и вагонами конки толпы гуляющих; уже в павильонах Куяльницкого и Хаджибейского лиманов приезжие и местные курортники погружали в «грязевыя и рапныя ванны» свои обширные зады, обтянутые полосатыми купальными костюмами.

Уже расцвели огромными медными лютиками вынесенные на террасы граммофоны, изливая где рулады Карузо, где страстный вой цыганского романса, а где забубенный тенорок популярного куплетиста. Уже варили в огромных тазах варенье по садам; веселые и праздные дачники уже репетировали домашние спектакли, а над купальнями витал задорный женский визг да скабрезно похохатывали ломкие голоса гимназистов.

В фиолетовых тенях под платанами шла непрерывная кутерьма узорчатых солнечных зайцев. Девочки во дворах мастерили куколок-мальвинок: три бутона — голова и руки, а распустившийся цветок мальвы — колокол розовой юбки.

Но Эська давно забросила дворовые детские глупости.

Прошло два года с той ночи, как Яша сиганул в окно и совершенно пропал из виду семьи. Все это время девочка неустанно заливала тоску и тревогу родителей кипящими пассажами этюдов и упражнений, недетским чутьем понимая, что отныне миссия ее — не утешение (вялая ласка утешений еще никого не вернула к жизни), тут другое нужно: полный и сокрушительный реванш!

И вот, мимо лепных тугощеких ангелов на фасаде, меж бронзовых дев, озарявших фонарями подножие широкой лестницы вестибюля гостиницы «Бристоль» — самого роскошного, как писали газеты, отеля России, — Гаврила Оскарович Этингер сопровождал дочь на аудиенцию к известной австрийской пианистке Марии Винарской. В третий раз та гастролировала в Одессе, и Гаврила Оскарович через антрепренера театра договорился о прослушивании.

— Папа, — шепотом спросила Эська, глазея на позолоту невесомых чугунных листьев парадной лестницы, на сахарные груди скульптурных дев в округлых нишах, на сияющий атлас зеленых гардин, богемские каскады ослепительных люстр в высоких потолках, на малахитовые столешницы и раскоряченные ножки миниатюрных столиков в стиле ампир, — разве там, в номере, есть фортепиано, папа?

— Рояль! — отрывисто бросил вполголоса Гаврила Оскарович. — Она возит его с собой.

— Рояль — с собой? В багаже? Как панталоны?! — Девочка прыснула так, что на нее оглянулся мальчишка-рассыльный.

— Ничего смешного. Марии ведь нужно репетировать. Сама знаешь, как важен свой инструмент.

Большой Этингер волновался, сможет ли его застенчивая дочь показать себя во всей полноте таланта. Высокий кок надо лбом, сильно осеребренный анархистскими похождениями Яши, сейчас казался еще белее из-за темной крови, прилившей ко лбу и вискам.

На самом деле это только называлось «аудиенция у Марии Винарской». Все знали, что знаменитую пианистку во всех ее турне сопровождает супруг, профессор Венской консерватории, а точнее, Королевской Академии музыки и исполнительского искусства (*Akademie für Musik und darstellende Kunst*), артистический ее директор и член попечительского совета Марк Винарский. И вот к нему-то, профессору Винарскому, автору книги по фортепианной постановке рук, выдающемуся интерпретатору Шопена и создателю специальных этюдов для развития «шопеновской техники» — да, именно к нему, гениальному Марку Винарскому, Гаврила Оскарович привел на погляд свою тринадцатилетнюю Эську.

Та по-прежнему оставалась миниатюрной, так и не подросла за всю последующую жизнь: метр пятьдесят, и ножка — тридцать третий золушкин размер в придачу к вечной головной боли — где такие туфельки разыскать. Прежде заказывали у «Брохиса съ сыновьями» («во всѣхъ лучшихъ магазинахъ обуви европейской и азіятской Россіи»), потом остался «Детский мир», где вам выносили инфантильные бантики и пуговки или тупоносые мальчуковые ботинки с коричневыми солдатскими шнурками.

Однако при своем малом росте сия отроковица уже соразмерно оформилась, убирала кудри во «взрослый» узел на затылке, обнажавший фарфоровый стебель шейки, и по-взрослому умно и вежливо глядела на собеседника блестящими черными глазами, ужасно стесняясь лишь одного: предательски «вдруг вскочивших» круглых и тесных грудей.

И можно только вообразить, какое впечатление производила эта малышка, шпарившая Четырнадцатый этюд Шопена на беспощадной бриллиантовой скорости.

Ее маленькие руки обладали поразительной растяжкой и небывалой для девочки отчаянной силой. Иногда, доставая носком туфельки педаль, она чуть не соскальзывала с рояльного, обитого кожей, табурета (высоту которого, прежде чем дочь села за инструмент, Гаврила Оскарович долго придирчиво устанавливал, подкручивая регулировочные маховики); подпрыгивала, как мяч, выплеснув на клавиатуру пену очередного кружевного пассажа; мечтательно замирала, выпустив из рук угасающий аккорд. Ее точеная головка с собранными на затылке в узел черными кудрями, мелко-кольчатыми, как бороды ассирийских царей, строгий профиль, который она рывком оборачивала то к одному, то к другому краю клавиатуры, чуть ли не ухом и щекой приникая к клавишам на пианиссимо, а на фортиссимо швыряя аккорды куда-то под рояль; ее блестящие глаза, то сощуренные в щелочки, то расширенные как бы в ужасе на громовых каскадах, округлый детский лоб, покрытый испариной, и бешеная погоня по клавишам ее недетских, суховато-мускулистых кистей, — все излучало подлинность таланта. Гаврила Оскарович в паузах лишь глубоко переводил дух, мысленно посылая дочери утишающую сдержанную силу и молясь, чтобы ничто не помешало ей отыграть до конца приготовленную программу.

После первых двух минут ее игры из спальни вышла сама Мария: некрасивая, угрюмо-лобастая, как щенок, громоздкая женщина с тяжелым подбородком и маленькими, близко поставленными глазами такой ликующей синевы, что вся ее внешность тушевалась, оставляя только этот властный свет. Она вышла и молча простояла за спиной девочки до конца исполнения.

Завершив пьесу, Эська сняла руки с клавиатуры, оглянулась и нашла глазами отца. Папа сидел в кресле чуть поодаль, сцепив на колене кисти рук, даже пальцы побелели, а сам был очень, очень красен. И красив! Он улыбнулся ей и чуть заметно кивнул. Так у них было условлено: сигнал к продолжению.

Она отерла вспотевшие ладони о коленки и, выпрямив спину («перед началом всегда глубоко вдохни»), заиграла Тридцать вторую сонату Бетховена, сложнейшую...

И когда после раскаленного до минора первой части вылетела на вторую, с разреженным воздухом ее альпийских вершин, накрытых снежными ризами, с ее умиротворенно истаивающим «Lebewohl!» — «Прощай!» — последних вариаций, все бури и потрясения первой части, все земные обиды и оскорбления, и месть — Яшкин побег, безумие внезапных Дориных истерик, отцова печаль — все осталось в прошлом, а душа растворилась в беспамятной неге, в синих тенях, скользящих по склону горы, облитому ледовым блеском.

И сливочным блеском сияла клавиатура, и черным плавником огромной акулы вздымалась поднятая крышка концертного рояля.

Высокая стеклянная дверь балкона была распахнута в кроны цветущих акаций; хрустальную вазу в углу распирал букет влажной рыхлой сирени такой пышности, что столик под ним казался робким, как олененок. В воздухе этой с роскошью обставленной залы чудесно слились морской солоноватый бриз, духовитая волна от цветущей акации за балконом, тонкий аромат цветов и терпкая горечь духов стоявшей за спиной у Эськи молчаливой грузной женщины. Ее безмолвное одобрение, волнение отца, его подрагивающие, сцепленные на колене пальцы, ручьи, водовороты и водопады пассажей, изливавшиеся у девочки из-под рук, — все обещало недюжинное будущее: вихрь сирени на иных бульварах, переполненные залы, черные фраки оркестрантов, акульи плавники лучших в мире концертных роялей, рукоплескания публики.

Где-то внизу, в порту, в синеве моря и неба длинным и тощим голосом заныл пароход. И словно в поддержку ему, яростно жужжа, с улицы влетел сумасшедший изумрудный хрущ и, басовито и торжественно вторя финалу сонаты, проник в самую гущу сиреневого букета.

Мария подошла и положила на плечи девочке свои прекрасные тяжелые руки. И все задвигались, вздохнули, заулыбались и разом заговорили на трех языках. Профессор достал из кармана большой синий платок и, смешно двигая косматыми бровями, затрубил в него на ре-диез — он прослезился во время Эськиной игры.

Вдруг, явно волнуясь, заговорил на языке, похожем на немецкий... ах да, это идиш, поняла Эська, — секретный язык, на который переходит с мамой дедушка Моисей, если хочет, чтобы его не поняли внуки; и напрасно — понятно все до копейки, и все неинтересно! Оказывается, папа тоже может на нем говорить — да так быстро, перебивая профессора и тоже волнуясь.

Высморкавшись, профессор заявил, что на своем веку впервые после Марии (не правда ли, *херцлихь?* — и супруги переглянулись) услышал пианистку столь даровитую, с таким воздушным и в то же время властным *туше;* что он был бы счастлив учить эту талантливую «мейдэле» по месту, что называется, назначения, а именно, в Вене. Юный возраст не помеха в зачислении на курс в академию; как известно, и Моцарт, и Бетховен... да что там говорить!

Оказалось, что знаменитый Марк Винарский не всегда состоял артистическим директором и членом попечительского совета Венской Академии музыки, а когда-то был шестым ребенком в бедной еврейской семье в местечке Жосли Виленской губернии; что после скоропостижной смерти отца мать покинула местечко и отправилась на заработки в Вильно, раздав детей по состоятельным семьям. Маленький Марк попал в семью местного врача — доброго бездетного человека, большого любителя музыки. Все это профессор Винарский пробубнил, то и дело сморкаясь,

смущенно вставляя в свой немецкий — для Эськи, наверное, — колченогие русские словечки: «исполня-
тель пахает, что вол!»

...тут, одурев от сирени, изумрудный хрущ поднялся в воздух и полетел в сторону порта, откуда по-
терянными гудками тянули в терцию — на ля- и на
до-диез — свою песнь корабли пароходства «Австрий-
ский Ллойд».

Эська рассеянно улыбалась, кивала, что-то отвечала на вопросы взрослых. После Бетховена она
всегда чувствовала изнеможение, как после долгой
болезни с высокой температурой. Она, конечно, была
ужасно рада, что аудиенция удалась; но одновременно ей не терпелось скользнуть с табурета, схватить
отца за руку и поскорее утащить. Дело в том, что папа
обещал повести ее в *кондиторскую* Фанкони, угостить
мороженым со сливками. Эти двое, обожатели друг
друга и оба преступные обожатели сливок, частенько
захаживали к Фанкони, где заказывали мороженое со
сливками, пирожное со сливками, кофе со сливками
и — специальным заказом — большую чашку сливок.
Это был ритуал: когда дочь, блаженно жмурясь, от-
хлебывала из чашки мелкими глотками, отец, патети-
чески воздев руки и потрясая ими, всплескивал тенором, так что официанты с улыбкой оглядывались на
их столик:

— «Сердце полно жаждой мщенья! Мщенье и гибель всем врагам!»

Эська глядела на отца сияющими глазами. Она его
очень любила. У папы были чудесные, серые в крапинку глаза в густых ресницах, победного рисунка брови,
очень выразительный «таранный» взгляд: прежде чем
он начинал говорить, уже было ясно, о чем он думает.

В тот миг, когда, устремившись с кресла вперед,
точно собираясь прыгнуть с помоста купальни, сцепив

перед собой сильные кисти (а выразительные большие пальцы нервно перекручивали невидимое веретено), он горячо втолковывал профессору что-то о «накопленном репертуаре» дочери, Эська припомнила некий синий с холодным румянцем день ранней весны, когда классная дама Рыгалина по кличке Влюбленная Вошь вела группу гимназисток на Дерибасовскую, в дом Сепича — запечатлеться в «Первоклассной фотографии Я. Бѣлоцерковскаго, придворнаго фотографа Его Величества Короля Румынскаго».

От снега, что выпал на рассвете, но к десятому часу уже раскис, пахло фиалками; холодный ветер с моря перебирал звенящие струны голых деревьев, попутно сгоняя с крыш тяжелые квадриги радужных голубей и посылая вслед им гроздья алмазных брызг; лошади волокли под пролетками гремучий цокот копыт по мостовой, и все звуки города ссыпа́лись на бульвар, точно орехи на медный поддон.

Вдруг на другой стороне улицы Эська увидела отца: он выходил из чужого подъезда под руку с элегантной, высокой — под стать ему — дамой в чудесной шляпке с густой вуалью. Но Эська мгновенно даму узнала — по осанке: дочь антрепренера театра, Ариадна Арнольдовна фон Шнеллер. Когда папа в детстве брал девочку на репетиции, она раза три оказывалась в ложе с этой изящной холодноватой дамой. И вот отец шел, прижимая к себе ее локоть, слегка наклоняя к ней голову, улыбался, горячился — в своем распахнутом сером пальто с бархатным черным воротником, в белом шелковом кашне, с кларнетным футляром в руке, молодой, слегка растрепанный и безумно любимый. Все в груди у Эськи радостно, по-детски вскипело, предвосхищая возглас «Папа!» — но уже в следующий миг она торопливо отвернулась, громко задала какой-то дурацкий вопрос Влюбленной Воши, уводя внимание от красиво слитной пары впереди (отец мог и случайно встретить знакомую даму, не правда ли?), — и впервые в жизни подумала совершенно папиной присказкой, с папиной же интонацией: «Какая в том беда Дому Этингера!»

И молчок: ни слова — ни самому отцу, ни Яшке, ни Стеше, ни тем более матери.

Тихо улыбаясь, она покручивалась на рояльном табурете, не встревая в разговор взрослых. Знала, что отец подхватит, ответит, объяснит или возразит. Глядела на него с гордым обожанием, предвкушая пиршество под бело-зелеными полосатыми тентами на террасе Фанкони: мороженое со сливками, пирожное со сливками и отдельным заказом — полную чашку сливок.

Вдруг ее ужалила мысль: а не от чрезмерного ли обжорства сластями так внезапно и больно выскочили эти противные сливочные сиськи?

* * *

Это был триумф Дома Этингера!

Яшина анархистская эпопея, омытая слезами и отчаянием Доры (вот уж кто готов был рассечь свою закованную в латы грудь и вырванным сердцем осветить возвращение блудного сына!), ее затворничество и мигрени, от которых по три дня раскалывался затылок, ее неприбранный вид и заброшенная «грудка» — все вмиг отошло на второй план. Все сбережения, накопленные тяжким трудом ее мужа-оркестранта, с абсолютным безрассудством были поставлены на кон. С болью в сердце была продана даже Яшина итальянская виолончель.

Старый картежник Моисей Маранц тоже рвался «финансировать заграничное обучение» любимой внучки, но его сомнительные предложения зять обошел вежливым молчанием. До осени, когда начинались занятия в консерватории, оставались считаные месяцы, и за это время надо было подготовить девочку к новой жизни, обшить с ног до головы в изысканном европейском стиле, сочинить и создать гардероб, который не посрамит и тамошнюю Кертнерштрассе с великолепием ее дорогих магазинов и разодетых модниц.

Немедленно с запиской к Полине Эрнестовне (ряд восклицательных знаков занимал целую строку) был послан дворничий сын Сергей.

Поскольку работа предполагалась срочная и ответственная, над меню просидели чуть не до полудня. На другой день с утра и до обеда, не отпуская извозчика, ездили по модным лавкам на Ланжероновскую и Дерибасовскую, в пассаж, в конфексион братьев Пуриц, а также в гранд-конфексион Максимаджи и Гуровича: отбирали материю, пуговицы, крючки-застежки, кружева и тесьму, дымку на вуали...

И уже после обеда великая портниха приступила к священнодействию.

Тут надо бы отметить, что лохматая людоедка обожала дочь Доры Моисеевны. С ее точки зрения, та являлась идеальной моделью: шить на девочку было сплошным удовольствием и чистым вдохновением. С ней не требовалось никаких хитроумных обманок зрения, дополнительных складок для впечатления и надставных плечиков для сокрытия. Эськина фигурка говорила сама за себя. Ее хотелось поднять на ладони к свету и любоваться пропорциями и линиями — собственно, тем, что в искусстве моделирования боготворила старая портниха. Вымеряя полураздетую, в одних панталончиках, девочку, Полина Эрнестовна таращила черные, как греческие маслины, глаза, приговаривая:

— Так бы и съела ее на завтрек!

(При этих словах Дора поеживалась и притягивала дочь к себе поближе.)

Набычив голову со знаменитой бородавкой во лбу — единорог перед решающим сражением, — Полина Эрнестовна рисовала на листках все новые головокружительные модели, вычеркивала те или другие детали, переносила с одного листка на другой рукав-реглан, отрезной лиф или воротник-хомут. Она колдовала, бормотала, фыркала и отбрасывала листки. Вновь приступала к работе, составляя списки на все случаи жизни: дорожные платья, деловой костюм, концертное платье, вечернее платье...

Повторим: она не знала выкроек и не употребляла профессиональных понятий, вроде «косой крой», «прямой силуэт» или «заниженная талия».

— Ото так... — бормотала она, — отсюда и вниз до жопки, а талию повыше... а грудку ослобонить... Шейку объять кружевцами, плечико — в фонарик... а юбку — вихрем...

Этот «венский гардероб» — единственное, что осталось девочке от европейских мечтаний, — служил ей всю долгую, долгую жизнь, ибо Эсфирь Гавриловна и в старости оставалась такой же хрупкой дюймовочкой, не поправившись ни на фунт.

«Венский гардероб!» — чуть насмешливое, но и любовное словосочетание означало в семье не только содержимое пухлого парусинового саквояжа, который проследовал за нею по десяткам разных адресов судьбы,

но и многое иное: ее привычки, стойкость перед лицом трагических перемен, неизменное очаровательное восхищение мелкими и даже убогими радостями жизни.

«Венский гардероб!» — парчово-кружевная, муслиновая, атласная стопка вещей: и платье-«блузон», и платье-«робдестиль», или «чарльстон», и платье-«торсо», с удлиненным лифом и короткой юбкой, с кружевами валансьен, с черной бархоткой на высокой шее, а также блузки, жакеты, накидки и даже изящная, вышитая бисером шелковая театральная сумочка (серебряная пряжка в виде львиной морды) — и веер к ней, похожий на оперение жар-птицы...

А шляпка-тюрбан? а любимая кокетливая шляпка-колокол (о, шляпка-колокол, бессмертный фасончик — в гладкой картонке устричного цвета, снабженная длинной заколкой для закрепления на прическе, со съемной пипочкой на конце: шляпка заколота, пипочка завинчивается), и — бог ты мой, нет сил перечислять.

Все это в детстве интриговало последнего по времени Этингера, «выблядка Этингера», настолько, что, играя в школьном спектакле одновременно Себастьяна и Виолу в «Двенадцатой ночи» Шекспира, он вытащил из старого саквояжа кружевную Эськину блузку с отороченным тесьмой лифом, воротником-стоечкой и длинными манжетами, с рядом перламутровых пуговок до локтя, а нацепив ее, пришел в такой восторг от собственного отражения в зеркале и совершенного преображения, что и в дальнейшем охотно использовал в своих целях детали «венского гардероба», уверяя, что подлинность этих «музейных шмоток» с их легкой лавандовой отдушкой помогает ему проникнуться образом.

Тут надо заметить, что Эську он изображал с особенным пристрастием: ее манеру говорить, тщательно отбирая слова, как бы разглядывая их, прежде чем озву-

чить; ее улыбку, бездумный пассажный пробег суховатых старческих пальцев по поверхностям столов и витрин; серебристый ежик ее подросткового затылка (горстку пепла, оставшуюся от угольного жара ассирийских кудрей), — добавляя к образу лишь одно: канареечную россыпь своего бесподобного голоса.

* * *

... В ином месте и в иное время безобразная старуха Полина Эрнестовна именовалась бы гениальным модельером. Ибо, как любой истинный художник, она интуитивно чувствовала, что́ взять от предыдущих завоеваний моды, дабы создать новый уникальный стиль. Венский гардероб грациозной девочки-подростка она безотчетно рассматривала как свой решающий выход на подиум европейской моды. И более того: оглядывая век минувший с того невидимого, но высокого подиума, который выстраивает одно лишь Время, мы со всей ответственностью рискнем заявить, что знаменитое «маленькое черное платье», якобы изобретенное в конце двадцатых в Париже пресловутой Коко Шанель, на самом деле было придумано великой Полиной Эрнестовной в 1913 году, в Одессе, в квартире Большого Этингера, в доме, что на углу Ришельевской и Большой Арнаутской.

(В последний раз Эська надела его в 1984-м, получая грамоту ЦК Комсомола Украины за самоотверженный труд в деле многолетнего музыкального просвещения молодежи.)

Рождению гениального замысла не всегда сопутствует всеобщее признание. Напротив, окружающие, как известно, принимают все новое и оригинальное в штыки.

— А это еще что? — недоуменно спросила портниху Дора, двумя пальцами поднимая со стола приметанный черный лоскут. — Рубашка?! Почему черная?

— Та не, то платьишко такое. Выручалка, на все жизнеслучаи.

— Платье?! — Дора онемела, продолжая рассматривать странное прямоугольное изделие, которое, кабы не цвет и плотная материя, могло бы сойти за наволочку. Видит бог, она благоговела перед гением Полины Эрнестовны, но старуха явно сошла с ума: разве *в этом* девушке можно показаться на люди?!

— Как же это — платье?! Такое... короткое?!

— Эх, Дормосевна, со-олнце, — протянула портниха. — За европейской модой не следишь. Кругом сейчас тенденции (она произносила: «тендентии»).

— Что за... тенденции? Что это значит?

— А то, что жизнь — она, значитца, суровая, а будет хуже; подбери, значитца, дама, свой подол и шуруй пешком до бульвару. Та ты не опасывайся: я пока подол маленько отпущу. Но только Эська потом его обязательно до колен подымет. И вот с этим платьишком будет меня полжизни поминать: оно само такое — *никакое*, — и ты шо хошь на него накидывай: манто-шманто, шкурка лисы на плечи голяком... жакет опять же строгий, плюс нитка твоих жемчугов. Вот и получится: и в аудиентию, и на концерт, и на коктейль-вечеринку.

— Какой коктейль? — стонала Дора, ладонями уминая боль в виски. — Какая вечеринка! Голые плечи?! Побойтесь бога, Полина Эрнестовна: девочка едет учиться!

Та отвечала спокойно:

— А вы, мадам Этингер, не желаете видеть дочь старше ее четырнадцати лет, не приведи господь?

Кто ж знал, что роковым этим словам, вымолвленным в недобрый час, суждено было сбыться так скоро?

3

Уютный хоровод мраморных колонн во внутреннем дворике венского кафе где-то в районе Хофбурга, куда в первый же день по приезде Гаврила Оскарович привел жену и дочь, Эська помнила всю жизнь. В тяжелые минуты, а их было предостаточно, она вызывала в воображении жемчужные плафоны низко висящих люстр в колоннаде; балкончик в форме бокала во флорентийской галерее второго этажа, подпираемой двумя согбенными фавнами; гнутые спинки венских стульев, крахмальные скатерти, сбрызнутые радужными бликами от алых в золоте витражей арочных окон; и надо всем — купол высокой стеклянной крыши с опаловым облаком, в котором теснилось и переливалось солнце.

— Я угощу вас настоящим венским пирожным, мои прелестницы! — сказал папа и кивнул официанту, подзывая его к столику.

Папа пребывал в отличном настроении еще с того утра в отеле «Бристоль», когда от Эськиной игры прослезился великий Марк Винарский, и ни угрюмый бубнеж всегда утомленной, всегда недовольной и всегда нездоровой жены Доры, ни драматическая неизвестность с Яшей, ни колоссальные расходы на эту поездку, не говоря уже о будущих расходах на заграничное образование дочери («Ну что ж, а понадобятся деньги — так переедем в квартиру поменьше»), не могли поколебать душевного равновесия Большого Этингера.

Он торжественно зачитывал дамам меню, со знанием дела выясняя у благодушного толстяка-официанта состав кремов и соусов. Официант — это даже мама признала по-русски вполголоса — обладал адским терпением.

В конце концов заказали белого мозельского — выпить за успех будущей студентки, за ее победы; самой Эське — нечто землянично-прохладительное под мудреным названием, а на деле — обычное «ситро», лимонадную шипучку, что подают в буфетах на Николаевском бульваре; и три разных пирожных, чтобы друг у друга попробовать: «Эстерхази-торте», с орехами и кремом, ломтик круглого «Гугельхупф» и, по выбору девочки, известный венский «Захер-торте» — шоколадный, с любимыми ее взбитыми сливками.

Кто-то наигрывал неуверенный вальс на невидимом отсюда фортепиано — принужденно, будто заикаясь. Минут через десять направляясь в дамскую комнату, Эська прошла мимо тапера, из любопытства скосив глаза. Так и есть: старый инструмент рыжеватой, как кобыла, масти, измученный многими поколениями залихватских брынчал. За клавиатурой — пожилой дяденька, весь какой-то скособоченный. Покатый лоб с длинными залысинами, мгновенные промельки языка по губам — он напомнил девочке варана из передвижного зверинца. Но пальцы! Восковые, скрученные артритом... ах, бедняга, бедняга! Даже немудреные пьески и песенки, вымученные им из желтоватых клавшей ветерана венских кафешантанов, должны были доставлять старику настоящие страдания. Сердобольной девочке стало так жалко его! Она тут же сочинила ему судьбу: каморка под лестницей, распитие бутыли дешевого вина при одинокой свече в мятом подсвечнике и бог знает что еще... Минут через десять тапер закрыл крышку инструмента и удалился, надвинув котелок на скошенный лоб.

Принесли замысловато украшенные кремовыми вензелями и шоколадными розочками пирожные на больших белых тарелках, а в придачу — грациозный сливочник, полный первостатейных сливок, — папа такой милый, всегда все помнит.

Не притрагиваясь к пирожному, девочка порывисто поднялась со стула, смутилась, села, опять вскочила.

— Можно я поиграю, папа?

— Чушь! — раздраженно отозвалась мать. — Ты что, прислуга? Поди еще на кухню, вымой им посуду!

А отец улыбнулся и сказал:

— Вперед, доченька. Покажи австриякам класс настоящей игры.

И она подлетела к фортепиано, откинула крышку, замерла на миг, по-стрекозьи перебирая пальцами ванильный, коричный, кардамоновый воздух, — и заиграла «Музыкальный момент» Шуберта.

Гаврила Оскарович крякнул от удовольствия и откинулся к спинке стула.

— Умница! — прошептал он и, повернувшись к супруге: — У нее потрясающее чутье на стиль, даже на интерьер. В секунду поняла, чтó здесь требуется!

Она заиграла легко, вначале как бы шутливо, как бы между прочим, хотя все вокруг сразу ощутили пропасть между натужным бренчанием тапера и игрой этой неизвестно откуда взявшейся птички-колибри с блестящей черной головкой, в персиковом платье смелого, но безукоризненно элегантного кроя, так что и понять невозможно возраст его владелицы.

В ход пошли вальсы Шуберта, и вальсы Легара, и вальсы Штрауса-сына.

Сперва одна пара, а за ней еще две-три закружились в аркадах внутреннего дворика, и когда Эська доиграла и опустила руки, публика за столами, и компания минуту назад вошедших, да так и оставшихся стоять господ и дам, и офицер с клинообразными «вильгельмовскими» усами, утянутый, как дама в корсет, в мундир австро-венгерской армии, и группка студентов (один чудной такой, с красной шкиперской бородкой, лицо будто в огне) — все яростно зааплодировали, а огненнобородый крикнул: «Браво!»

Тогда Эська, вынув заколку из волос и тряхнув рассыпчатыми кудрями, заиграла то, что казалось ей самым подходящим — и месту, и публике: миниатюры Крейслера — сначала изящную, с налетом легкой танцевальной грусти «Муки любви», затем кипучую и пенную, как шампанское, «Радость любви» и, наконец, виртуозную, всю на пуантах, то крадущуюся за бабочкой, то разметавшую нежные объятия любимую ее пьесу «Прекрасный розмарин».

Вообще, все это были перлы скрипичного репертуара, но Эська всегда с легкостью занимала у любого инструмента его шедевры, перекладывала, преобразовывала, украшала... и преображенными дарила своей любимой клавиатуре.

...Бог ты мой, сколько раз потом Крейслер выручал ее в сценах любви — не ее любви, увы, а иллюзионной, затертой просмотрами, рвущейся в пленке, надрывной любви синематографических див и лощеных красавцев с нитяным пробором в набриолиненной прическе.

Но, задорно улыбаясь поверх клавиатуры огненнобородому студенту в венском кафе, разве могла она даже на миг представить свои многочасовые обморочные экзерсисы в войлочном воздухе темного зала, где сопрягались вонь от самокруток, пороховой запах мокрых солдатских шинелей вперемешку с запахом дегтя от сапог, пьяная отрыжка расторговавшихся дядек с Привоза, сдобренная сытным духом налузганных за день семечек.

Дымный луч киноаппарата буравил сизый столб над головами зрителей.

И она, со своим «потрясающим чутьем на стиль и даже на интерьер», шпарила «Трансвааль, Трансвааль, страна моя», и непременный «Матчиш», и, конечно же, «На сопках Маньчжурии», и — куда от них деться! — «Амурские волны». Но когда омерзение подкатывало к горлу, а волна тоски накрывала с головой, Эська переходила на благородно-утонченного Крейслера, иногда лишь разбавляя его безыскусной печалью «Полонеза» Огинского.

Кстати, именно «Полонез» она играла в тот вечер, когда один за другим шли сеансы новой ленты «Одесские катакомбы». И по завершении последнего, девятичасового, когда у нее хватило сил лишь опустить крышку клавиатуры, а подняться со стула уже никакой возможности не было, и, уронив мутную голову на сложенные руки, она собралась забыться совсем чуток, на минутку, перед нею вдруг вырос и навис над инструментом огромный детина, бровастый и носатый, в отличнейшем кожаном плаще, и густым умиленным басом протянул:

— О-ой, какая пичу-ужка!

Она подскочила от ужаса: на днях банда пьяных дезертиров растерзала певичку в фойе синема, и люди еще передавали друг другу леденящие подробности, хотя удивить кого-то очередным зверством было трудно: город тряся и съеживался, заползая в подворотни и норы, где укрыться, впрочем, тоже было невозможно. Перестрелки, «эксы», безнаказанные убийства, самочинные «обыски» налетчиков бесчисленных местных банд... Шайки вооруженных солдат, отпущенных с фронтов ленинским «декретом о мире», громили завод шампанских вин и цейхгаузы; из тюрьмы на днях, говорят, бежали восемьдесят пять воров, каких-то «анархистов-обдиралистов», силой остановили трамвай на соседней улице и, раздев всех пассажиров до нитки, преспокойно сыпанули по сторонам. Другая анархистская, как говорил Большой Этингер, «шобла» сочинила и напечатала в «Одесском листке» манифест с угрозами «начать террор над местным населением за издевательства над ворами и тем заставить себя уважать!».

И вот, навалившись на инструмент, этакий-то детина в плаще смотрел на девушку, чему-то ласково изумляясь.

— Так это вы играли так прекрасно всю фильму? — спросил он.

— А вы думали — кто? — еле слышно спросила Эська.

— Я думал, это фортепьяно сам играет, — чистосердечно ответил он. — Механику, думал, завели. Очень как-то... безошибочно. А вот эту расчудесную мелодию: та-ам-тари-рара-там-та-рира-а — это вы сама сочинили?

— Да нет, — сказала Эська и устало улыбнулась. — Это «Полонез», сочинение композитора Огинского.

— Ага... Вот как! А такую песенку — «Стаканчики граненые» — играть умеете?

— Ну... если напоете, подберу и сыграю.

— Тогда вам не я напою, а вот он. — И, как фокусник, достал откуда-то, чуть не из-за спины, маленькую *клетку едва ли больше пивной кружки, где резво прыгала, вертя головой и постреливая дробинками глаз, желтая птичка. Детина в кожаном плаще вытянул губы и, приблизив лицо к прутьям, как-то затейливо посвистал, втягивая щеки. Птичка замерла, две-три секунды прислушиваясь к звукам, и вдруг отозвалась чистым и таким переливчатым голоском, что у Эськи дыхание занялось. — Получите приз: маэстро Желтухин! — сказал человек в кожаном плаще уже не умильным, а решительным тоном, протягивая девушке клетку с канарейкой. — А заодно привет от брата Яши.*

Она играла в венской кофейне, наслаждаясь восхитительным ощущением своей уместности в этом прекрасном мире. Встреча с Винарским была назначена на утро. Завтра, завтра она впервые переступит порог святилища, где ей предстоит учиться несколько наполненных и счастливых — она в это верила — лет. Но все это завтра.

А сегодня она исполняла перед нежданной и простодушной публикой пьесы Крейслера, очень венскую по духу музыку сладостной эпохи *fin de siècle* — эпохи, не подозревающей, что за углом уже точит топор двадцатый, едва народившийся, безжалостный, смердящий мертвечиной век.

Она играла — птица-колибри под опаловым облаком в высоком куполе стеклянной крыши, — играла, почти не глядя вокруг, не чувствуя усталости, в счастливом подъеме предвкушая куда более головокружительное будущее, загадывая так далеко, как только в юности рискует загадывать непуганая душа...

В следующую минуту все оборвал беспомощный крик отца.

Ее несносная мать, упавшая головой на блюдо с пирожными, перевернутый сливочник, чье содержимое на белейшей скатерти смешалось с хлынувшей носом кровью, бегущий к телефону и опрокидывающий стулья официант, суматоха, карета «Скорой помощи»... и странное бесчувствие, и невозможность выдавить ни слезинки из распахнутых глаз: ведь все это происходит не с ней, и не с мамой и папой, а с чьими-то тенями в иллюзионной ленте, сморгнула — и кадр сменился на морскую гладь с легчайшим перышком белого паруса.

Вот только музыкального сопровождения к этой ленте Эська не взялась бы подобрать.

Впрочем, любую фильму из тех, что впоследствии крутились бесконечной каруселью перед ее глазами, она помнила гораздо яснее и подробнее, чем три страшных венских дня. В памяти застряли отрывочные нечеткие кадры: вот знаменитый венский хирург, светило и бог, рекомендованный профессором Винарским, ставит Доре неутешительный диагноз и настаивает на немедленной операции... обрыв ленты, свист и топот — и вот уже они с папой возвращаются из больницы «Бармхерциге Брюдер», по обе стороны бульвара оставляя плывущие за спину в туман воспоминаний прекрасные здания «венского модерна».

Зато всю жизнь помнилось, как надоедливо лезли в глаза ее буйные кудри, ибо любимая заколка для волос, подарок брата на десятый день рождения (свернутая тремя кольцами змейка с глазами-гранатами), уплыла на крышке старого фортепиано в опаловое облако венского обморока.

Всю последующую жизнь Гаврила Оскарович упорно доказывал дочери, что сама операция по удалению опухоли у Доры прошла успешно. Еще бы не успешно — если вспомнить, что на нее ушли все собранные на Эськину учебу деньги. Просто Дора не проснулась после наркоза — это случается: судьба, рок, выбирайте что хотите, и не о чем говорить, мир ее праху.

Орлеанская Дева тихо удалилась из нашего повествования, отлетев на воздушных шарах своего непомерного бюста.

Всего этого Эська старалась никогда не вспоминать. Музыкой Крейслера в уютном венском кафе закончились для нее отрочество, мечты, европейское образование, да, собственно, и музыка сама — вернее, та музыка, с которой душа ее была на равных в неполные четырнадцать лет.

И никогда больше она не притрагивалась к сливкам.

Дня через три в Одессу из Вены поездом возвращались очень тихая Эська с осунувшимся Гаврилой Оскаровичем. Дора следовала другим классом, в вагоне с другими услугами.

Вернувшись с похорон на Новом еврейском кладбище — где бурно заплаканный отец Доры Моисей Маранц, привалившись к зятю плечом, доверительно сообщил, что «разорен и истерзан, мой мальчик!», поэтому вряд ли сможет снабдить деньгами обучение внучки в европах («Боюсь, Герцль, сейчас не время на меня рассчитывать!»), и что-то еще про морской порт в Херсоне, сокращение хлебного вывоза из Одессы на сорок миллионов пудов зерна, про Дарданеллы, кои наверняка закроет султан, про ставки в бюллетене

гофмаклера и черт его еще знает, какую бесстыдную
нес и неуместную в этих обстоятельствах дребедень
(видимо, проигрался вчистую), — вернувшись с похорон, Гаврила Оскарович прошел в супружескую
спальню и первым делом увидел в кресле никчем-
ную Дорину «грудку». Монументальное сооружение
виртуозной высокохудожественной работы Полины
Эрнестовны напоминало обломки выброшенного на
сушу фрегата. По обломкам весело прядали солнечные зайчики от гуляющей под утренним ветерком голубой занавески.

— «Герцль!» — прошептал Большой Этингер. — «Где
моя грудка, Герцль?..»

Сел на кровать и заплакал.

4

Морские кучевые облака дрожали и уносились в
распахнутой створе окна отцова кабинета, которое
надраивала Стеша. Она стояла на подоконнике босая,
в ночной рубашке, в надетой поверх нее подоткнутой
синей шерстяной юбке и, намяв в обеих ладонях по
газетному комку, с двух сторон визгливо протирала
вымытое стекло, навалившись грудью на раму.

Вот!

Вот тут мы нашли некий уместный зазор и для
Стеши — встрочить в наш рассказ, и без того похожий
на лоскутное одеяло, еще и Стешин простой лоскут.
Потому что обойтись без Стеши в нашем дальнейшем
повествовании о Доме Этингера никак не выйдет.

Что поделать! Еще со времен запевалы-кантониста
все члены этого незаурядного семейства, умея ловко
попасть в общий тон любого окружения, вписаться

в общество, легко и блистательно перенять внешние приметы чужого уклада, в сокровенной основе своего существования допускали подчас некоторую... двусмысленность, эдакое «но», или вовсе крохотное «однако», еле заметное «и все же», — обойти которые, не заметив или не споткнувшись, просто невозможно.

Подобно старому солдату, что носил имя Никиты Михайлова, но являлся им не совсем; подобно Большому Этингеру, при появлении на свет названному Герцлем, но не совсем им оставшемуся; подобно тому, как сын его Яша рожден был стать виолончелистом, но не совсем стал им, а дочь Эсфирь уехала в Вену учиться, но доехала туда не совсем — так, можно сказать, и Стеша была в их доме обычной прислугой.

Но не совсем.

У Этингеров она пребывала с детства, лет с пяти; тогда у них только-только народилась дочь Эсфирь, пугающе маленький младенец («Гора родила мышь!» — развязно шутил легкомысленный папаша Моисей Маранц, раздавая карты для деберца, как называли в Одессе клабор).

Бедная Дора маялась с воспалением своей необъятной груди, в которой для ребенка не нашлось ни капли молока, в доме толклись доктора, кормилица, няня, прислуга, приходящая прачка, и каждый день, вдобавок к газовому отоплению, являлся протопить камины дворничий сын Сергей: младенцу требовалось усиленное тепло.

И в этакой-то парной суете и бестолковщине однажды утром в прихожей прозвенел звонок. Дверь, так уж получилось, нетерпеливо распахнул сам Гаврила Оскарович (он торопился на репетицию и уже натягивал в прихожей, азартно притопывая, галоши) — с кларнетным футляром в руке, в длинном сером пальто с черным бархатным воротником, в белом шелковом кашне, как обычно, до блеска выбритый и благоухающий одеколоном.

На пороге стоял оборванный старик с обгорелыми усами.

Муторно раскачиваясь, диким и одновременно умоляющим взглядом он смотрел куда-то в притолоку поверх каштанового кока Большого Этингера. В руке *обгорелец* держал цыплячью лапку до ужаса тощей девочки, тоже закутанной в какие-то несусветные шматы.

— Все померли, все, — раскачиваясь, бормотал старик. — Люди добрые, возьмите ее в прислуги, не то и эта помрет.

Тут произошло нечто странно-стремительное: девочка ящеркой скользнула в прихожую за спину оторопевшему Гавриле Оскаровичу, схватила веник за дверью и стала мелкими судорожными движениями подметать паркет.

— Постой... э-э-э... девочка, — растерянно пробормотал Большой Этингер. — Насколько мне известно, нам не нужна... у нас уже, кажется... есть прислуга.

Та продолжала истово подметать, не разгибая тощей спины, ребристой, как спина дракона.

Гаврила Оскарович обернулся к старику. Того и след простыл.

Спустя много лет, когда Стеша выросла и стала рослой, широкой в кости девушкой с льняными, очень мягкими и текучими волосами, которые, заплетя в косу, она выкладывала надо лбом, Гаврила Оскарович любил шутить, что, мол, Стешу к ним привел ангел-заступник всех погорельцев. Сама Стеша ничего, кроме большого огня, не помнила. Она даже не помнила названия села — а может, и не хотела помнить. Покойная Дора называла ее «запоздалой головой» и считала очень глупой. Но, во-первых, видит бог, Дора и сама философских трактатов не писала, а во-вторых, как на дело взглянуть: нырнуть-то в прихожую да в веник вцепиться так, что потом до вечера отцепить не могли, девчонка сообразила. Как сообразила намертво забыть имя своей деревни и даже собственную фамилию. Так что погодим с выводами. Добавим лишь, что одним из самых пленительных образов детства, потрясших ее воображение, стал образ высокого красавца в проеме двери: с плоской черной коробкой в руке, в длинном пальто с поднятым бархатным воротником, в шелковом белом кашне вокруг шеи, удивленно поднявшего красиво изогнутые брови над добрыми, серыми в крапинку глазами.

По случаю появления в доме «вшивой деревенской худо́бы» Дора устроила скандал, мигрень с рвотой, обморок и слабость. Но отослать девчонку в сиротский приют все же поостереглась: Большой Этингер предупредил, чтоб, когда вернется после «Травиаты», девочка была накормлена, выкупана и успокоена спать. Почему он так уперся в этом случае — он, который никогда не вникал в «кухонные» дела дома, — было непонятно. Может, и вправду ангел погорельцев что-то в уши ему надул, в его музыкально чувствительные уши? Это Дору настораживало и слегка пугало. Но она всегда очень тонко чувствовала, когда ее мигрень сработает, а когда окажется вовсе бесполезной.

Вот так и получилось, что Стешу ни выгнать, ни отправить восвояси не было никакой возможности. Пришлось выправить ей приличные документы и записать все на ту же фамилию — ничего, от нас не убудет, приговаривал Гаврила Оскарович, какая в том беда Дому Этингера?

Было время, он носился с идеей девчонку образовать, дать какую-то профессию — например, костюмерши или гримерши (он мыслил только категориями театра, этого бутафорского, но такого грозно-волшебного мира). Куда там! Стеша и вправду оказалась фантастически непригодной к любой учебе. Музыкального слуха у нее не нашлось ни на грош; считать и писать со страшными муками и скрежетом зубовным обучил ее старшенький Яша. Хотела Стеша только ставить тесто на пироги, томить бульон, жарить оладушки, чисто стирать, паркет надраивать до «медовой слезки» (и все это она уже в детстве делала гораздо лучше тогдашней прислуги, глуховатой старой каракатицы Лидии, выгнать которую ни у кого в семье много лет не доходили или, лучше сказать, не поднимались руки); а главное, Стеша хотела мыть и мыть, и высушивать-провеивать меж ладоней, и расчесывать гребнем, и бесконечно лелеять и выплетать, и венцом выкладывать мягкую льняную пряжу своих волос, словно и спустя много лет отмывала их от сажи давнего пожара.

Яша называл подросшую Стешу Лорелеей и громко декламировал с насмешливой гримасой, явно притворной: «Их вайс нихьт, вас золь эс бедойтн...» И не зря: прозвище «Лорелея» имела также мраморная наяда в углу их несуразно огромной — метров в сорок — и несуразно роскошной ванной комнаты: мрамор, зеркала, погребальная ладья фараона на бронзовых львиных лапах (папа шутил, что архитектор явно перепутал их ванную с тем же помещением у «девочек» в доме напротив). Неясно, для каких функций соблазнительная наяда приплыла сюда под водительством романтика-архитектора; впрочем, в раннем Яшином отрочестве кое-какую функцию за ней приметили: Дора обратила внимание на то, что мальчик подозрительно долго моется, после чего острые грудки наяды приходится то и дело начищать зубным порошком, так что Большому Этингеру пришлось, запершись с сыном в кабинете, провести недвусмысленную беседу грозным тоном, через каждые два слова строго тыча указующим перстом в окна дома напротив.

Словом, когда Лидия умерла, нанимать новую прислугу не понадобилось — *Стеша успевала*. Как-то так вышло, что она заняла место и горничной, и кухарки — а к чему еще одной бабе крутиться на кухне, когда *Стеша успевает?*

Рецепты многих своих кулинарных шедевров она сочиняла сама, не заглядывая в поваренные книги (лень было буквы составлять, уж очень мудрено там писали длинными словами, все мельтешило в глазах); и за этими рецептами к ней наведывались пожилые соседские кухарки, присланные вчерашними гостями. Когда старый Моисей Маранц — не последний, между прочим, в Одессе гурман — прихлебывал знаменитый Стешин супчик с куриными фрикадельками — крохотными, одна в одну, размером с большую пуговицу, — он после каждой ложки отирал салфеткой лоб и выдыхал: «Мама моя!» — фразу, какую произносил только в редкие моменты крупных карточных добыч.

Тихо и прочно Стеша проросла в семью, знала свое место — в комнатке на антресоли, куда из кухни вела деревянная восьмиступенная лестница, и, перемыв после ужина посуду, замирала там, никогда не посягая на участие в громкоголосой, насмешливой, взрывчато-розыгрышной вечерней жизни семьи.

Взрослых, и даже Яшу, Стеша именовала по имени-отчеству; Эську (младенца, которого когда-то подтирала и нянькала) звала «барышней» и на «вы»; и, хотя так и не переняла Этингеровой легкости и блеска, образной остроты́ их речи, артистизма, иронии, была все же частицей Дома Этингера — малозаметной, но неотъемлемой и полезной, как впоследствии оказалось, ее частицей.

Как впоследствии оказалось, эта судьбинная «полезность» в свое время была явлена во всей библейской высокой простоте в виде некой белобрысой девочки с разными глазами. И тут предлагаем представить себе Фамарь, терпеливо сидящую у дороги в ожидании Иегуды, родоначальника известного колена. У той ведь тоже хватило ума приберечь доказательства его прелюбодеяния — посох, кажется, или там перевязь? В нашей истории некий посох тоже имеется и тоже сыграет свою семейную роль — в надлежащее время...

Однако — стоп, ни слова больше, да и некстати это сейчас, когда окно дрожит на весеннем ветру и сквозь прозрачное стекло так тревожно и стремительно несутся в наклонную бездну неба морские кучевые облака.

...Эська сидела за ломберным столиком в двух шагах от Стеши и на уровне глаз видела на подоконнике босые Стешины ступни: крепкие, жилистые, с красными пальцами, с чуть набрякшими от напряжения голубоватыми щиколотками.

Эська писала письмо брату.

Как и подозревала покойная Дора, *эта мерзавка Стеша* была таки замешана в его делишки, знала, где он обретается, и сейчас, растроганная горем семьи, выдала Эське под страшным секретом — «и ни единым духом папаше!» — адрес Яши в Харькове. Собственно, там и адреса-то никакого не было. Писать следовало на Главную почту, да еще и на имя другое: не на Этингера и даже не на Михайлова, а на какого-то Каблукова Николая Константиновича. Ну, Каблуков так Каблуков, так даже лучше, пусть Яше совсем станет стыдно за все эти недостойные штуки.

Она намеревалась написать брату высокомерное и отчужденное письмо, сухо сообщив о скоропостижной смерти матери, но сидела над листом уже час, а высокомерие куда-то улетучивалось, фразы лепились довольно жалкие, хотелось плакать и ужасно хотелось Яшку увидеть!

«...а еще, — писала она, — вот уж верно говорят: пришла беда — отворяй ворота! — папа недавно возвращался после концерта и в темноте ступил в собачью кучку, ну и — помнишь этот скользкий желтый клинкер мостовой на углу Итальянской и Ланжероновской? — растянулся и повредил руку! Сначала думали, пустяк, растяжение связки — ан нет, все куда серьезнее, и доктор Киссер со станции медицинской помощи считает, что связка порвана, а выздоровление — дело дальнее. Пока папе установили в оркестре небольшой пенсион по болезни, но сезон, конечно, загублен, и он ужасно огорчен, прямо убит. Он бы мог преподавать, но даже думать не хочет: говорит, что педагог, не способный продемонстрировать ученику то, чего от него требует сам, — мошенник и пустобрех. Я предложила продать мамины драгоценности — те дивные кольца, еще от прабабушки, помнишь? — но он уперся и твердит, что подобные вещи сохраняются в семье на совсем иные, какие-то "большие спасательные миссии". И это уж прямо его фантазии! А ты же знаешь, какой он гордый человек! Как не мыслит своей жизни без музыки. Уверен и повторяет без конца, что на будущий год я непременно, во что бы то ни стало поеду к Винарскому в Вену. Все это грустно: на какие средства он рассчитывает? Если б Стеша не выросла в семье (да и идти ей некуда, и ни к чему она не приспособлена), то и она сбежала бы от таких затруднений: все дни напролет ходит в одной и той же юбке.

Но ты не должен за нас беспокоиться. Тут у одной "девочки", ты ее помнишь, рыженькая, Лида, разговаривает так забавно, "вавакает", брат — механик в иллюзионе "Бомонд", и он меня туда предложил — о, не смейся, пожалуйста, актерство тут ни при чем! — на предмет музыкального сопровождения новой американской фильмы "Большое ограбление поезда". Я сначала не могла играть: впечатление сильное, знаешь! Инструмент же совсем бросовый, разбитый и расстроенный. Садишься, и вначале кажется — легкие деньги, но к вечеру руки свинцовые, спина раскалывается. Ничего, заработок, однако, недурной. Я потерплю. А еще, Яша...»

Она задумалась. Вдруг вспомнила дачу на Шестнадцатой станции, которую ежегодно они снимали, эту летнюю веселую жизнь со спектаклями и розыгрышами, с толпой сменявших друг друга гостей, и «вечерних», и тех, что оставались неделями; и закружил теплый ветер с Босфора, смешавшись с запахом чистого сухого белья на веревке и горячих камнней чисто выметенного дворика; возникли перед глазами круг желтого света от керосиновой лампы на вечерней террасе, солнечный переполох листьев в виноградной беседке, слепящая синь неба в отрепьях летящих облаков и слепящая синь моря в заплатках белой парусины...

Вдруг воссиял большой медный таз на огне: это в саду под яблоней Стеша колдует над вишневым вареньем. В самой середке густой багряной мякоти подбирается, подкипает крошечный вулкан лаковой вишневой пенки. И она, Эська — восьмилетняя, босая, в цветастом сарафане — стоит с блюдечком в руках, ждет своей порции сладкого — сладчайшего! приторного! — приза. А Стеша месит палкой в тазу вулканическое озерцо, испуганно покрикивая: «Сдайте назад, барышня, ну-ка! Обвариться можно сию минуту, не дай боже!» Но девочка не отходит, завороженно глядя на вулканчик в центре раскаленного багряного озера, облизывая губы, словно на них уже запеклась вожделенная лиловая пенка.

И весь длинный летний день — шлеп и лепет, беготня, босая пересыпь маленьких ног по дощатым полам террасы — там за чаем папа демонстрирует гостям подарок, привезенный из Карлсбада дедушкой Моисеем: трость с золотым, как говорит Ада Яновна, «балдахином» в виде оскаленной львиной пасти. Набалдашник, конечно, не золотой, а фальшивый, но особый, с сюрпризом: отвинчиваясь, львиная голова ощеривается коротким, но мощным клинком.

— Элегантная вещица, — замечает кто-то из гостей.

— Чепуха, блеф, декорация! — фыркает папа.

Он всегда фыркает при появлении деда — веселого, легкомысленного и рискового человека с брюшком и курчавыми, как у Пушкина, рыжеватыми бакенбардами.

(Вот уж рискового, да. Года два как после банкротства переехал в квартирку на четвертом этаже под крышей и все болеет, болеет...)

Вдруг она с необычайной ясностью услышала двойную вьющуюся нить родных голосов: вечерами на даче Большой Этингер с сыном пели дуэтом. Начинал отец без предупреждения, когда после чая наступала пауза, Стеша убирала со стола, мама переходила в бамбуковую скрипную качалку, обессиленно падала в нее и прикрывала глаза. И папа тоже, прикрыв глаза, будто издалека начинал, с такой дорожной мечтательной грустью:

— «Од-но-звучно греми-ит ко-о-ло-кольчик... и до-ро-о-о...»

И томительно Яша подхватывал:

— «...И дорога пылится слегка-а-а...»

Дача на горе стояла, у самого обрыва, с террасы распахивалось море со своей безудержной переменчивой жизнью, с такими закатами, с таким багряным солнцем в багряных волнах. Два тенора взмывали и опускались, как два крыла, озаренные заходящим солнцем:

— «И уныло по ро-вно-му по-олю... разлива-а-а...»

А Яша:

— «...разливается песнь ямщика-а-а-а...»

Разные были тенора. У отца — глубокий драматический, очень чувственный, у сына — нежный и юный, переливчатый. Пели так только на даче, «на воле», где всё — как бы игра, понарошку, дурачество — лето... (Яша очень застенчивый был мальчик, чужих стеснялся.) Но сила чувств такая, что у обоих потом влажные глаза, и оба их одинаково прячут за небрежной улыбкой. Такая певчая пара была — казалось, тут не только домашнее, теплое, а что-то более глубинное, более мощное... голос рода, что ли... Вот оно, так ясно, так больно: закат, слабый рокот волн из-под обрыва, вспышки маяка вдали, а на террасе — круг желтоватого света от лампы. И два упоительно высоких голоса, взмывающих и парящих, как две чайки — над морем, над степью:

— «...и замолк мой ямщик, а дорога... предо мной далека, да-а-але-ка-а-а...»

Эське хотелось написать: «Яшка, возвращайся ты, ради бога, пожалуйста, Яшенька, вернись, мы с папой такие одинокие!» — но она упрямо поправила перед собой листок и продолжила: «Еще у меня появилась ученица. Внучка пристава Жаркова. Девочка, как говорила покойная мама, "запоздалая", малоспособная, но старательная...»

В окне дома напротив раздернулись малиновые шторы, изнутри толкнули раму, высунулась растрепанная голова одной из «девочек».

— Во денек — шик! — крикнула она куда-то в комнаты. — Просыпайся, Ангеля!

Оттуда невнятно отозвался заспанный голосок, а другой, мужской голос густо прокашлялся и сообщил кому-то невидимому:

— Франца Фердинанда застрелили!

— Которого Фердинанда? Лысого? — донесся снизу, со двора, тонкий — сразу и не разберешь, женский или мужской — голос. — Кельнера с Ланжероновской?

— Та не, прынца венхерского. О тут пишуть: «Одна пуля пробила воротник мундира эрц... эрцхерцоха... и застряла ув позвоночнике. Другая пробила корсет херцохини и застряла ув правом боку... скончался в беспамятстве...»

— А стрелял-то кто?

— Какой-то Хаврила, тоже прынц... не: Прынцып — то фамилие.

— Жид?

— А я знаю? Пишуть, студент.

— Значит, жид...

Стеша кончила надраивать стекло, ставшее совершенно невидимым, бросила на пол газетные комки и следом спрыгнула сама, в середку солнечной лужи, упруго и весело шлепнув босыми ступнями о паркет.

Эська приподнялась, захлопнула окно и продолжала: «...Девочка старательная, хоть и туповатая, так что в первую голову думаю дать ей упражнения на беглость пальцев...»

5

Нет, Яша в то время никак не мог вернуться в родную семью. Яша был страшно занят: он и сам мог бы сыграть одну из главных ролей в киноленте «Большое ограбление поезда», и убедительнейшим образом сыграть, тем более что партнерами в этой умопомрачительной ленте у него были бы самые разные актеры: от Якова Блюмкина с его «железным отрядом революционеров-интернационалистов» до будущего батьки Махно в эпоху его третьего военно-политического соглашения с большевиками.

В Одессу Яша вернулся в незабываемые годы революционного разгула борьбы всех со всеми. Рассорившись и расставшись с другом Блюмкиным, он создал собственную боевую анархистскую дружину, которая входила в подпольный ревком, где каждой твари было по горстке — большевиков, анархистов, левых эсеров...

Вряд ли Эська узнала бы брата, столкнувшись с ним на улице или даже в подворотне собственного дома, где он, к слову сказать, не появился ни разу. Уже в то время он окончательно взял себе солдатскую фамилию деда, Михайлов, и вровень с фамилией полностью поменял облик — заматерел, оброс рыжеватой щетиной, вымахал до отцовской коломенской версты, полностью отринув отцовскую обходительность и щепетильность в вопросах морали. Видимо, Этингерова способность к мимикрии требовала перевоплощений в совсем иных декорациях эпохи.

А на бедность декораций в те годы актерам жаловаться не приходилось — кровавый, долгий, разрушительный шел спектакль: Одесса то становилась «вольным городом», то именовалась «Одесской республикой», то провозглашалась столицей «независимого Юго-Западного края». Казалось, сюда со всей простертой в безумии державы стекались отбросы, чтобы привольно гнить и бродить, вспухая язвами и вонью, изливаясь в Черное море реками крови и гноя. Бушлаты, гимнастерки, седой гармоникой сапоги, на Екатерининской — раздавленное пенсне в двух шагах от перевернутой мужской галоши...

В городе орудовали банды налетчиков и толпы вооруженных дезертиров; через него прокатывались гайдамаки, белые, красные, румыны, французы и сербы. Одних только анархистских союзов, федераций, групп и дружин насчитать можно было с десяток, и всем находилось дело: взорвать типографию, ограбить пакгауз, пристрелить прямо в ателье какого-нибудь фотографа с Большой Арнаутской — «буржуя, зажиревшего на крови рабочего люда».

И тут уж Якову Михайлову с его боевой анархистской дружиной нашлось где развернуться. Он имел разветвленную сеть осведомителей, лично завербовал нескольких офицеров деникинской контрразведки, и — артистизм всегда был присущ отпрыскам Дома Этингера — своих ребят посылал на задания в форме Добровольческой армии. Председатель ревкома товарищ Чижов воротил разборчивый нос от дружины Михайлова — его, видите ли, коробила сомнительная репутация этих «ребят», по большей части одесских налетчиков. Зато когда тот же Чижов был арестован контрразведкой — кто выкрал главу ревкома с тюремной баржи в порту? А когда некий Александров, присланный в Одессу из самого ЦК РСДРП(б), сбежал с

122 кассой ревкома — кто выследил и выудил его прямо из ресторации, где вор и предатель гулял с компанией подвыпивших деникинцев? Яков Михайлов, о чьей жестокости ходили невероятные слухи. С провокаторами Яша расправлялся лично, и самые крепкие из его «ребят» предпочитали отлучиться покурить, дабы не слышать, что за звуки извлекает бывший виолончелист из человечьих жил.

17 февраля 1919 года дружина Михайлова взорвала штабной вагон с союзными офицерами. Тут Яша счел разумным исчезнуть и далее всплывал самым неожиданным образом, как поплавок в бурном потоке времени.

Помирившись с Блюмкиным, подался создавать с ним ревкомы на Подолье, возглавлял один из партизанских отрядов в тылу петлюровцев и, в отличие от друга, не попал к ним в лапы, а успел бежать в последнюю секунду, голыми руками задушив несговорчивого путевого обходчика, не пожелавшего отдать беглецу свою кобылу.

* * *

Впервые он дал о себе знать семье в тот вечер, в иллюзионе на Мясоедовской, когда после вечернего сеанса перед Эськой возник и навис над стареньким фортепиано детина в кожаном плаще, с кенарем Желтухиным в клетке.

— ...А заодно привет от брата Яши, — сказал детина. И эти слова оглушили, полоснули и распахнули Эськино сердце, как рану.

Вначале она подумала, что посланник — а детину звали Николай Каблуков (тот самый Каблуков, на чье имя она писала когда-то Яше длинное наивное письмо, оставшееся без ответа) — просто воспользовался родством товарища для личного удобства: может, переночевать надеялся, кто его знает. Однако Эська была весьма строгих понятий: домой привела, чаем, конечно, напоила, а вот ночевать — извините, сказала твердо, это не в моих правилах.

Да и папе, как заметила она едва ли не с порога, гость почему-то не глянулся, хотя от кенаря папа пришел в неописуемый восторг: стал напевать отрывки из арий, пытаясь с ходу научить того сложнейшим модуляциям.

И тут гость, не присаживаясь, не сняв своего бронированного плаща, прочитал целую лекцию (вернее, это была вдохновенная баллада, так вибрировал и вздымался волной его голос) о том, что за диво дивное русская канарейка. «Соловьем разливался», — говорил позже Гаврила Оскарович с усмешкой.

Оказался Николай Каблуков страстным канареечником и *дителем* — ловцом певчих птиц. Впрочем, и лошадником тоже. У его отца прежде, «до событий», был, оказывается, конезавод. «Между прочим, наши всегда на скачках призы брали; и у вас тут, на ипподроме Новороссийского общества...» В лошадях он понимал, любил их самозабвенно — поверите ль, ушел из конной бригады Котовского: не мог видеть, как губили там лошадей.

Стеша накрыла к чаю на ломберном столике в кабинете Гаврилскарыча (большой обеденный стол со стульями, с вензелями «ДЭ» — «Дом Этингера» — в изогнутых высоких спинках, остался в столовой, куда на днях вселилась семья какого-то портового начальника).

За чаем гость говорил много, охотно и вообще чувствовал себя как дома. Стешины знаменитые оладушки уплетал своеобразным способом: брал двумя пальцами целую, складывал вчетверо конвертиком и отправлял в рот, словно письмо опускал в прорезь почтового ящика. Стеша с минуту понаблюдала этот процесс, уважительным взглядом провожая плавное движение щедрой руки. Затем повернулась и отправилась на кухню — жарить следующую порцию.

— Страсть к лошадям — это у нас от предка-цыгана, — продолжал Каблуков. — Не простой был цыган, с тремя фамилиями.

— Следы заметал?.. — заметил Большой Этингер, со значением бросив на дочь свой говорящий «таранный» взгляд.

Эське же немедленно пришло в голову, что в ее семье тоже знают толк в смене имен, и она поспешила сойти со скользкой темы.

— А он заговорит? В смысле — птичка? — и кивнула на клетку с кенарем, который все прыгал и глазиком постреливал; и смутилась от того, как насмешливо, как ласково-снисходительно поглядел на нее Николай.

— Нет, — ответил он. — Увы, кенари поют, и этого вполне достаточно. Бывали случаи, когда они перенимали пару слов с хозяйского голоса, но это должен быть особый голос, чьи вибрации совпадают с птичьими.

— Такой? — спросил папа, глубоко вдохнул и легко взял самую высокую свою ноту, и держал ее так долго и привольно, слегка улыбаясь глазами, развернув кисть правой руки ладонью вверх — приглашая гостя взять еще оладушку, — что тот даже рот разинул, будто примеривался ноту подхватить и проглотить. А Желтухин — тот страшно взволновался и пронзительно запищал, раскачивая клетку. Тогда папа, наконец, шумно выдохнул — как затекшую ногу переменил, — и все рассмеялись.

Но уже в тот первый вечер между отцом и Николаем Каблуковым произошла тяжелая сцена, которую и вспоминать не хочется: все дело в Яше, в его наглом поручении.

Каблуков называл его «деликатным» — видимо, чуял, что миссия не из простых, дело семейное... И как на грех, вначале случилась еще одна заминка: гость достал из нагрудного кармана френча и торжественно выложил на скатерть монету — тот самый памятный белый червонец, который Яша прихватил, покидая отчий кров через окно кухни. Странный парламентер, он будто предъявлял монету вместо белого флага. Гаврила Оскарович нахмурился, усмехнулся и промолчал. На червонец не глянул. И гостю при такой реакции хозяина помолчать бы, погодить с дальнейшим поручением. Но тот не разбирал хозяйских настроений, — человек сторонний, далекий от привычек и привязанностей Дома Этингера. Долил себе чаю из чайника, отправил за щеку целую сушку и, посасывая ее, невозмутимо продолжал с оттопыренной щекой.

Речь шла о трех книгах из семейной библиотеки — той, что положил начало еще старый кантонист, а продолжил собирать Гаврила Оскарович. Собрание было не так чтоб очень обширным, но отборным, большей частью музыкального толка: старинные клавиры, книги по композиции, по истории музыки, биографии великих исполнителей. Каждый фолиант помечен фамильным экслибрисом: могучий встрепанный лев, чем-то напоминавший юного Гаврилу Оскаровича, с лапой на полковом барабане, а на том раструбом вниз — полковая труба. И просторной аркой над ними буквы-кубики: «Дом Этингера».

Было и несколько ценных еврейских книг. А три среди них — прямо жемчужины: «Карта Святой зем-

126 ли», составленная Якобом Тиринусом и изданная в Антверпене в 1632 году, Пармский Псалтирь XIII века и редчайшая редкость, гордость коллекции старого солдата — книга неизвестного автора с забавным названием «Несколько наблюдений за певчими птичками, что приносят молитве благость и райскую сладость», причем название напечатано по-русски, но сам текст внутри — на святом языке. Весь изюм, однако, не в названии сидел, а в том, где книга напечатана: в личной типографии полоумного графа Игнация Сцибор-Мархоцкого — того вольнодумца, что еще в XVIII веке провозгласил в своих владениях на Подолии республику, чеканил собственные деньги, отпустил на волю всех своих крепостных и учредил у себя полную свободу всех верований. По свидетельству потрясенных современников, он разгуливал, облаченный в белую тогу, с венком на голове, и поклонялся богине плодородия Церере. А в домашней типографии печатал самые диковинные фолианты — в том числе вот и еврейские.

Эти-то бесценные книги и попросил у отца через своего порученца (скажем точнее, затребовал — просить он давно разучился) большой чекистский начальник Яков Михайлов.

Гаврила Оскарович пришел в неописуемую ярость.

— Что?! — крикнул он шепотом. — Ему наследства... наследства ему захотелось?! Да я ради образования своей прекрасной, своей наиталантливейшей... я... я их ради дочери не продал!!! Передайте этому негодяю!.. да нет, что там!..

Схватил червонец со стола и швырнул на пол, под ноги гостю. Вскочил и выбежал вон из комнаты, хлопнув дверью и топая так, что взволновалась и долго укоризненно качала подвесками любимая Дорина люстра.

Словом, чай тихонько допивали Эська с гостем вдвоем — если не считать Стеши, которая появлялась, чтобы добавить еще два-три кусочка колотого сахару на блюдечке (драгоценность!) или поспевшие оладушки. Она всегда, даже в голодное время, ухитрялась мастерить эти оладушки из самого бросового продукта, вперемешку с давлеными сухарями — а получалось восхитительно вкусно.

Каблуков же невозмутимо поднял червонец с полу и как ни в чем не бывало положил обратно в карман: мол, что ж поделать — на нет и суда нет, подберу-ка, чтоб не валялся. И сунул за щеку очередную сушку.

Так что, несмотря на душевный вечер, несмотря на жалостную и упоительную песнь кенаря про «стаканчики граненые», Эська вскоре выпроводила гостя на ночь глядя, с наилучшими пожеланиями.

Но Николай Каблуков никуда не уехал, а наоборот, стал ежедневно приходить в иллюзион на последний сеанс, дожидаясь Эськи. Очень полюбил «Полонез» Огинского, и если стремительное действие фильмы не подходило под благородную польскую грусть милой его сердцу пьесы, Эська потом специально для него исполняла «Полонез» раза три подряд, в романтически пустом темном зале.

Они гуляли допоздна, чуть не всю ночь. На трамвае добирались до дачи Дунина, где с верхней площадки во весь дивный размах открывалась алмазная зыбь гаснущего моря, широкий угольно-малиновый закат. Вблизи у берега сновали лодки с рыбаками; подальше, волоча за собой четкий пенный след, проходил пароход какой-нибудь аккерманской или херсонской линии, а совсем вдали, на меркнущем сизокрылом горизонте

Дина Рубина. *Русская канарейка*

От дачи Дунина брели по берегу до Аркадии. Шли мимо «скалок» — пластов рыжего ракушняка, источенного прибоем, обросшего водорослями, с бесчисленными пещерками — укрытиями рачков и крабов. Над волнорезами вскипали барашки легких бурунов; рыбья чешуя луны с наступлением темноты проблескивала в беспокойной волне.

Желтые всполохи маяка на Большом Фонтане равномерно обжигали черное глубокое тело воды, а в туманную ночь пронзительно кричала паровая сирена.

Николай скупо рассказывал про Яшу — в основном героические эпизоды, понимая, что сестре, да еще музыкантше, не стоит вываливать всей мужской революционной правды о брате.

Однажды — они гуляли на Приморском бульваре, где чуть не из-под ног стрижами вычиркивали мальчишки-разносчики с криками: «Одесский листок»! «Одесская почта»! «Требуйте свежую "Почту"!» — и на каждом шагу попадались лавки менял, а буфеты шли один за другим, и всюду торговали пампушками и булочками, — она спросила:

— А вы, Николай? Почему остаетесь здесь, а не возвращаетесь к Яше?

Он улыбнулся и с ответом замешкался, и на мгновенье она вообразила, что он выдохнет сейчас — из-за вас, мол, Эсфирь Гавриловна (позже, вспоминая эти дни и замкнутую улыбку в его на первый взгляд простодушных глазах, не могла простить себе доверчивой глупости).

Он сказал:

— Вы когда-нибудь вслушивались в птичий говор? Вон, голубки: они всегда начинают открытым звуком, а в конце проборматывают, заминают: «Якакразоттуда... якакразоттуда...» — И легко, но серьезно пояснил, и она видела, что он искренен: — Я, знаете ли, человек бездумный, бездомный, необязательный. Люблю сняться с места — вдруг; сам потом не знаю — что меня подняло. Проснусь утром и думаю — да что эт я тут задержался? скорей полечу-к дальше... Это от моего промысла такое беспокойство, понимаете? Я ведь — дитель, лошадник и зверолов. — И снова улыбнулся абсолютно невиноватой улыбкой, и стал рассказывать, как пасутся в мглистых потемках луга расседланные кони, позвякивая и мерно шурша травой, — с таким влюбленным лицом, что становилось ясно: никакой невесты ему не нужно.

Была в этом великане, при всей угрожающей стати и грубоватых чертах лица, неожиданная птичья легкость в повадке и птичья нежность: в разговоре, в телодвижениях. Несмотря на военный прикид и даже маузер в деревянном ящике-прикладе под полой, он казался человеком из какого-то иного мира, не связанного с миром окрестным, насильственным, ежедневно предъявляющим права на твою душу и жизнь. Вдруг озадачивал каким-нибудь неожиданным наблюдением: уверял, что в Одессе выразительные водосточные трубы — смотрите-ка, вон одна, суставчатая, с обломком, и тот приставлен, как протез к колену. А та вон — как штанина, смятая в «гармошку».

Он ей нравился. Особенно в этом длинном плаще, что придавал ему полководческий вид: два ряда пуговиц, карманы-прорези, кожаный пояс с пряжкой и большой воротник под горло.

Однажды затащил ее в фотографию и уговорил сняться на карточку — а ведь она терпеть не могла всех этих ненатуральных поз! В центре большой пыльной

130 студии громоздился желто-лиловый фанерный утес с проросшей у подножия пенной грядкой морского прибоя; над ним в полутьме что-то попискивало. Подняв головы, они обнаружили под потолком клетку со скучавшим кенарем. Николай умилился, потребовал клетку снять и за три минуты каким-то чудом — легкими нежно-вопросительными свистками — кенаря «разговорил». И упросил Эську сняться вместе с птичкой. Сетовал только, что это не великий маэстро Желтухин, а посторонний заурядный певец. Но девушка улыбнулась и ласково потянулась губами к птичке. Так карточка и вышла — ужасно манерная. Эська даже огорчилась: этакое дурновкусие!

— Хотите — забирайте ее себе, — сказала ему. Он и забрал.

Прижал к губам эту глупую карточку и положил в один из карманов бездонного своего плаща.

Она уже позволяла ему себя целовать — целовал он осторожно, будто прикасался к птенцу; звал ее уменьшительными именами смешным умиленным голосом. Перебирая ее пальцы, лежащие в его огромной ладони, изумленно растягивая:

— Па-а-альчики... — и, опуская глаза на крошечные и вправду обольстительно маленькие ее ступни в мальчиковых ботинках: — Но-о-ожки... — Тогда она, сердясь и смеясь, сильно стискивала его ладонь, а он притворно ойкал.

— Я — пианистка, — удовлетворенная экзекуцией, объясняла Эська. — У пианистов руки, как у борцов.

И уже волновалась, когда к концу последнего сеанса не видела в зале высоченной, как башня, фигуры, отбрасывающей на экран угрожающую тень.

Понимала, что все стремительно катится к чему-то банальному, но такому остро-счастливому, с прерывистым дыханием, со слезами в горле...

...пока однажды днем в перерыве между сеансами не выскочила из иллюзиона купить у торговки пирожков «на перекус» — и вдруг не увидела этих двоих. Поначалу решила — вздор, случайность, глупое совпадение. Но уже знакомая ей слитность фигур (что это было давно-давно? — ах да, папа когда-то, в ее детстве, с некой прильнувшей к нему дамой, так очевидно прильнувшей, что — гимназистка, соплячка — Эська все поняла).

Они оказались замечательной парой, и заметно было, что гуляют не впервые: Николай Каблуков, дитель и лошадник, и рослая Стеша с платиновым блеском в промытых косах и таким белокожим лицом, такими наивно-победными карими глазами, что Эська, впервые увидев ее на улице со стороны, только ахнула: Стеша-то у нас — красавица!

Вот только не стоило ей тащить концертную юбку из «венского гардероба»: шикарно просторная на Эське, с вихревым шелковым шелестом, юбка Стеше была и коротка, и тесна, а крепкие и набрякшие Стешины щиколотки явно стоило прикрывать. К тому же стеклярус по подолу, благородно праздничный под концертными огнями, так дешево и плоско блестел на полуденном солнце.

Оставив торговке кулек с пирожками, Эська спокойно и решительно двинулась к ним наискосок через площадь. Увидев ее, Стеша окаменела, забыв вынуть руку из-под локтя дителя. У него же в бровях возник некий птичий переполох. Наверное, мелькнуло у Эськи, голубчики сочли, что *трудолюбивая малютка наяривает амурскую волну, не поднимая зада.*

Ну что ж: вечерняя возлюбленная всегда романтичнее дневной.

— А ну, снимай! — тихо приказала Эська. — Снимай мою юбку!

Сказала просто так, чтоб оконфузить, — ну не стала бы она, в самом деле, позорить эту дуреху посреди улицы. Но *запоздалая* Стеша, всегда странно почтительная к «барышне», побледнела дивной сметанной бледностью и принялась обреченно стаскивать с крепких ляжек тесную ей юбку.

— Дура! — крикнула Эська, залившись краской, не глядя на Каблукова, щебечущего какой-то вздор. Впервые в жизни она так грубо обращалась со Стешей. — Иди домой, дура!

И не оглядываясь на этих двоих, не обращая внимания на вопли торговки, скрылась в дверях иллюзиона: любовь-морковь, а через пять минут начинался сеанс. «Трансвааль, Трансвааль, страна моя, ты вся горишь в огне...»

* * *

Ту ночь девушки проплакали — каждая в своем углу. В то время квартиру Гаврилы Оскаровича еще не свели к одной лишь Эськиной комнате и Стешиной антресоли, хотя супружескую спальню Этингеров уже занимал шофер какого-то портового начальника, с женой и двумя шумными и толстыми мальчиками-близнецами Юркой и Шуркой, а в Яшиной комнате поселилась стенографистка Управления железной дороги со старой теткой. Просторную залу для приемов и смежную с ней столовую уже года три как отгородили стеной от остальных комнат и пробили новую дверь прямо во двор, на внутреннюю галерею. В кухне в разные углы втерлись три мерзких лишних стола.

За Этингерами остался кабинет, прибежище отца, смежная с ним Эськина комната да «на задворках» кухни — Стешина каморка, где она сейчас и рыдала — смачно, обстоятельно и вдумчиво.

Она стояла перед выбором и до рассвета должна была решительно определить своей *запоздалой* головой правильную дорогу. Ведь, откровенно говоря, была уже Стеша перестарком.

На улице вслед ей восхищенно свистели матросы, и делали разные пиковые замечания торговцы на Привозе. Дважды звал ее замуж сын дворника Сергей — новая власть назначила его управдомом и выделила комнату в полуподвале. Может, и стоило согласиться? Но кривозубый, хлипкий и одновременно толстощекий, с противным утиным носом и похабными глазками Сергей был так далек от образа высокого красавца в длинном пальто и белом кашне! Сравниться с тем мог лишь Николай Каблуков — не красавец, но великан и любезник.

На рассвете она притихла и забылась, почти умиротворенная: она выбрала Этингеров. С ними было понятнее и привычней, даже в нынешнее заполошное время, тем более что Коля за эти несколько дней их внезапной любви ясно дал понять, что передвигаться по жизни предпочитает налегке — птичья, мол, натура. Говорил, что теперь в Туркестан подастся — с басмачами биться. А где он, Туркестан? — спросила Стеша. Каблуков не ответил, но стал увлеченно рассказывать, какие птицы водятся в тех краях и как в богатых лавках вешают там клетку с канарейками — для завлекательства людей.

А вокруг — зеркала, зеркала, и птичка видит в них себя, а думает, что это другая птичка. И поет ей любовную песнь.

Даже удивительно, насколько громила с маузером под полой плаща предан такой малости, как канарейка!

Эська же плакала беззвучно и яростно, вжимаясь лицом в подушку, мокрую уже с обеих сторон. Тем более непонятно — как мог услышать ее папа. На рассвете он постучал и тихо вошел: в старой домашней куртке с брандебурами поверх пижамы, по-прежнему красивый — глаза грустные, серо-крапчатые, растрепанная снежная прядь запорошила лоб.

Сел в кресло у постели дочери, включил настольную лампу и тихо сказал:

— Я так и знал, что ты втюрилась в этого прощелыгу, в ловца певчих птичек!

— Папа, оставь, — взмолилась гундосая Эська, щуря в свете лампы опухшие красные глаза.

— Кстати, — продолжал он, — с полки исчезли все три запрошенных Яшей книги. Это как три фамилии предка-цыгана, прости за метафору. Как думаешь — дитель сам украл или подговорил нашу бедную Стешу, задурив ей голову?

— Папа, оста-а-авь! — простонала дочь.

— Нет, позволь, я закончу, — возразил он тусклым голосом, баюкая левой рукой больную правую — та по ночам сильно его донимала. — Ты должна понимать, что перед тобой — большая дорога артистки, и свой талант ты обязана беречь и ограждать от этой быдлянской жизни. Всю эту грязь и муть — смитье бездыханное, — их смоет время, а тебе скоро в Вену...

— Папа, оставь!!! — взвизгнула дочь и кулаком принялась лупить подушку, приговаривая: — Вот тебе — Вена! Вот тебе — Вена! Вот тебе — Вена!!!

Он молча поднялся и вышел.

* * *

...А Яша в те годы уже перебрался в Москву, поближе к чудесно воскресшему (переломанному, но недобитому петлюровцами) Блюмкину. Тот взорлил неожиданно и пугающе ярко: из эсэра и анархиста — прямиком в начальники личной охраны и в секретари самого наркомвоенмора Льва Давидовича Троцкого! Приобрел столичный лоск Яков Григорьевич, оброс приятелями из артистической среды, сам, говорят, стишки пописывал, актрискам посвящал... Как-то успевал на всех фронтах — атлет, кутила и деляга, искусный надувала, неуловимый разведчик, беспощадной жестокости чекист, звезда московской богемы.

Но главное, там, в ВЧК, Блюмкин создал новый отдел — иностранный, внешней разведки, по сути — первую советскую шпионскую сеть за границей, и, едва добравшись до Москвы, Яша немедленно и жарко ворвался в вихрь этих лет: какое-то время крутился на орбите Блюмкина, даже уходил с ним в Персию, где под видом двух дервишей за четыре месяца они подготовили революцию в северных провинциях, свергли мятежного шаха и сколотили из сомнительных отбросов компартию, попутно провозгласив Гилянскую советскую республику.

Вообще, в те годы Яша редко наведывался в Россию. Его немецкий и французский (ау, милая старая кляча Ада Яновна Рипс!) отдавали простецкой прямотой, отличавшей незамысловатый люд. Так что, устраиваясь механиком в какую-нибудь берлинскую автомастерскую или шофером в текстильную фирму в Цюрихе, Яша всюду выглядел уместно и органично. Как говорила покойная Дора — «за словом в карман не лез».

...Три дедовых книги, изобретательно добытых Николаем Каблуковым из кабинета отца при помощи Стеши, Яша вовсе не считал наследством. Наследство — любое — он презирал, в старинных манускриптах большого толку не видел. Эта, по его мнению, *местеч-*

136 *ковая ветошь*, эта *допотопная рухлядь* (а похожие книги собирали *товарищи* по всей России, потроша синагоги, наведываясь даже в закрытые фонды Государственной библиотеки) должна была послужить наиважнейшему делу: по заданию начальника ИНО ОГПУ Меира Трилиссера Яков Блюмкин был заброшен в Палестину под именем Якуба Султан-заде, торговца еврейскими древностями. Приторговывая антиквариатом, он в короткий срок должен был создать большую разведывательную сеть и боевое диверсионное подразделение: молодая и цепкая советская власть намеревалась хорошенько потрепать англичан на Ближнем Востоке.

Какое-то время Трилиссер — а он предпочитал Якова Михайлова «этому трепачу и позеру» Блюмкину — склонялся отправить их в Палестину вдвоем, дабы Яша за Блюмкиным приглядывал. Но Михайлов вовремя учуял опасность и выкрутился: мол, ни иврита, ни арабского, ни фарси, на которых бегло говорил полиглот Блюмкин, он не знает; может провалить дело.

К тому времени, побывав с Блюмкиным в Монголии, где они помогали тамошним товарищам устанавливать советскую власть, Яша насмотрелся на выкрутасы дружка юности (без выпивки и наркотиков, к которым пристрастился в Афганистане, тот и дня не начинал) и вовремя отшатнулся. В отличие от хвастливого и упоенного собой Блюмкина, был Яков Михайлов угрюм и молчалив, взвешивал каждое слово, близкими приятелями и длительными сердечными связями не обзаводился. И после безобразной новогодней вечеринки в ЦК монгольской компартии, где перепивший Блюмкин блевал на портрет Ильича и призывал местных коммунистов пить за Одессу-маму, тем же вечером написал обстоятельное письмо Трилиссеру: подстраховался.

Яшу явно хранила судьба: очень вовремя он это письмо отправил и вовремя вновь расстался с другом мятежной юности — как раз перед поездкой того в Константинополь, перед его оплошной встречей с изгнанником Троцким.

Так что последующий арест Блюмкина и неожиданный, ошеломивший многих чекистов его расстрел («А ушел красиво, — одобрительно крякнув, рассказывал Яше один из *исполнителей*. — "Стреляйте, — кричал, — ребята, в мировую революцию!"») Михайлова не затронули ни в малейшей степени. Но многому научили. И в дальнейшем он мудро предпочитал заграничные командировки высоким назначениям в аппарате ГРУ.

И все же это изрядное чудо или просто Этингерова звезда, что Яков Михайлов уцелел аж до конца 40-го — и это в кровавых-то чистках, следовавших волна за волной, в калейдоскопической смене аппарата разведчиков! Возможно, высокое качество добываемой им секретной информации удерживало Центр от последнего шага. Во всяком случае, к тому времени уже были вызваны в Москву и ликвидированы большинство нелегальных резидентов, от которых и через которых шла информация о подготовке Германии к войне. Когда же Михайлов получил приказ срочно вернуться «домой», он недели три еще отбрехивался телеграммами о «чрезвычайной загруженности». Хотя уже прекрасно все понимал.

Спустя столько лет этот волк, гонимый тревожной памятью и обреченным предчувствием конца, решился напоследок повидать семью. Хотя от семьи в те годы остались Гаврила Оскарович, *Городской Тенор*, да Стеша, *запоздалая голова*.

В Эськиной же судьбе случился тот самый танцевальный поворот на каблучке: ей предложили место концертмейстера у некой испанской танцовщицы — работа напряженная, гастрольная, приписанная к подмосковной филармонии, так что, месяцами пропадая из дому, она разъезжала по невообразимым маршрутам, о чем будет отдельный железнодорожный припев.

* * *

С Гаврилой же Оскаровичем произошла, увы, прискорбная история.

Кто бы мог подумать, что такое случится с умницей, насмешником, трезвейшим человеком, примером иронической уравновешенности мыслей и поступков! Но поскольку перемена происходила весьма постепенно, даже близкие поначалу не обратили внимания на первые странности в его поведении.

Началось с того, что Большой Этингер, как сказала бы покойная Дора, *вернулся петь*.

Стоит ли говорить, каким ударом для блестящего кларнетиста, тонкого музыканта, любимца всего оркестра стало расставание с Театром.

Тут жизнь рухнула, тут душа покатилась в бездну растерянной тоски и полнейшей ничтожности — не говоря уж о постоянных муках при одной лишь мысли, что любимая дочь вынуждена зарабатывать на хлеб в презренном иллюзионе целодневным бренчанием, сопровождая суетливую дробную раскорячку этого фигляра, как его... Чарли!

И однажды, когда после рабочего дня Эська валялась на кровати, а по бокам от нее на складках клетчатого пледа дохлыми рыбками валялись ее отработанные руки, Гаврила Оскарович вошел и, потупясь, сообщил, что, пожалуй, нашел выход из положения. Ты, надеюсь, не забыла, доченька, о моем голосе? Я ведь назубок знаю весь теноровый оперный репертуар. Да и романсов — сотни две. Что, если мне попробовать петь?

— Где петь, папа? — устало отозвалась Эська, не в силах пошевелиться. Но взглянула в убитое лицо отца и подумала: а в самом деле, почему бы и нет? Можно поговорить с директором. Пусть в фойе, где публика перед сеансом шатается, неважно. Дело не в деньгах, но чем-то занять его. — А знаешь, папа... отличная идея, правда!

Гаврила Оскарович оживился, прочистил горло и очень славно пропел своим драматическим тенором арию Садко из одноименной оперы Римского-Корсакова, широко поводя рукой и свободно держа финальные ноты. Эська даже вяло плеснула ладонями, присев на кровати. Неплохо, неплохо, подумала она. И даже очень хорошо!

Тут уместно напомнить — тем, кто запамятовал, — что драматический тенор в диапазоне охватывает простор от ля большой октавы до до второй; что имеет он еще одно название — di forza, «сильный», и это объясняет многое: в частности, недюжинное его место в оперном репертуаре. Это для него, для драматического тенора, написаны партии героические, требующие голосовой мощи и ярких тембровых красок. Радамес. Зигфрид. Отелло. Хосе как-никак! Да, это страстные характеры, незаурядные личности — одним словом, люди, способные порвать с прошлым и перешагнуть постылую черту.

Через три дня Гаврила Оскарович в отпаренном и отглаженном Стешей костюме с бабочкой, с восставшим серебристым, хотя и несколько поредевшим коком, исполнял перед публикой синематографа, явившейся на очередной сеанс, романс Чайковского «Средь шумного бала».

Эська, само собой, аккомпанировала. Добившись папиной занятости, она потеряла свои пятнадцать минут отдыха между сеансами, но была утешена оживленным папиным лицом, блеском в чудных крапчатых глазах и вернувшейся статью.

Теперь Гаврила Оскарович целыми днями репетировал, вспоминал теноровый репертуар, по утрам, как и положено, распевался.

Впрочем, пел он целыми днями: пел, прогуливаясь по коридору, пел, просматривая «Одесские новости», вокальным комментарием сопровождая какую-нибудь заметку «нашего корреспондента в Херсоне». На вопросы Эськи или Стеши как бы шутя пропевал подходящие по смыслу фразы из арий. Это было утомительно, но еще объяснимо: детство вспомнилось, мечтательно объяснял Гаврила Оскарович, так и слышу золотые переливы отцовского голоса.

Эська по инерции радовалась. Ну, это такой душевный подъем, объясняла она себе.

Душевный подъем, однако, должен был рухнуть в тот день, когда директор синематографа выставил на улицу обоих. У «великого немого» прорезался голос; старые ленты с серенькой моросью блеклого экрана слетали с репертуара, «Трансвааль» вышел из моды; двадцатый век в очередной раз выморгнул соринку из своего бездонного, чудовищно выпученного, равнодушного глаза.

Эська вначале приуныла, но вскоре нашла концертмейстерские часы в одной из частных балетных студий. К тому же ей обещали место на кафедре вокала в реорганизованной консерватории. Она бегала по ученикам и, когда подворачивалась халтура, аккомпанировала певцам на летних площадках: в Александровском парке, на открытой галерее при ресторане на даче Дунина, в курзале на Куяльницком лимане.

Папа же продолжал распеваться.

«Приветствую тебя, мой дру-у-у-уг!» — пел он по утрам под дверью Эськиной комнаты.

Это нормально, это бывает у сангвиников, успокаивала себя дочь. Но зароптали соседи, и ропот нельзя было назвать кротким: люди отдыхают после ночного дежурства, чего козлом-то голосить без продыху? В милицию захотел, артист, ебена мать? Эт мы скоренько организуем.

К тому времени соседей прибавилось. Огромная ванная комната квартиры Этингеров раздробилась на целых три комнатки, а для собственно пролетарской гигиены остался тесный закуток с умывальником.

Мечтательную наяду «Лорелею» по просьбе жильцов навестил управдом Сергей и за небольшую мзду три часа отбивал и крошил киркой ее беззащитное мраморное тело. Долго на помойке валялись острые грудки и нежный конус живота, густо раскрашенный внизу углем дворовыми паскудниками; зато на месте Лорелеи освободился угол, немедленно отделенный ширмой для чьей-то тещи.

Ванну, величественную ладью на бронзовых лапах, превратила в кровать рыжая Лида, в прошлом «девочка» из заведения напротив, а ныне уважаемая подметальщица Потемкинской лестницы. Помимо самой ванны, в ее угодья попало окно с витражом: красная морская звезда, застрявшая в зеленых водорослях; в это окно Лида влюбилась и мыла-протирала витраж

142 чуть не каждую неделю, даже на Пасху, задорно вопя на весь двор:

— У нас бога нет, кроме Сталина!

Эська ходила по соседям, как побирушка, — объясняла, втолковывала про искусство пения, умоляла понять, выторговывала, обещала вечный покой после девяти вечера. Затем посадила папу перед собой — объясняла, втолковывала, умоляла понять, выторговывала, обещала... Он насмешливо улыбался, добродушно отмахиваясь большой ладонью.

Она устала от его душевного подъема; иногда ей хотелось крикнуть: «Папа, заткнись, наконец!»

Первой опомнилась Стеша. Однажды утром на кухне, задумчиво срезая кожуру с картофелины, она проговорила: «Это он на нервной *почке*». И Эська, набиравшая воду в эмалированный чайник, как стояла, так и села на табурет, а вода все бежала, бежала из крана... Почему, с горечью подумала Эська в тот момент, *почему она всегда умнее меня?!*

К папе был приглашен известный одесский психиатр Евгений Александрович Шевалев, причем на протяжении консультации Гаврила Оскарович несколько раз прерывал беседу, принимаясь петь, вроде бы шутя, похохатывающим тенором. На вопросы профессора отвечал, впрочем, толково, приветливо улыбаясь, но словно пребывая на оперной сцене, а лучше сказать, как бы играя в оперетте, где и диалоги есть, и речитатив встречается, но изюминка — это, конечно, вставные музыкальные номера.

— Вы спрашиваете, Евгений Александрович, о моем настроении по утрам? «По утра-а-ам, по утра-а-ам... когда со-олнце особенно я-а-а-арко...»

И так далее.

Его уговорили «лечь подлечиться» в клинику на Слободке; всяко бывает, успокаивал профессор, утомление, сложный быт, трагические обстоятельства потери любимого дела, семейные потрясения, перемена жилищных условий. И не волнуйтесь, у нас там не только буйное отделение имеется, есть и весьма культурная публика, приятные собеседники. Отдохнете, поправитесь и думать забудете про все эти «тра-ля-ля-ля!».

Два месяца Гаврила Оскарович пребывал, как сам потом говаривал, «в цитадели культуры», с присущим ему ироническим артистизмом изображая кое-кого из пациентов, да и самих докторов. Гулял по тенистой аллее больничного двора под кронами акаций, принимал порошки, проходил процедуры. И вышел даже слишком успокоенным; по точному замечанию Стеши — «стреноженным». Рассуждал здраво, но как-то неуверенно. Произнеся фразу, вопросительно поднимал на дочь свои чудесные серые глаза под высокомерно-победными бровями: правильно ли сказал? И Эська прокляла себя за такое папино лечение. Пусть бы пел, твердила она в отчаянии, — когда пел, он был счастлив, как Желтухин.

Кстати, за последние годы папа так привязался к Желтухину (тот оказался настоящим артистом: обожал публику, с удовольствием исполнял на бис «Стаканчики граненые», постреливая по сторонам бедовым своим глазиком), что часто, выходя на улицу, прихватывал кенаря с собой в походной маленькой клетке величиной с пивную кружку; а уж в клинику — тут и гадать не надо, Желтухин последовал за хозяином скрашивать бестолковое и пустое время лечения.

В целом папино здоровье все же поправилось, у него даже появились два ученика-кларнетиста (расстарались бывшие коллеги по оркестру). И как раз с

144 учениками он чувствовал себя как рыба в воде: грозно поднимал голос, или поощрительно увещевал, или, как прежде, на «раз и два и» стучал об пол знаменитой тростью «с балдахином», полушутя обещая «отвинтить эту штуку и заколоть кинжалом за фальшивую ноту!».

Короче, жизнь как-то шла и шла себе, шкандыбая вперевалочку, точнее (да простится нам досадная описка) — сверкая сполохами салютов во славу покорения Полюса, во славу мужественных папанинцев, во славу спасения испанских детей, во славу подвигов шахтеров, строительства заводов, колхозов, мартеновских печей, прокатных станов, и ДнепроГЭСа, и что там еще? — ах да: «Разя огнем, сверкая блеском стали, пойдут машины в яростный поход, когда нас в бой пошлет товарищ Сталин, и первый маршал в бой нас поведет!»

* * *

Под старость, однако, Большой Этингер совсем съехал с рельсов, точнее, встал на свои особые невидимые рельсы, по которым помчался вдаль — но не вперед, а вспять, в детство, в домашние субботние застолья, когда отец пел своим колосящимся золотым тенором еврейские, русские и украинские песни.

Постепенно он и вовсе оставил разговорный жанр позади, в мелькнувших пейзажах минувшей жизни. Полностью перешел на пение. Пел, обращаясь к Стеше и редко теперь появлявшейся дочери; пел, ругаясь с соседями, пел, встречая на улицах знакомых, которые с грустным сочувствием выслушивали этот концерт.

Невозможно точно сказать, когда он заработал кличку Городской Тенор. Но заработал самым буквальным образом: уходил из дому с утра, возвращался вечером — сытый, бывало, что и выпивший (в портовых пивнушках угощали его пивом и колбасой грузчики-банабаки, моряки и докеры). Часто давал импровизированные концерты перед гуляющей в парке публикой.

Удержать его дома не было никакой возможности. Время от времени Стеше удавалось уложить его в психбольницу — там, по крайней мере, он был под приглядом. Ну не хватало у нее ни сил, ни времени бегать следом за беспокойным стариком! К тому же она вдруг очнулась и в отсутствии большого дома и больших забот решила «сделать жизнь, как люди» — стала ездить кондуктором прицепного вагона на девятнадцатом трамвае. Тот шел от Шестнадцатой станции Большого Фонтана до Дачи Ковалевского, был однопутным, с разъездом возле остановки «Санаторий "Якорь"». И так ей это дело пришлось по душе: сиди себе, обилечивай входящих, за публикой присматривай — кто там зайцем тырится. А когда двери закроются, дерни скобу над головой — это сигнал ватману, водителю моторного вагона: давай, милай, трогай!

Связи в трамвайном парке ее выручили и к концу войны: знакомые помогли устроиться проводницей на поезд Одесса—Москва. В городе жрать было нечего, а так — дорога длинная, бывало, кто из пассажиров угостит, бывало, на станции перепадет то, другое... Однажды в Москве на вокзале удалось им с напарницей выторговать селедку, одну на двоих. И так ее съесть захотелось! Поделили пополам, бросив жребий: Стеше достался хвост, напарнице — голова. А селедка оказалась протухшей. Блевали всю дорогу обе кровавой рвотой. Стеше еще повезло, с хвостом-то. А вот напарница не выжила.

Она слегка огрузла, стала пышнее, ярче. Льняная коса сияла над алебастровым лбом, удивительно благородным при столь «запоздалой голове». Постаревший Сергей — он превратился в осатанело злого управдома — уже не сватался (женился на молдаванке из села), но приставал по-прежнему: однажды вошел следом за Стешей в подъезд и пробовал прижать в углу. Она просто положила руку на его редкозубую пасть, из которой тошно несло махоркой и перегаром, и с силой отвернула к стене, да и пошла вверх по лестнице, не оглядываясь. Пока Яков Михайлов обитал где-то там, на столичных высотах, пока можно было, как оберег, твердо произнести его не блескуче-газетное, но крепкое имя, Стеша никого не боялась.

А Гаврилу Оскаровича люди и так не обижали. Мальчишки, конечно, дразнили, посвистывали вслед, но никаких безобразий, боже упаси. Уж очень он представителен был и на вид вполне силен. К тому же, по-прежнему свободно и машисто шагая, так убедительно поигрывал тростью с горящим на солнце «балдахином», на *фортиссимо* обещая особо приставучим насмешникам догнать и «всадить клино-о-ок!!! в ваше трусливое се-е-е-ердце!!!», что желающих проверить не находилось.

Когда он появлялся на Привозе, торговцы из окрестных сел пересказывали друг другу его *доподлинную* историю: Городской Тенор, мол, — это знаменитый оперный певец, рехнулся с горя, когда его невеста, итальянка, певица, покончила с собой (прыгнула с обрыва — одни лишь круги по воде). С тех пор живет, безутешный, в катакомбах, питаясь отбросами, а в трости у него запрятан сверхточный пистолет. И если что не по ём... Ну и все такое прочее.

Словом, Большой Этингер по-настоящему воспарил: он стал частью городского фольклора, как Дюк

Ришелье, как броненосец «Потемкин». Как ссыльный 147
поэт Александр Пушкин.

* * *

На все эти обстоятельства как раз и пришелся злополучный Яшин визит. Возвращение — ну, может, и не возвращение, а так, прогулка до ридной хаты — блудного сына. Как говорят в Одессе, не будем объяснять за картину художника Рембрандта, ее репродукцию видали все.

Трогательной встречи, к сожалению, не вышло (тут приходится верить свидетельству Стеши). Безумный отец не «пал на шею» сыну, не ощупал дрожащими руками согбенную спину бродяги-чекиста.

В ошеломляющие моменты жизни в Доме Этингеров всегда повышался звуковой барьер: словно ангелы судьбы вразнобой продували трубы, готовясь пропеть солдатскую зорю Страшного суда. Но тут умолкли трубы, уступив звучанию отцовского драматического тенора.

И поскольку в оперном жанре трагические повороты сюжета подчас сопровождаются речитативом, и мы считаем уместным перейти на торжественный речитатив:

В тот высокий миг,
простерши руку оперным жестом,
Большой Этингер пропел свою главную партию:
взбираясь голосом все выше,
закончив в грозном исступлении — на фортиссимо!!! —
он проклял Яшу, блудного сына,
сына блудного своего, Якова, проклял он!
Проклял!

* * *

Итак, «*Der verlorene Sohn*», «Блудный сын» (между прочим, в точном переводе с немецкого название означает «потерянный», а точнее, «утраченный сын») — оратория Маркуса Свена Вебера, Германия, восемнадцатый век, сладостное немецкое барокко.

Старинную музыку последний по времени Этингер предпочитал петь в соборах и церквах. Он вообще любил созвучие темы и этического посыла произведения с антуражем места, а библейские и евангельские сюжеты так проникновенно сочетаются с витражами высоких стрельчатых окон, с резными дубовыми хорами, со всеми этими капителями, позолоченными листьями, контрфорсами, плавно восходящими в арочный свод, а главное — с недосягаемой высью церковного купола, куда взлетает и на ангельских крылах парит, планируя и замирая, голос.

...Одинокая лампочка-спот над зеркалом гримерного столика освещала только левую сторону лица. Он раздраженно привстал, дотянулся до выключателя правого спота: так и есть, не работает! По трудолюбию итальяшки сравнимы разве что с греками. И это — нация, на чьем хребте половина человечества совершила рывок из Средневековья!

Он гримировался в крошечной комнатушке, в притворе одного из чудес барокко — собора Санта-Мария-делла-Салюте, того, что едва не сползает в воду Гранд-канала со стрелки восточной оконечности острова Дорсодуро. Все переплетено, все любовно рифмуется и аукается в искусстве: эти многочисленные волюты — завитки колонных капителей — так мучительно схожи с завитками головок струнных, доведенных до немыслимого совершенства кремонскими скрипичными мастерами...

*Вообще, с годами начинаешь осознавать, что городов,
достойных твоей страстной любви, очень немного — все
их по пальцам можно пересчитать: Прага, Венеция, Рим,
Париж... Ну, Флоренция. Ну, Питер...*

*И отстраненный, невзрачный и грозный — и острый,
как красный перец в глотке — Иерусалим.*

*В отдаленных приделах алтаря вполсилы разыгрыва-
лись музыканты. Все же здорово, что его антрепренер
всегда выторговывает для него особое условие — отдель-
ную гримерку: крошечное, размером с утробу платяного
шкафа, неудобное и душное — но укрытие. Интересно,
мельком подумал он, мягкой кистью набирая и стряхивая
в коробочку избыток пудры, когда же тебя перестанут
волновать всяческие укрытия? Сколько лет безмятеж-
ной и безгрешной жизни должно пройти...*

*Он придвинулся к зеркалу, неестественно изогнув
шею, чтобы свет левого спота осветил правую половину
лица: подвести черным бровь, подпудрить щеку, обозна-
чить кармином линию губ. Все должно гармонировать
с буклями пудреного парика и общим видом кавалера в
костюме стиля рококо: длиннополый камзол, расшитый
серебряными и золотыми нитями, дурацкие узкие кюлоты, за которые в Париже времен разгрома Бастилии
можно было запросто повиснуть на фонаре, белые шелковые чулки и бальные туфли-лодочки. Помешались на
аутентике! Впрочем, ему ли не приветствовать стремление взрослых людей поиграть в театр, заодно слушая
серьезную музыку? Да и где побаловаться маскарадом,
если не здесь — среди улочек, перехваченных обручами
мостиков, словно корсетными дугами кринолинов; здесь,
на уютных кампо, с обязательным в центре колодцем —
pozzo; здесь, где отражения плывут и уносятся по воде —
прообразу всяческих превращений и перверсий. И где еще
столь органичен его голос — более высокий, сильный и*

гибкий, чем любое женское сопрано, странный потусторонний зов, самой своей двойственностью порождающий сомнение и непреодолимое очарование перверсии?

Прозвенел первый звонок, есть еще время.

Итак, «Блудный сын», «Блудный сын»... В зеркале — расфуфыренное чучело. Другая крайность — в последние годы артисты все чаще позволяют себе выступать в незатейливой одежке, чуть ли не в джинсах. Но только не Этингер! Его концертный облик — раз и навсегда установленный канон: смокинг или даже фрак, белоснежная сорочка; под фрак всегда — туго накрахмаленная, сияющая манишка с раздвоенным ласточкиным хвостом; ну, и черная, редко — бордовая бабочка. Бабочку он в любых случаях решительно предпочитал галстуку: тот на поклонах свисает с шеи, как удавка снятого висельника, надо придерживать его на животе. К тому же бабочка больше идет бритому черепу античной статуи, в сочетании являя нечто декадентское.

Он приподнял голову, уже увенчанную бараньей шапкой парика, напоследок цельным завершающим взглядом охватывая готовый образ.

Дурацкий, в сущности, прикид: блудный сын — разве не в лохмотьях он (если уж мы говорим об аутентике) должен петь свою партию?

Далее мысли покатились по партии, перебирая, листая, возвращаясь и оставляя на полях партитуры незримые пометки.

За спиной беззвучно отворилась дверь, ранее скрипевшая от малейшего сквозняка, и вновь закрылась, впустив кого-то темного, слившегося с полутьмой гримерки. В зеркале над раззолоченным-рассеребренным плечом Блудного сына возникло лицо, освещенное слева, — кстати, похожее на его собственное незагримированное лицо, тем более что обладатель его тоже брил голову.

Певец застыл, окостенел... Бешенство, неуместное сейчас и здесь, хлынуло в горло, приготовленное совсем для иного. Черт побери!!!

Человек за спиной, чье умение двигаться бесшумно вошло в поговорку в среде его коллег, тоже молчал — доброжелательно и понимающе, даже слегка виновато. Оба они молчали секунд пять, всё друг о друге понимая.

— *Нет!* — наконец твердо проговорил в зеркало раздетый кавалер, играя желваками совсем не в духе куртуазной эпохи. — *Дудки! Ни за что! Никогда больше. Иди, отчитывайся перед Гуровицем за разбазаривание средств на авиабилет и оставь меня в покое! Я частное лицо. Я певец. Я — Голос, понимаешь?!*

— *А что ты сегодня поешь?* — мягко поинтересовался этот сукин сын. — *Оперу? Тореадора?*

— *Господи, ты бы хоть в программку заглянул,* — с ненавистью выдохнул последний по времени Этингер, не оборачиваясь. Говорили они, как и положено в проблемных местах, на английском. Шаули, при его восточной внешности продавца фалафеля, владел языком безупречно — давняя, попутно выцеженная в Иерусалимском университете степень по английской литературе. — *Это оратория, а не опера!*

— *Что такое оратория?*

Ну хватит! Немедленно оборвать этот мягкий натиск вкрадчивой пантеры. Прекратить с ним всякие препирательства и торговлю. Довольно с него Праги! Баста, я отработал, отработал, отработал! Я уже много лет никому ничего не должен.

— *Во всяком случае, не то, что ты думаешь,* — проговорил он с издевкой. — *К оральному сексу это отношения не имеет.*

— *Приятно слышать, что ты еще не порвал с сексом, распевая этим бабьим голосом...*

В дверь деликатно постучал служитель: пора выходить, скоро дадут второй звонок.

— Я буду ждать тебя в баре, на углу, сразу за мостом, — сказал Шаули примирительным тоном.

— И не дождешься! — Он поднялся из-за гримерного столика, расправляя манжеты.— Пропусти и отвали: мне надо сосредоточиться перед выходом.

— Сразу за мостом, Кенар руси, — еле слышно нежно повторил Шаули на иврите. — Там такие пиздоватые куриные ножки на вывеске.

Придержал его за плечо в расшитом камзоле, что выглядело и вовсе по-отечески, — он был на голову выше артиста, — и добродушно по-английски добавил:

— Ты восемнадцатого поешь в Вене с Венским филармоническим, где концертмейстером группы альтов — пухленькая такая брюнетка по имени Наира, с кошерной фамилией Крюгер. Однако девичья фамилия ее — Аль-Мохаммади, и она — двоюродная сестра профессора Дариуша Аль-Мохаммади, главы администрации завода в Натанзе...

— Ну! и! что?! — отчеканил шепотом тот, кого Шаули назвал странным именем «Кенар руси».

— Ничего, — безмятежно отозвался Шаули, снимая руку с его плеча. — Хотел пожелать тебе успеха.

И уважительно посторонился, пропуская артиста на выход.

...Здесь толпились музыканты.

Концертмейстер оркестра Густав Шмиттердиц, нарушая дух благочиния, допотопным лукообразным смычком вдруг лихо изобразил инфернальный взлетающий пассаж, начало сольной партии концерта Брамса — видно, душа, замордованная высокой патетикой барочной музыки, потребовала страсти. Первый трубач, держа на вытянутой руке огромную, старинную, бог знает какого строя трубу, проигрывал арпеджии, ухитряясь на меццо-пиано чисто брать высокие звуки.

Оба валторниста, едва не путаясь манжетами среди многочисленных, закрученных бараньими рогами добавочных крон-инвенций, старательно выстраивали квинты и терции, любуясь благородством густого оленьего тембра натуральных валторн, по сравнению с которым звук нынешней хроматической валторны — золотой краски Вагнера, Чайковского и Рихарда Штрауса — будто голос Элвиса Пресли после Карузо или Джильи.

Дама-гобоистка, приладив пищик к светло-коричневой бесклапанной дудочке аутентичного барочного гобоя, тянула жалобно-слезливый кантиленный отрывок соло.

К счастью, будучи истинным артистом, последний по времени Этингер умел перед выходом на сцену выкинуть все из головы; поэтому его черный человек в черной куртке и щегольском черном кепи на бритой башке, с иранским ядерным сюрпризом за пазухой, вмиг растаял, будто мелькнул всего лишь туманным отражением в зеркале гримерного столика.

Прочь, прочь все зеркала!

В четверть голоса он пробежал ля-минорное трезвучие: все в порядке — диафрагма железно держит позицию, связки в полной боевой готовности. Сегодня он не разочарует публику, давно и сразу расхватавшую билеты на ораторию «Der verlorene Sohn» немецкого композитора XVIII века Маркуса Свена Вебера под управлением маэстро Альдо Роберти, известного специалиста по аутентичному исполнению старинной музыки эпохи Ренессанса и барокко.

Музыкальная репутация дирижера Роберти была непререкаемо высока — настолько, что в наш век сборных команд аутентиков (собрались-отрепетировали-сыграли-разбежались) он сумел добиться финансирования соб-

ственного коллектива «Musica Sacrum» — полного сме-шанного хора и камерного оркестра большого состава: четырнадцать скрипок, шесть альтов, четыре виолон-чели, контрабас, две блок-флейты, два старинных го-боя, два фагота, две валторны, две трубы (натуральные, само собой), литавры и, разумеется, клавесин. Когда возникала потребность в дополнительных инструмен-тах, аутентисты из голландского оркестра маэстро Брюххена — кларнетисты и тромбонисты — почитали за честь сыграть в концертах «Musica Sacrum».

Хор коллектива выдрессирован безукоризненно: жен-щины, сопрано и альты, и мужчины, тенора и басы, зву-чали фантастически чисто и неправдоподобно однород-но; порой даже не верилось, что поет не один человек, а группа. Основное внимание маэстро Роберти, в прошлом оперный дирижер, уделял репетициям хора, возложив ответственность за оркестр на концертмейстера, по совместительству профессора старинной музыки Ака-демии города Бохума. Концертмейстер, герр Шмиттер-диц, также наделенный правом отбора музыкантов, был требовательно-беспощаден, поэтому оркестр «Musica Sacrum», не выделяясь индивидуальностями, звучал по-немецки безупречно, хотя порой ему недоставало неко-торой велеречивой патетики, необходимой итальянско-му барокко.

Маэстро Роберти, как и положено специалисту по аутентике, славился изысканным выбором репертуара: из музыкального небытия он порой извлекал и доносил до своих поклонников — публики, впрочем, вполне специфи-ческой — достаточно редкие опусы, навеки, казалось бы, похороненные в архивах музыкальных библиотек и акаде-мий. Именно таким, лет 80—90, а то и больше не испол-няемым сочинением была оратория «Der verlorene Sohn».

Маркус Свен Вебер, полузабытый немецкий компо-зитор, вдохновленный Иисусовой притчей в изложении евангелиста Луки, сам сочинил либретто, проявив при этом наряду с немецкой педантичностью недюжинный музыкальный талант и изобретательность: все комментарии, написанные в виде четырехголосных фуг, были отданы хору; партии четырех солистов предназначались для мужских голосов. Излагавшего сюжет «Хисторикуса», традиционного персонажа барочной оратории, пел баритон; Отца — естественно, бас; Старшего сына — тенор. Изюминка оратории, необычный замысел композитора заключался в том, что центральную партию Блудного сына должен был петь контратенор, самим нездешним тембром своим подчеркивая многозначность, двойственность и сакральность евангельской притчи.

...Раздался второй звонок. Словно невидимый звукорежиссер резким движением ползунка вниз убрал звук — музыканты, как по команде, смолкли: струнные перестали пиликать, духовые — дудеть, оркестр выстроился перед дверью церковного придела, готовясь выйти на сцену в навсегда определенном порядке и занять места за пультами. Они переждали хор, выходивший первым с противоположной стороны: сначала басы — на верхние ступени помоста, за ними тенора. На всех мужчинах-хористах те же дурацкие буклевидные парики и расшитые камзолы.

Последними вышли женщины, заняли нижние ряды помоста, — в напудренных, но выше, чем у мужчин, париках и расшитых серебром платьях фасона середины XVIII века: снизу широкий кринолин, сверху открытый, не стесняющий дыхания лиф. Все артисты хора держат перед собой открытые папки с нотами, похожие на карты ресторанных меню.

В левом приделе еще топчется упряжка солистов: наряженный в черный, с серебряной вышивкой камзол «Хисторикус» — Герман Шнюкк, некогда известный в Ев-

156 *ропе певец. В последние годы его специфически немецкий «пивной» баритон все реже привлекает внимание оперных дирижеров, так что он все чаще предпочитает выездную аутентику. Старик в благородно-пурпурном камзоле, бас Луиджи Оттоленги (по слухам, принадлежит к некогда знатному роду итальянских сефардов), явно изживает певческую карьеру, да и партия Отца, честно говоря, незначительна — чуть похаркать в углу сцены. А вот тенор Штефан Херля, восходящая румынская звезда, страдает комплексом недооцененного гения — еще не все агенты знаменитых европейских и американских театров по утрам ломятся в его прихожую.*

Последнему по времени Этингеру пришлось дважды выступать с домнулом[1] Херлей, и оба раза было забавно видеть, как это постное, якобы равнодушное лицо заливается алой краской, едва лишь контратенор берет первую ноту и зал опрокидывается на спинки скамей.

«Белым финнам, черным финнам и обосранным румынам захотелось русских пиздюлей!» — удивительно, что эта патриотическая детсадовская чепуха всплывает в памяти перед выходом на сцену.

Нет, это не детсад, спохватился он; это Барышня напевала, вот что! Она вообще привезла с фронта прорву всякой дребедени.

Из кабинета, расположенного в соседнем приделе, вылетел маэстро Роберти — суховатый живчик лет шестидесяти пяти, снедаемый духом неудовлетворенного совершенства. Трубно высморкался в сине-белый клетчатый платок, резко выдохнул: «Signori, con Dei!» — широким жестом пропуская солистов.

Венеция, туристическая Мекка Европы, самая концентрированная в мире эссенция всевозможной экзотики,

---

1   Господин (*искаж. рум.*) — здесь и далее прим. автора.

концертно-музыкальной жизнью особо не славится: ну что́ провинциально-жалкий «Teatro La Fenice» по сравнению с расположенной неподалеку миланской оперой «Alla Scala» (как, добавляя две буквы, правильно именуют ее сами итальянцы) или даже с соседней «Arena di Verona»! Артисты мирового уровня сюда добираются довольно редко.

Поэтому огромный круглый зал Марии-делла-Салюте был на удивление полон. Три четверти слушателей — это, конечно, туристы, забредшие сюда от скуки, не пожалевшие пятидесяти евро за вход, хотя им вряд ли что-либо говорит фамилия не того, а этого Вебера. Но наверняка есть и ценители, они всегда попадаются в любом зале.

Последние мгновения замшевой тишины вздохов, покашливаний, бумажного хруста конфетных оберток истаивают над неудобными деревянными скамьями и приставными стульями.

Вежливый всплеск аплодисментов на выход солистов — своего рода аванс, его еще надо отработать.

Маэстро Роберти взмахнул палочкой — и череда румяных бравурных аккордов в барочных камзолах торжественно распахивает кулисы, покрасоваться и раскланяться; началось оркестровое вступление...

Все как обычно: адажио в традиционном однобемольном ре миноре; до баховского клавирного шедевра композиторы барокко не рисковали забивать ключи обилием знаков. Струнные повели свою мелодию, навевавшую мировую скорбь, намекая на предстоящие печальные события притчи. Ту же мелодию-жалобу октавой выше повторил гобой, и еще несколько раз она вспархивала и всхлипывала там и тут, настойчиво напоминая о трагической и скоротечной сути жизни.

158   *Затем, как в увертюре к «Дон Жуану», струнные рассыпали сверкающий искрами мажор второй части вступления, дружно проводя тему унисоном, перебрасывая мячик фугато, перекликаясь вопрос-ответом. Духовики — деревяшки и медь — подчеркивали срединными голосами аутентичные каденции: доминанта — тоника.*

На ликующем аккорде — маэстро Вебер не чурался театральных эффектов — вступление оборвалось.

Клавесинист, ряженный, разумеется, в тот же камзол и парик, взял многозначительный си-минорный аккорд. «Secco», природный звук клавесина, трение плектров о струны, идеально зависал в тишине под необозримым куполом Салюте: безмятежность, бестрепетность, бесстрастность, безадресность...

«Хисторикус» — баритон Шнюкк, явно радуясь пению на родном языке, скорбно-торжественно приступил к повествованию:

— «Und er sprach: Ein Mensch hatte zwei Söhne...»

Подобно огоньку в сосновом валежнике, что метнулся по иголкам порыжелой высохшей хвои, вспыхнули альты хора с текстом комментариев к притче. Торжественно полетел «dux», первое минорное проведение темы в главной тональности:

— «У некоего человека было два сына: под образом этого человека подразумевается Бог; два сына — это грешники и мнимые праведники...»

Второе проведение темы, «cotes» — как положено в свободной баховской полифонии, квинтой ниже — подхватили тенора, дабы передать мелодию группе сопрано, в то время как альты и тенора, идеально приглушив звук, выпевали противосложение. И только после сопрано тему в основной тональности повторили басы — мелодия хора зазвучала, как и требовали эти стены, могучим, будто опоры здания, четырехголосием. Да, контрапункт старик Вебер (или он не был стари-

ком?) изучал весьма усердно. Хор резко замолчал, чтобы после нескольких аккордов клавесина вступил «Хисторикус»:

— «*Und der jüngere von ihnen sprach zu dem Vater...*»

Ах, до чего все-таки не похожи скорбно-торжественные, исполненные сдержанным негодованием речитативы барокко на речитативы итальянского рококо у Моцарта, у Россини, где в сопровождении тех же аккордов «секко» мелодия сочится лукавством интриги, гривуазностью, порой и неприкрытыми намеками на эротику — а ведь, казалось бы, та же триада: тоника-субдоминанта-доминанта.

И снова побежал в глубине хора теноровый «дукс»:

— «*Младший, более легкомысленный, еще не искушенный тяжелым опытом жизни...*» — *и тут же им «комесом» ответили сопрано.*

...А вот и я, вот и я, Блудный сын (эту партию вообще-то часто отдают альту, но на сей раз им повезло: к ним залетела редкая и, скажем прямо, дорогостоящая птица). Ну-с, поехали...

Это всегда его звездный час: он подбирается, чувствуя мельчайшие мышцы лица, шеи, торса, живота; через секунду струя воздуха, опершись на мгновенно затвердевшую диафрагму, заденет рабочую часть связок, сформируется в головном резонаторе и повиснет в нужной, проверенной на репетиции, части купола, чтобы мощной волной серебряной лавы залить все пространство церкви Санта-Мария-делла-Салюте:

— «*Gib mir, Vater, das Erbteil, das mir zusteht*». («*Дай мне, отец, часть наследства, мне причитающуюся».)*

Чертов затейник Вебер не придумал ничего лучше, чем начать партию контратенора с ре второй октавы!

«Vater!» — два слога попали на нисходящую кварту. «Фа-таа!» — господи: терция с фа второй октавы! Еще

бы: писано для гениальных кастратов, и мы можем лишь догадываться, как звучало их пение. Их быстрые партии петь невообразимо трудно, а медленные — практически невозможно. Небось улыбаются со своих призрачных хоров, наблюдая за его потугами.

Как обычно, всем напружиненным телом он чувствует вздох публики; еще не бывало случая, чтобы зал не отозвался на первые звуки его голоса этим изумленным общим вздохом. Все читали в программке имена и роли, многие знают, что такое контратенор, кое-кто из публики так или иначе подготовлен к тому, что услышит, — все равно этот непременный вздох, эта горячая волна, дуновение которой накатывает из зала и накрывает его самого, вливая в жилы пузырьки огненной эмульсии, остается самым мощным его наркотиком.

— «Gib mir, Vater, das Erbteil, das mir zusteht», — выпевал он ламентацию Блудного сына, не подозревающего, к каким испытаниям в будущем приведет мягкосердечность отца.

— Вы, милый мой, наверняка в прошлой жизни были немцем — таким «т» и «д» не научить! — Вильгельм Рудольфыч, репетитор немецкого, ахал над его «неповторимым» немецким придыханием: ни в одном языке ничего похожего не сыщешь. (Впрочем, разве не восхищался на курсе его арабским произношением преподаватель сирийского и иорданского диалектов?)

— «Дас миа цушьтееет!» — подчеркивая мягкость «ш» и сколь возможно вытягивая «е» — именно «е», а не «э» мягко держал он, плавно филируя до пианиссимо ля первой октавы.

Последнюю фразу Блудного сына повторил гобой.

Эти церковные горние выси так берегут, так множат эхо давно отзвучавших голосов давно умерших кастратов. Ему всегда казалось, он чувствовал: там,

вверху, под высоким куполом собора на его голос слетаются невидимые стаи потусторонних дискантов
и фальцетов, и — божественная рать — сливаются в
точнейший унисон, множа ангельский хор...

— «По закону Моисееву, — прокомментировали альты, — младший сын получал половину от того, что получал старший».

— «По закону Моисееву», — торжественно отозва-
лись басы.

Снова после сухой россыпи клавесина мрачно вступил,
сообразуясь с библейским зачином «и», «Хисторикус»:

— «Und er teilte Hab und Gut unter sie. («И отец разделил им имение».) Und nicht lange danach sammelte der
jüngere Sohn alles zusammen und zog in ein fernes Land; und
dort brachte er sein Erbteil durch mit Prassen. («И по про-
шествии немногих дней младший сын, собрав всё, пошел
в дальнюю сторону и там расточил имение свое, живя
распутно».)

Слова «дурьх мит Прассн», «через распутство» баритон Шнюкк пропел, вкладывая максимальное отвра-
щение лютеранина-бюргера к дерзкому ничтожеству,
посмевшему растратить добро, накопленное поколениями предков, на шлюх, приносящих мимолетную постыд-
ную утеху.

Настал черед очередной фуги. Вступили басы:

— «Разделил им имение...»

Продолжили тенора:

— «Собрав все, пошел: тяжела ему показалась опека
отеческая...»

Альты подхватили противосложение:

— «Так человек, наделенный от Бога дарованиями
духовными и телесными, почувствовав влечение к греху,
начинает тяготиться божественным законом...»

162   И хор, пробежав каждой группой фугато «Дальняя *сторона*», вместе с мощным тутти оркестра, всеми группами грянул итоговое нравоучение:

— «...есть образ далекого отчуждения грешника от Бога, глубокого падения его нравственного».

Немецкое произношение хора было вполне приличным.

Две скрипки, блок-флейта и клавесин проиграли меланхоличную интермедию-менуэт, предвестницу печальных событий.

После речитатива продолжил «Хисторикус»:

— «*Als er nun all das Seine verbraucht hatte, kam eine große Hungersnot über jenes Land und er fing an zu darben*» («Когда же он всё прокутил, настал великий голод в той стране, и он стал нуждаться»).

Хор затянул негодующе:

— «Настал великий голод... Так нередко Бог посылает на грешника бедствия внешние, чтобы более образумить его...»

Вот она грядет, эта минута.

В юбиляционных распевах контратенор божественен: от бесконечного каскада бриллиантовых фиоритур в жилах публики стынет кровь. Всю полноту чувств, вызванную праведной патетикой притчи, композитор вложил в музыку:

— «*Und ging hin und hängte sich an einen Bürger jenes Landes; der schickte ihn auf seinen Acker, die Säue zu hüten*» («И пошел, пристал к одному из жителей страны той, а тот послал его на поля свои пасти свиней»).

На словах «ди Зёйе цу хю-у-у-утн!!!» мелодия взмыла вверх, до фа-диеза второй октавы и там, словно поросячьим закрученным хвостом, затрепетала длинным верхним триллером, издевательским штопором ввинтившись на фортиссимо в пустоту воздуха.

*Завершив трель, он ощутил движение единого в вос-
торженном выдохе зала. Такой выдох возносится под
купол цирка в миг, когда воздушный акробат эффектно
завершает смертельно опасный трюк.*

*Маэстро Роберти, знаток и любитель эффектов, в
этом месте чуть придержал прекрасно выдрессирован-
ный хор, и после секундной паузы сопрано и альты дружно грянули:*

*— «Пасти свиней — самое унизительное для истого
иудея занятие...»*

Басы продолжали стретту:

*— «Так нередко грешник унижается еще более и до-
ходит до самого бедственного состояния...»*

*Вновь зазвучал исполненный отчаяния голос Блудного
сына:*

*— «Und ich begehrte, meinen Bauch zu füllen mit den
Schoten, die die Säue fraßen; und niemand gab sie mich» («И
я рад был наполнить чрево свое рожками, что ели сви-
ньи, но никто не давал мне»). «Wie viele Tagelöhner hat
mein Vater, die Brot in Fülle haben, und ich verderbe hier
im Hunger!» («Сколько наемников у отца моего пресыща-
ются хлебом, а я умираю от голода!»)*

*По мере усугубления страданий несчастного изгоя
певец все больше обесцвечивал тембр голоса, уплощал,
придавая звуку почти потустороннюю бестелесность.
Слова «унд ыхь фэрде-е-ербэ хиа им Хунга!» он пропел пианиссимо, без вибрации (какая, к чертям, вибрация, когда вот-вот копыта с голодухи откинешь?). Маэстро Роберти, оценив остроумный прием артиста, максимально
приглушил аккомпанемент струнных — эффект оказался потрясающим. Но Блудный сын, приняв решение, чуть
приободрился:*

*— «Встану, пойду к отцу моему и скажу ему: "Отче!
я согрешил против неба и пред тобою, и уже не достоин*

называться сыном твоим; прими меня в число наемников твоих"».

Хор начал новую фугу — традиционно, с альтов:

— «Не так же ли болен до потери сознания грешник, когда он объят грехом...»

Глухо вступили басы:

— «Встану, пойду к отцу моему: решимость грешника оставить грех и покаяться...»

Противосложение продолжили тенора:

— «Я согрешил против неба и пред тобою...»

И стретту вновь пропели сопрано:

— «Не достоин называться сыном...»

Фугу закончил хор тутти:

— «В число наемников твоих... хотя б на самых тяжких условиях быть принятым в дом отчий».

«Хисторикус» продолжил свой поучительный рассказ, притча катилась дальше, дальше: и встал блудный сын, и пошел к отцу своему, и когда был еще далеко, увидел его отец и сжалился; и, побежав, пал ему на шею и целовал его...

Близится кульминация: сложнейшая, невероятная, невыполнимая, единственная в жизни; растянутые в бесконечности, сжатые в горючий миг минуты пресуществления Голоса. И после слов «Хисторикуса» «Der Sohn aber sprach zu ihm» («Сын же сказал ему») он напрочь выметает из головы сор обрывочных мыслей, чтобы во всем его опустелом теле не осталось ничего, кроме Голоса...

Тут, как везде в барочной музыке, композитор предоставил певцу много места для импровизации. В клавире в его партии сплошь и рядом обозначены лишь длинные ноты, вокруг них исполнитель создает свой рисунок, вы-

плетаемый всей этой дивной живностью, прелестной канителью: шаловливо-прилежными трелями с форшлагами и нахтшлагами.

Медленно раскачиваясь, голос начинает свое вкрадчивое кружение вокруг длинных нот — удав в чаще лиан, — постепенно усложняя и увеличивая напряжение, всякий раз по-новому окрашивая тембр. После каждого эпизода инкрустация мелодии все богаче и изощреннее, голос поднимается все выше, выталкивая из груди вверх ослепительные шары раскаленного звука, воздвигая плотину из серебристых трелей, ввинчивая в прозрачную толщу собора восходящие секвенции, гоня лавину пузырьков ввысь, ввысь...

Так ветер нагоняет облака, пылающие золотом заката; он и сам неосознанно приподнимается на носки туфель и досылает, и досылает из-под купола глотки все новые огненные шары, что сливаются в трепещущий поток, будто это не одинокий голос, а сводный хор всей небесной ликующей рати, среди коей растворяется без остатка окаянная душа.

Три форте, выданные его легкими, диафрагмой, связками и резонатором, заполнили все подкупольное пространство церкви Марии-делла-Салюте, чтобы обрушиться на зрительный зал:

— «Vater, ich habe gesündigt gegen den Himmel und vor dir; ich bin hinfort nicht mehr wert, dass ich dein Sohn heiße» («Отче! Я согрешил против неба и пред тобою, и уже не достоин называться сыном твоим»).

Маэстро Роберти, как было условлено, остановил оркестр. И — полные легкие — певец пошел на головокружительный трюк, композитором не предусмотренный:

— «Фа-а-та!» — снова фортиссимо (если таким манером попробовать три форте, связкам конец) он взял ля второй октавы и чуть слабее повторил: — «Майн фа-

а-а...», *— и спустился на ре потрясающим по красоте портаменто, сфилировав звук на выдохе до трех пиано: — «...та!»*

В такие минуты он не был ни израильтянином, ни евреем, ни христианином; не был собой — последним по времени Этингером... Он не был никем, лишь голосом Неба и волей Неба — и это мучительное, тайное, сладостное чувство распирало грудь, давило в виски, грозя взорвать мозг и выплеснуться на невидимый нотный стан кровавыми брызгами освобожденных форшлагов.

Когда, смыкая связки, он форсировал звук в некой точке подкупольного пространства, он чувствовал то же, что и в поиске точки прицела: голос Неба и волю Неба. (Он предпочитал испытанный метод уничтожения объекта: выстрел в голову.)

Даже выдох зала не прозвучал — смертельную тишину разорвал гром аплодисментов.

Маэстро Роберти дернул уголком рта — высшая степень одобрения, главный трюк прошел блестяще — и слегка взмахнул палочкой. Лицо румынского тенора окаменело: спой он теперь свою партию, как Паваротти, такой успех ему и не снился.

А Блудному сыну можно было перевести дух, ибо дальше шла большая сцена между Отцом и Старшим праведным сыном, возмущенным безрассудством отцовского всепрощения. Румын вел свою партию довольно бойко: всё при нем, всё умеет. Года через три достигнет своего потолка. А вот бас Луиджи Оттоленги заметно помутнел буквально за последний год, с их совместного концерта в Риме.

Хор продолжал плести фугу об отцовском милосердии и об истинном благочестии, о прощенном грешнике, о Божьей любви к человекам...

Он бросил взгляд на скамьи: в третьем ряду справа, обмахиваясь программкой, сидел Шаули. Кепку он снял, но для любого постороннего глаза был, как и положено, затерт, замылен, практически невидим. Любой посторонний глаз просто оплывал его внешность. Ах ты, сторож брату своему, — мой черный человек, заказчик очередного реквиема по очередному ближневосточному князьку, озабоченному извлечением смертоносного ядра из брюха бешеной центрифуги.

(«Ядра — чистый изумруд!» — восклицала Барышня, выковыривая вилочкой нутро из орехов, которые он в детстве колол для нее прадедовым инвалидом-Щелкунчиком.)

У него — у последнего по времени Этингера— не было ни малейшего сомнения в том, что вместо запланированного после концерта великолепного банкета в «Гритти-Палас» с организаторами и спонсорами сегодняшнего спектакля его ожидает сомнительный перекус в паршивой забегаловке с «пиздоватыми» куриными ножками на вывеске.

Он даже предугадывал первую реплику, которую произнесет его друг, опустившись на стул и стянув с бритой башки черный кепи: «Едрена мать, Кенар: когда ты верещишь этим своим птичьим писком, небось все педрилы в зале мечтают тебя трахнуть?»

(Нет, не думать, не думать — прочь! Не думать, не вспоминать, как, тому уже много лет, на морской берег в Тартусе, где благоуханным вечером на веранде своей дачи пировал с гостями глава сирийской разведки генерал Рахман аль-Саидани, вышли два аквалангиста, и посреди застолья хозяин тюкнулся лицом в тарелку, и так никто и не выяснил, из чьей снайперской винтовки пуля — Шаули или его, Кенаря, — вошла ему точно в лоб.)

*...Финал этой оратории необычен для барочной му-
зыки: ни тебе грома оркестра и хора, ни тебе литавр и
бешеного тутти струнных.*

*После пропетого «Хисторикусом» «дэр эрблиндете
Фатер» («ослепший отец») следует поистине ангельское
умиротворение, дуновение эфира, стон по утраченной
душе.*

*И плачет голос Блудного сына, истекает нежней-
шей любовью, и течет-течет, и парит-парит, затихая
на пианиссимо, замирая на затяжном вздохе, глубже и
глуше впечатываясь в войлок тишины, в мякоть облака;
струйкой света — в растворенную взвесь золотого собор-
ного воздуха — в небытие...*

*Вот оно: мгновение беспредельной тишины, миг люб-
ви и слезного слияния с Божьим замыслом.*

*И затем — грозовой разряд, треск и ливень аплодис-
ментов!!!*

6

А Эська разъезжала все предвоенные годы. Разъезжала так много, что когда засыпала на убитом матра-
се железной койки, где-нибудь в утлой комнате Дома
колхозника или в безликом номере провинциальной
гостиницы, в ушах ее, то накатывая, то отдаляясь, сту-
чали колеса железнодорожного состава.

Она аккомпанировала танцовщице, бешеной ис-
панке с ослепительным именем Леонор Эсперанса
Робледо, отчаянно смелой и до известной степени
даже дикой, чье безрассудство распространялось на
все, кроме самолетов — тех она до дрожи боялась. Так
что колесили по трое, по четверо суток, а когда ездили
на гастроли по городам Сибири, то и вообще неделя-

ми не видали ничего, кроме бешеного перебора шпал, редких фонарей, кособоких деревянных домишек, дощатых сараев и бесконечной, угрюмо-зеленой полосы матерой тайги.

Разъезжали втроем: бешеную испанку сопровождал муж, известный испанист, профессор-этнограф Александр Борисович, угловатый нервный человек, который, собственно, и привез ее из Испании, из какой-то своей этнографической экспедиции.

Это все как получилось: однажды утром, во время занятий с вокалистами, позвонила в училище обезумевшая Надежда Ивановна Полищук, администратор филармонических программ, срочно-слезно вытянула Эську прямо с урока и чуть не зарыдала в трубку: мол, спасайте, Эсфирь Гавриловна, христом-богом прошу, а когда-нить и я вам пригожусь.

— Да что, что такое, кого спасать?

— Ну-тк, приехала с концертом испанка-танцовщица, а вчера ее концертмейстер — женщина полная, сильно в возрасте, та еще гипертоничка, — дуба тут нам преподнесла!

— Ка-а-ак?!

— Да вот так, пошла в гостинице помыться с дороги, а уж из душа ее всем персоналом выволакивали. А нам-то что делать? Билеты все проданы, аншлаг, вы ж понимаете — Испания, но пасаран, и я вас умоляю. Публика же сочувствует...

— Ну хорошо, — в замешательстве пробормотала Эська. — Но... почему непременно я?

— Та вы смеетесь? Там программа технически жутко сложная. Ну кто в Одессе, кроме вас, с листа читает, как сама сочинила?!

170   ...Сыграла, конечно; программа не то чтоб особо сложная, — уж не Бетховен и не Лист. Но беглость чтения понадобилась. Эська слегка напряглась, шпаря на скорости все эти болерос-севильянос; на танцовщицу смотрела даже не краем глаза, а так, бликом зрачка, отмечая внезапные остановки или вихревые закруты алой с черными воланами юбки. Испанка оказалась не типичной: высокая, худенькая, пышные каштановые волосы с красноватой искрой, обжигающе-зеленые глаза — прямо ирландка какая-то. После концерта за кулисами налетела на Эську, стиснула в свирепых объятиях, бормоча как безумная: «Диос, Диос!!!..» — еле отбилась от нее.

А на другой день вечером явились прямо на квартиру, да с цветами: нарядная щебечущая испанка (ни словечка по-русски) и ее нескладный, несуразный, некрасивый, очень церемонный муж. Солидное деловое предложение вывалили с порога — не дождались, пока Эська цветы в вазу поставит. Она рассмеялась и с ходу легко отказала — что? кочевая жизнь? чепуха! да и как бы она бросила своих вокалистов, беспомощную Стешу, нездорового папу? нет, это полное безумие!.. (Поиск вазы рассеянно продолжался, огромный букет заслонял крошечную Эську от гостей.)

Тогда они просто повалились в ноги — профессор метафорически, а испанка буквально: рухнула перед Эськой на колени, стала ее руки ловить-целовать. Та ужасно испугалась, выронила букет, вырвала руки и, беспомощно ими всплескивая, заметалась по комнате.

— Что, что она говорит? — в смятении спросила она сумрачного мужа испанки. Тот криво усмехнулся, как бы со стороны наблюдая эту картину:

— Говорит, что покончит с собой. У нас, понимаете, если вы отвернетесь, летит к чертям огромная гастроль: Урал, Сибирь, Дальний Восток... — И добавил глуховатым голосом, явно преодолевая себя: — Мы вас, Эсфирь Гавриловна, просим о милости, о душевном подвиге. А я так просто умоляю — тут вся моя жизнь на кону. Это ведь не она должна на колени становиться, а я, именно я.

Эська ночь не спала, а когда поднялась с головной болью и совершенно безумным, ни в какие ворота не лезущим, безответственным легкомысленным решением взять за свой счет отпуск на три месяца, на время этой их чертовой, свалившейся на ее голову гастроли, — обнаружила, что Стеша на кухне уже выглаживает складочки и оборки «венского гардероба». Парусиновый саквояж на стуле в ожидании раззявил пустую утробу.

— Нет-нет, — буркнула Эська хмуро, запивая таблетку пирамидона вчерашним чаем. — Ничего такого банкетного не возьму. Там дело дорожное, бивуачное, мытарства всякие... грязные караван-сараи, черт бы меня побрал! К тому ж блистать на сцене должна она, а не я. Сложи две юбки попроще, ну, и пару блузок поскромнее.

* * *

Что поражало ее в испанской танцовщице — жизненное воплощение прославленного литературного типа. Это была Кармен в чистом виде, Кармен, что подзадержалась в утомительном для нее браке с Хосе. Удивительным также было и то, что Леонор Эсперанса и сама полностью отдавала себе в этом отчет, довольно часто цитируя Мериме в насмешливом обращении к мужу: «Ты настоящая канарейка одеждой и нравом! И сердце у тебя цыплячье...» Впервые услышав эту цитату на испанском и мысленно в несколько прыж-

ков переведя ее на русский (в то время она понимала
по-испански уже гораздо лучше, но все же отнюдь не
каждое слово), Эська скромно заметила, что дома у
нее много лет живет канарейка по имени Желтухин и
это отважная певчая птичка, которая дарит одну только радость.

Испанский она была просто вынуждена одолеть,
хотя б на бытовом уровне, дабы вовремя предотвра-
щать ежеутренние скандалы, когда на весь коридор
гостиницы где-нибудь в Кинешме или Тамбове рас-
катывался вопль проснувшейся Леонор Эсперансы:
«Кофе! Я что, должна умолять о кофе?!»

Неизвестно, чем таким особо художественным
прославилась испанка дома, не то в Арагоне, не то в
Эстремадуре, — судя по ухваткам, накручивала румбу
в каком-нибудь кафешантане. Оказавшись в Москве,
довольно ловко сочинила себе разнообразную танце-
вальную программу из нескольких танцев, которые
за неимением партнера исполняла *solo*. Во всяком
случае, Эська, ранее считавшая фламенко чуть ли не
единственным танцевально-вокальным выражением
испанского духа, убедилась в существовании и гор-
деливого пасодобля (Леонор исполняла его в костюме тореадора), и торжественной арагонской хоты, и
плавной мунейры (которую, вообще-то, как объяснила Леонор, правильно танцевать под волынку), и даже
страстного болеро, вращавшегося вокруг оголенного
пупка танцовщицы. Ну и фламенко, само собой, —
зрители не перенесли бы этой зияющей пропажи;
фламенко, в котором Леонор играла взбесившейся
красной юбкой, вначале раздувая неукротимое пламя,
потом его неистово гася.

Публика, очень в эти годы *происпаненная* в своих симпатиях, сопровождала ее танцы ритмичными
хлопками, восторженными выкриками и — в зави-

симости от культурного уровня зала — прочими *бу-кетными* проявлениями восхищенной любви. Бывало, после концерта в артистическую уборную вносили безымянную корзину цветов, которую потом Леонор требовала возить за собой по всему маршруту гастролей до полного, пыльного и бесславного ее умирания где-нибудь в купе очередного поезда.

Этнограф мучился ревностью — на взгляд Эськи, тоже несколько литературной, но небезосновательной. Наезжая в Москву в коротких перерывах между гастролями, они жили на даче в Загорянке (свою квартиру профессор оставил жене и дочери). Испанка разгуливала по дому голой и голой выходила в сад, украшая себя листьями лопухов и развесив по золотым плечам золотистые гроздья винограда: фрукты ей присылал корзинами поклонник, некий крупный чин в Совнаркоме.

В минуты раскаленных раскатистых семейных скандалов она завораживала своей пластикой: все ее тело разворачивалось кольцами навстречу обидчику в яростно мелодичной, оскорбительной тираде, в которой змеиное жало языка поддерживал плавный выпад гибких рук, а презрительная упряжка трепещущих бровей неслась вскачь над ледяным зеленым пламенем глаз.

Этнограф сходил с ума от ревности.

Несколько раз на гастролях Эська попадала в сердце семейного тайфуна, когда интеллигентный Александр Борисович, доведенный женой до исступления, коротко и наотмашь бил испанку в лицо, так, что та падала на пол, картинно и удовлетворенно раскинув руки. Эська же вскрикивала, точно ударили ее, а не Леонор, и убегала куда-нибудь, и скрывалась по три дня — в гостинице, у случайных знакомых, или снимала комнату у старушки в частном секторе.

Репетиции прекращались, но перед самым концертом ее разыскивали. Являлись, держась за руки, дружные и веселые *молодожены* — Кармен с Хосе, — обнимали Эську, целовали и уволакивали с собой.

Собственно, тяжелый и вспыльчивый Александр Борисович со своей легкомысленной Леонор Эсперансой стали в эти годы Эськиной бродячей семьей. И если б для некоего умозрительного летописца ее скудной биографии понадобился символ, она таковой назвала бы немедленно: кипятильник! Ибо с утра до вечера Александру Борисовичу и Леонор нужны были прямо противоположные вещи. Ей — кофе, ему — отвар ромашки для больной почки. Ей — свиная отбивная, ему — овсяная кашка. Ему — тишина для сосредоточения над какой-нибудь статьей, ей же — музыка, гром и топот, треск кастаньет, папиросы и бутылка вина, а к вечеру напряжение всех мышц, чувств и нервов — и так до самой ночи, до непременного взрыва, до ее хохота, до его крика, до... хотелось бы написать «выстрела»; нет, всего лишь пощечины.

Однажды деликатная Эська решилась на серьезный разговор с этнографом. Потом пожалела: выбрала не тот момент. Александр Борисович к вечеру часто бывал навеселе, много шутил и ничего не принимал всерьез. Вот и тогда, выслушав ее мягкие увещевания, горько ухмыльнулся и, перегнувшись через стол, сказал приглушенным голосом:

— Дурак я, Эсфирь Гавриловна! Вы видите перед собой отчаянного и жалкого дурня. Все дела у меня в загоне, жизнь запущена так, что страшно в нее заглядывать.

Они сидели на уютной, с цветными стеклышками в оконных переплетах веранде дома писателей (некогда усадьбе каких-то сгинувших князей — то ли Голощекиных, то ли Щербацких), куда их на время турне по городам Ленинградской области (благо, не сезон) удачно пристроил всемогущий администратор филармонии Миша Туркис.

— Вот увидите: меня скоро вышвырнут из Академии. Умом я понимаю, как поступить, но сердцем смириться не могу. Воли нет. А знаете, что надо бы мне сделать? Отправить ее назад, в ее Эстремадуру, жениться на вас и зажить прекрасной и достойной нормального человека жизнью.

Эська, которая вообще-то уже давно считала точно так же, но никогда в жизни не позволила бы себе ни единого встречного шага, немедленно посмуглела розоватым румянцем, но сдержанно и благородно посоветовала ему не отчаиваться: с Леонор нужно только терпение, и тогда все наладится.

— Ничего не наладится! — грубовато оборвал ее этнограф.

* * *

С этой чокнутой парочкой и застала Эську война — в городе Кирове.

Этнограф бросился на призывной пункт, и — что явилось полной неожиданностью для обеих женщин — его таки призвали. Призвали, несмотря на астму, единственную почку и псориаз, чудовищно расцветший с известием о начале войны.

Дня два перед объявленной датой отправки эшелона он деятельно и даже как будто увлеченно приводил в порядок свои записи, разработки и статьи, раскладывал все по конвертам, надписывал адреса, по которым Эське следовало их отправлять (в последние лет

176 пять она, со своей обязательностью и деловой опрятностью, превратилась еще и в секретаря этнографа).

В последний вечер перед отправкой профессора на фронт они втроем долго и задушевно сидели в гостиничном номере за бутылкой вина, дружно пели испанские песни, мечтали, как все повернется после войны: надо полагать, разрешат гастроли за границей — ведь Испанию наверняка освободят от фашистов.

— Девушка, подари мне гвоздику твоих губ,
а я подарю тебе бубенчик... —

негромко затянула Леонор старинную серенаду «Клавелитос», ту, что обычно исполняла на бис. Пела, склонив голову к плечу, будто прислушиваясь к собственному голосу. Ее тонкая смуглая рука медленным стеблем проросла вверх, гибкая кисть вздрогнула и зажила отдельной жизнью — то безвольно сутулясь, то раскачиваясь змеиной головой, то резко распрямляясь, как распятая. Левой рукой она похлопывала по столу, размечая ритм:

Я подарю гвоздики, гвоздики моего сердца,
и если когда-нибудь я больше не приду,
не думай, что я разлюбил тебя...

Поднялась и закружилась, то прищелкивая пальцами в такт песне, то умоляюще протягивая к мужу обнаженные руки; выводила мелодию печальным контральто, на окончаниях фраз роняя голос до любовного полушепота:

Когда я увидел впервые твои губы цвета вишни
и гвоздику в твоих волосах,
мне померещилось, что я узрел кусочек рая...

Эська перевела взгляд на застывшее лицо Александра Борисовича и поняла, что ей пора к себе.

Наутро после этого чудесного вечера Эська проснулась, села на кровати и, опустив босые ноги на пол,
угодила в лужу давно остывшей крови.

Почему этнографу вздумалось резать вены у нее в
комнате, в темноте, что случилось меж ним и испан-
кой ночью, почему он не решился разбудить Эську в
черную минуту нестерпимого отчаяния и как умудрилась она не услышать его последних хрипов — все это
осталось совершенно необъяснимым. В голове у нее
был туман, ужас, бестолковщина — словом, «полный
каламбур».

Потом она гонялась за бешеной Леонор Эсперансой — которая бегала по всей гостинице с кухонным
ножом, громко обещая вонзить его себе в грудь, — до-
говаривалась о похоронах и унимала вопли обезумев-
шей Леонор вослед гробу, утонувшему в недрах сугли-
нистой ямы.

«...И если когда-нибудь я больше не приду, не думай, что я разлюбил тебя...»

Затем полтора месяца они добирались в Москву, в
надежде на помощь и покровительство высокого чина,
что присылал когда-то Леонор корзины фруктов.

Высокого чина они на месте не застали — то были
первые страшные недели войны, когда столичные начальники драпанули из Москвы в позорной панике.
Но оказалась на месте и приютила их в коммуналке
на Кировской Эськина гимназическая подруга — она
служила тихой архивной мышью в каком-то архитек-
турном учреждении.

На беду, Леонор заразилась в поезде тифом и недели три провалялась в больнице: металась, таража
мутные зеленые глаза и горячо выдыхая в бреду: «Алехандро! Алехандро!» — и что-то еще неразборчивое

покаянным истерзанным плачем. Эта Кармен, как выяснилось, любила своего Хосе.

Главное же, во всей неразберихе и бестолочи Эська не могла добиться известий из Одессы: что с папой и Стешей, как они и где, смогли ли эвакуироваться? В эти примерно дни подруга получила от родителей какое-то беспомощное стариковское письмо, добиравшееся три недели, из которого ясно было только, что эвакуироваться из обезумевшего от страха города смогли те, у кого «литер», «бронь», «вызов» или деньги на бешеную взятку, но и это не всех спасало, потому что корабли подрывались на минах чуть не у берега; что Одессу бомбят, а бомбоубежищ не хватает, и пережидать налеты лучше всего в подворотнях; что немцы отрезали водовод из Днестра, воды нет, а жажда страшнее голода. Что многие соседи уже открыто говорят: мол, бояться нечего, немцы только жидов убивают, а людей не трогают.

Мучаясь неизвестностью, отлучаясь от истощенной Леонор только по необходимости, Эська в один из дней встретила в трамвае Мишу Туркиса, администратора филармонии, от которого узнала, что создан штаб фронтовых бригад при ЦДРИ.

— Как раз сейчас формируют коллективы, и вы успеваете, Эсфирь Гавриловна. Только явитесь завтра пораньше, к десяти, я словечко замолвлю, и ваш ансамбль внесут в списки и поставят на довольствие.

Так и завертелось.

Лысая после тифа, слабая и до жути худая Леонор Эсперанса Робледо, потрескивая кастаньетами в поднятых, тонких, будто ивовые прутики, руках, вяло топотала каблуками спадавших с нее концертных туфель по полу коммуналки на Кировской; очередная концертная бригада через неделю выезжала куда-то на Западный фронт.

Программы таких бригад сбивались на скорую руку по принципу сборной солянки: сценки, монологи, цирковые номера, чтецы-декламаторы и певцы с легким оперным и опереточным репертуаром (вот бы где процвел папа с его неумолчным пением). Ну и требования к артистам предъявлялись соответственно обстановке: собранность, мобильность, психическая устойчивость — выступать-то приходилось чуть не на передовой, а уж сценическая площадка подворачивалась всюду: под открытым небом на лесных полянах, на палубах военных кораблей, на аэродромах, в землянках, в медсанбатах и госпиталях.

Для Леонор из костюмерных недр филармонии был извлечен жесткий оранжевый «парик парубка», явно забракованный каким-нибудь танцором ансамбля украинских народных танцев, — другого не нашлось. И — странно, может, из-за парика, — ее густые, каштановые с золотом волосы никак не отрастали; Эська считала, что в ослабленном организме не хватает кальция. Собственно, они так и не успели отрасти, дивные волосы Леонор, но сейчас не об этом речь. Пока же Леонор вообще не снимала с головы дикой цирковой пакли — стеснялась, ненавидела себя лысую. Поэтому до концерта командиры со словами «товарищ Робляда!» (так их языки, привычные к мату, невольно переиначивали иностранную фамилию артистки) обращались к Эське. Жгучие смоляные, с редкой проседью, кольца ее волос наводили на мысль об Испании скорее, чем «парик парубка» самой что ни на есть природной испанки Леонор Эсперансы.

Вот рояль пришлось сменить на аккордеон, это да, и, бывало, кое-кто из бойцов жалостливо предлагал маленькой и хрупкой Эське помощь в растягивании мехов, на что она только усмехалась, по-грузчицки вздергивая плечо с ремнем.

В скудости их театрального реквизита был даже некий стиль: занавес, хлипкий стул для аккордеонистки, лист фанеры для танцующей Леонор.

Иногда автобус или грузовик, привезший артистов в расположение какой-либо части, не доехав, останавливался прямо на дороге, по которой войска перебрасывались к фронту, и тогда спешно выбиралось на обочине место поровнее, раскладывался лист фанеры, артисты переодевались прямо там же, на траве, никого не стесняясь, и все эксцентрико-акробатические номера, все пластические этюды и танцы проходящие мимо бойцы наблюдали искоса, смущенно улыбаясь.

За два месяца, проведенных на Западном и Калининском фронтах, они проехали с бригадой тысячи километров и дали чуть не двести концертов. Всю жизнь потом, оформленная в рамочку под стеклом, на стене у Эськи висела грамота от военного командования: «Музыкально-танцевальному коллективу товарищам Этингер—Робледо за самоотверженную отличную работу на фронте в непосредственной близости от переднего края».

Странно, что больше помнились не дни, а ночи — они часто выступали вечерами и по ночам, в блиндажах, освещенных гильзами от снарядов с торчащими из них тряпками-фитилями.

Помнилось черное прекрасное небо в огненной сетке трассирующих пуль, в россыпи зеленых пугающих звезд.

Небо, обмелевшая к рассвету бездна стыда и нежности — бездна, что единственный раз они вычерпали вдвоем.

* * *

Ту последнюю ночь им выпало провести недалеко от Торжка, в здании бывшей школы, переоборудованной под госпиталь.

Концерты в госпиталях считались у артистов фронтовых бригад большой удачей: там можно было вымыться, по-человечески поесть и выспаться в нормальных койках на чистых простынях. И, что ни говорите, — бог с нею, с фронтовой романтикой, — выступать приятней на настоящей сцене в актовом зале, пусть даже весь он плотно заставлен рядами коек, а стоны раненых и бредовая матерщина заглушают ревущий басами аккордеон.

Вечером после концерта персонально для артистов протопили баню во дворе. Тесная банька, втискивались по трое, наскоро намыливались, понимая, что там, снаружи дожидаются своей очереди мужчины. Все равно — блаженство, роскошь, нечаянная радость.

Чуть не всю парную своими грандиозными дрожжевыми телесами заполнила Мария Онищенко, исполнительница романсов. Казалось, вся она обвешана мешками: мешки грудей, мешок живота, туго набитые мешки могучего крупа...

Худенькая и гибкая Леонор огибала Марию с танцевальной ловкостью, как в пасодобле тореадор оги-

182 бает быка, как узкая фелюка огибает головное судно китобойной флотилии. Эська же скорчилась в углу скамьи — полоскала в поставленной на колени шайке гриву ассирийских кудрей; никогда ничего не могла поделать со своей несчастной застенчивостью.

— Дай помогу! — сказала Леонор, склонясь над ней. — Закрой глаза.

Подняла шайку с Эськиных колен и, будто всю жизнь мылась исключительно в русских банях, одним махом окатила ей голову водой.

Вытирались и одевались в малюсеньком предбаннике, истомно отдуваясь, задевая друг друга локтями и ягодицами, и Эська норовила побыстрее натянуть кофточку, что застревала и не раскатывалась на влажном теле.

В конце концов Леонор фыркнула, развернула ее лицом к себе и проговорила:

— Эстер! Почему ты забиваешься в угол, как хромая нищенка? Если б у меня была такая великолепная грудь, я б ее предъявляла вместо паспорта!

— Что она говорит? — поинтересовалась раскрасневшаяся, влажная, вся в капельках пота, полуголая Мария. — Почему она сердится?

— Она не сердится, — смутившись, пробормотала Эська.

После ужина пожилая медсестра с усталыми глазами в набрякших веках повела их устраиваться на ночлег. И пока поднимались на второй этаж по широкой школьной лестнице, она виновато повторяла, приваливаясь то спиной, то боком к деревянным перилам, отполированным задницами многих поколений учеников:

— Девочки, дело такое, у нас коечный фонд небольшой, а раненых полно. Вчера привезли два грузовика, позавчера три. А коечный фонд — совсем, совсем небольшой. Ничего, если двое на одну койку лягут?

— Эт за ради бога! — захохотала довольная, все еще красная, как пожар, Мария. Понимала, что к ней никто не попросится. — Кому со мной лечь охота, девочки?

— Просто у нас коечный фонд небольшой, — оправдываясь, повторила медсестра, — а раненых полно, прям катастрофа...

— Что это — «коэчни фонд»? — спросила Леонор.

— Нам придется спать в одной постели.

— Всем?! — в ужасе воскликнула та, и все женщины правильно поняли этот ее возглас и долго смеялись над оторопью бедной танцовщицы, громче всех — добродушная Мария.

...Эта испугавшая, озарившая ее, все в ней перевернувшая ночь стала единственной потаенной драгоценностью, которой она оставалась верна всю жизнь.

Прильнувшее к ней горячее тело Леонор, от которой, вздрогнув, она вначале смятенно отпрянула... и к которой потянулась, едва могучий храп Марии Онищенко сотряс грядку стаканов на подносе. Благословенный храп — он обнес их узкую койку шумовой завесой ночного водопада, отделяя ее и Леонор от всего разом съежившегося мира...

Со временем ее память навела на воспоминания об этой единственной ночи иконографическую резкость: на все непроизносимые касания, жаркий стыд, изумленное счастье, заикающийся шепот на испанском и на русском...

184   *Позже, когда прямоугольник вызревающего окна стал тоскливо подтекать рассветом, остужая их общее сердцебиение и разлучая томительно переплетенные пальцы, Леонор отерла ее слезы ладонью и прошептала:*

— *Сегодня Великий четверг. Сегодня у нас женщины выходят в кружевных мантильях, в высоких гребнях, все в черном...*

Ее дерзкий профиль на подушке, со слабым мальчишеским ежиком надо лбом, казался почти прозрачным на фоне зеленоватого неба в окне.

* * *

Под вечер их доставили на аэродром близ какой-то деревни — к тому времени Эська уже не запоминала названий сел и деревень, номера полков и обозначения родов войск; попробуй упомни все после пяти концертов в день!

Но везде их старались подкормить. Там, в летной части, на краю большой поляны артистов ждал уже накрытый стол — попросту дверь, снятая с петель и уложенная на врытые в землю бревнышки. Тушенка, хлеб, немного спирта и — настоящий сюрприз — только что сваренная, исходящая слезным паром картошка!

То, что летчики — элита армии, заметно было по командирам: она всегда мысленно отмечала это даже не словами, а чувством: с ними хотелось поговорить. В те мучительные дни ее тянуло поговорить с людьми, которых папа когда-то называл «нашим кругом», а она сердилась на его слова и требовала, чтобы он уточнил приметы этого самого «нашего круга». Теперь вот понимала.

И здесь тоже оказался лейтенант — некрасивый, с оттопыренными под фуражкой ушами, с небритым обезьяньим надгубьем, но такими быстрыми и «говорящими» глазами, что все время хотелось на него смотреть, — да он и показался ей ужасно знакомым. Минут пять они коротко поглядывали друг на друга через импровизированный стол (лейтенант будто ждал, когда она заговорит первой); наконец, он слегка подался к ней и негромко спросил:

— Неужто изменился так, Эсинька?

Выждал две-три секунды, с улыбкой глядя на ее вспыхнувшее неуверенной улыбкой озадаченное лицо, и подсказал:

— Дача на Большом Фонтане. Репетиции «Двенадцатой ночи» в пустом дровяном сарае, а дрова мы выкинули. Я шута играл, потому что умел ушами шевелить. — Снял фуражку с лысеющей головы, приготовившись доказывать примером. Но она уже вскрикнула:

— Миша! Миша Сапожников! Господи, как же я сразу!.. а что?.. но почему же?..

И, волнуясь и заходясь от радостного смеха под взглядом сидящей рядом и ничего не понимающей Леонор, они с Мишей, некогда вихрастым толстым мальчиком, сыном владельца «Коммерческой типографии Б. Сапожникова», на Ришельевской, 28, принялись вперегонки перебирать имена, фамилии, чьи-то дурацкие шутки и дурацкие фокусы.

И на его словах:

— ...А что было делать? Я уехал к тетке в Белосток, там принимали... — вдруг забухали, залаяли неподалеку зенитки, из-за леса взмыли пять легких игрушечных «юнкерсов», на лету роняя козьи орешки. Летчики вскакивали из-за стола и, отрывисто что-то крича, бежали к самолетам.

Земля гулко дрогнула, еще, еще раз, вздыбилась и пошла ухать и корчиться в нутряном подземном и небесном гуле: все слилось — лай зениток, взрывы, стрекот пулеметов...

Один «юнкерс» снизился, на бреющем полете прочесывая из пулемета лес и аэродром.

И все произошло очень быстро, просто и непоправимо. Все заняло две-три минуты.

Леонор схватила ее за руку, и они побежали куда-то к черному лесу на окраине аэродрома, что возникал и снова гас пульсацией вспышек во взрывах снарядов. Они бежали, а картавый гороховый грохот догонял их, расстреливая землю вокруг и выдирая клочья травы с дерном. Вдруг Леонор остановилась, обернулась к Эське, словно забыла сказать что-то важное и вот вспомнила наконец, и непременно сейчас скажет! Яркий свет обезумевших ее зеленых глаз полоснул Эську по сердцу с ночной, разом пыхнувшей силой. Швырнув ее на землю — Эська ударилась головой и спиной, на мгновение даже потеряв сознание, — Леонор упала сверху, прижав ее к влажной дурманной траве неожиданно властным, каким-то мужским телом.

Эська покорно лежала, открыв глаза в бурное небо высоко над плечом Леонор. Небо содрогалось и билось черным звездчатым скатом в сетях летящих снарядов. Никогда больше, даже в дни салютов, она не видала более праздничного, более упоительного зрелища.

Грохот и трескотня приблизились так, что изрешеченный свинцом воздух стоял вокруг них плотной стеной, изгвазданной зелеными шляпками алмазных звезд. И когда почудилось, что этот живой от движения воздух стал непроницаем, тело Леонор вдруг молча глухо сотряслось и вмиг обмякло и отяжелело. И мгновенно на Эську толчками хлынула горячая и тяжелая влага, как в ваннах на Хаджибейском лимане.

Так они и лежали до конца боя — Эська задыхалась под тяжестью Леонор, плавясь в затекавшем под нее горячем соленом источнике...

Затем ее, окровавленную, вытаскивали из-под мертвой испанки, вцепившейся в Эську мертвой хваткой. Бритая, с распахнутыми зелеными глазами, с откатившимся в траву нелепым «париком парубка», та упорно не желала отпускать своего аккомпаниатора, словно вот сейчас собиралась еще разок исполнить на бис коронный номер их программы, изящный и гордый пасодобль.

С этого дня Эська обрила голову под мальчика — в память о Леонор Эсперансе Робледо; стала курить крепкие папиросы и курила всю долгую жизнь, лишь в глубокой старости, по настоянию внука, сменив их на сигареты.

До конца войны она разъезжала в концертных бригадах, аккомпанируя на аккордеоне артистам цирка, не гнушаясь ничем: эксцентрика, пластические номера, манипуляция.

И тому подобное.

7

Большой Этингер погиб 19 октября 1941 года — через два дня после того, как румынские войска заняли Одессу.

Вообще, к началу оккупации он пребывал в психиатрической лечебнице. И кабы сидел смирно там, где сидел, ничего бы с ним страшного не случилось: Евгений Александрович Шевалев всю оккупацию прятал от гибели не только больных, но и здоровых евреев под видом сумасшедших, а соседи так привыкли к долгим исчезновениям старика, что никто бы его и не хватился.

Но Большой Этингер, под конец жизни став радостно-беспокойным и деятельно-распорядительным, умудрился бежать из закрытого отделения психушки и сбежал не один, а вместе с другим пленником — кенарем Желтухиным, с которым в последние годы не расставался ни на минуту.

Румыны, получившие Одессу в подарок от Гитлера, были похожи на цыганскую саранчу — ободранные, пыльные, в обмотках и по виду голодные; во всяком случае, когда гостеприимное население выносило им хлеб-соль на вышитых рушниках, они, гогоча, отрывали от караваев и жадно грызли хрустящие корочки.

Всеобщая регистрация евреев была объявлена уже на следующий день, и сразу начались облавы, аресты и грабежи квартир. К голодным румынским патрулям, которые немедленно окрестили «сахарными» (под видом поисков оружия те при обысках всегда прихватывали серебряную сахарницу), с энтузиазмом присоединялись свои местные мародеры — как не попользоваться соседским добром!

Румынский патруль на квартиру Этингеров навел управдом Сергей. Собственно, от квартиры оставались одна только Эськина комната да Стешина антресоль, которая из-за *пониженных нормативов потолка* жилой площадью не считалась; а вот поди ж ты, все обитатели дома да и весь двор с флигелями до сих пор именовали квартиру номер 6 «квартирой Этингеров».

Сергей и не скрывал от Стеши ни действий своих, ни намерений. В первые дни оккупации он вообще чувствовал себя именинником: молдаванка-жена — это был счастливый лотерейный билет. Румыны считали молдаван «своими»: и язык тот же самый, и раса одна, как гордо подчеркивал Сергей — «древнеримская»!

Накануне во дворе он догнал Стешу на крыльце подъезда и сказал в спину упругим веселым голосом:

— Ну что, досиделась у пархатых? От завтре их за мошну-то потрогают! А могла б в прибыли остаться, кабы договорились.

Она помедлила, не оборачиваясь, склонила голову к плечу и в тон ему легко проговорила:

— Да какая там мошна, все в голод пораспродали — жить-то надо было. Так, стаканы-чашки-свечки... У них только одна ценная вещь и осталась. Но секретная, не догадаешься.

— Что за вещь? — вскинулся Сергей. У Этингеров он, кажется, все знал — с детства бывал в квартире, топил им печи, видел, что в голодные годы те, как и все, держались на честном слове, спустили на толкучке много добра. Втайне он считал, что у них и правда мало чего сохранилось, но «потрогать» и сам был не прочь, отчего не развлечься; а главное, Стешку проучить. — Интересные дела! Брильянт, что ли?

— Щас, в письменном рапорте доложусь. — Она брезгливо усмехнулась, что всегда его бесило. — А сам хрен найдешь. Но если поможешь, я те ту вещь за так отдам. За благородство.

— Ах, бла-аро-одство, — протянул он. — Я себе думаю! Смотри, не забудь. Сама знаешь: тебе тоже кое-чего поберечь стоит. Кое-какую... ценную вещь.

Так что к налету Стеша была готова. Патруль с «сопровождавшими» (при румынах крутились три бабы из общежития бывших детдомовок, что на Чкалова: рыбы-прилипалы, плыли вслед новым хахалям, хватая, что приглянулось из мелочовки) Стеша встретила в дверях. Стояла в штопаной шерстяной юбке и в потертой кацавейке, застегнутой на три уродливые матерчатые пуговицы. Истошно кричала:

— Сюда, господа-домнулы дорогие, берите жидовское добро! Вон, на стол все свалила, хватайте! Всю жизнь на них горбатила! Мне самой от проклятых ничего не надо!

— Эт верно, — вдруг подтвердил Сергей. — Степанида — трудовая русская женщина. С детства тут в прислугах.

Стол в Эськиной комнате был завален добром. В этой куче сверкал натертый Стешей до блеска бронзовый канделябр, сахарница, предусмотрительно наполненная сахаром, кое-что из посуды, две фарфоровые прелестницы, деликатной щепотью приподнявшие пышные юбки, шкатулка Доры с какими-то стеклянными, «под брильянты», побрякушками. Но самым изумительным было странное — поверх всего добра — инженерной мысли сооружение, вроде шатра, из каких-то пружин, шнуров и застежек, обшитое голубым атласом небесной красоты.

(Непрошеных гостей сооружение, возможно, и озадачило, возможно, показалось даже несуразным, но мы-то, вхожие некогда в Дорину спальню и наблюдавшие, как Гаврила Оскарович — во фраке и при бабочке, — уперев колено в женину поясницу, тянет шнуры и вяжет узлы на легендарной «грудке», — мы-то сразу узнали голубые латы Орлеанской Девы и можем лишь восхититься отчаянной Стешиной предприимчивостью, заставившей случайно не выкинутый анахронизм украсить сей спектакль — то есть честно послужить семье чуть ли не тридцать лет спустя.)

Все было вмиг сметено в большое Этингерово одеяло и завязано в узел.

Пока солдаты рыскали по комнате, распахивая створки пустого буфета, бабы-детдомовки сдергивали с плечиков в шифоньере и бросали на пол какую-то одежу (и правда, бросовую, мысленно восхитился Сергей, — ах, Стешка, ну, постаралась!). А Стеша без устали приговаривала-пристанывала: проклятые, проклятые жиды, наконец свое получат, угнетатели!

Соседи вели себя по-разному. Кто в коридоре толпился — поглазеть, что там у Этингеров возьмут, — кто у себя в комнате заперся от греха подале.

Когда улов был завязан и взвален солдату на спину, второй румын, офицер, заглянул в кухню и мотнул головой в сторону антресоли.

— Спрашивает, что там, — торопливо наугад перевел Сергей.

Он считал себя знатоком румынского: знал с десяток молдавских слов и выражений, самыми убедительными из которых были «ду тэ ам пулэ!» («иди на хуй!») и «ду тэ ин кулэ!» («иди в жопу!»).

Стеша махнула рукой:

— Так то ж моя нора. И все в ней, как вот тая моя одежа...

Двумя пальцами грубой рабочей руки приподняла подол старой юбки и брезгливо этак посучила.

Румын скользнул по ней взглядом, уперся в льняную толстую косу на плече и, ухмыльнувшись, вдруг протянул руку и пощупал, словно примеривался — не унести ли и это добро из жидовской квартиры. И несколько долгих мгновений осторожно мял и гладил мягкую косу, как уважительно мнут в горсти дорогую материю в лавке колониальных товаров, любовался и вправду драгоценным отливом волос: утром — платина, ввечеру — белое золото. Наконец, с сожалением бормотнул что-то и отпустил. И Стеша глубоко вздохнула.

* * *

...Но для нее это оказалось лишь передышкой. Ибо в ту минуту, когда румыны с узлом в сопровождении Сергея спустились во двор, из арки навстречу им ввалилась небольшая толпа, которую с улицы загоняли прикладами еще трое румынских солдат с гогочущим офицером. Тот ужасно был весел и, хохоча, все повторял: «Zoo! Zoo!!!» — вытирая умильные слезы.

И было над чем посмеяться: в группе задержанных по необъяснимой ухмылке судьбы оказался низенький человечек с такой же приземистой, как он сам, таксой, мальчик с кроликом в руках и — к онемелому ужасу Стеши, наблюдавшей из окна за уходящим патрулем, — Гаврила Оскарович Этингер собственной персоной, со своим легендарным, таким же поседелым, как хозяин, кенарем, беспокойно скачущим в клетке.

Большой Этингер попал в облаву недалеко от собственного дома, куда вообще-то и направлялся своим машистым, не сминаемым годами шагом, зорко поглядывая по сторонам и, как всегда, тихонько распеваясь.

Октябрьский солнечный день, тихий и неряшливый, заметал по углам багряные листья. Город замер в нерешительности, еще не понимая, чего от румын ждать. Только по Екатерининской прогрохотали один за другим два грузовика с солдатами.

Представительный, с седым горделивым коком надо лбом, в старом своем потертом пальто с бархатным черным воротником старик явно радовался прохладному синему утру; старик Желтухин тоже чувствовал себя недурно.

Повернув к дому, Гаврила Оскарович остановился. На углу странной кучкой теснилась группа людей — принужденно и испуганно. Среди них известными ему оказались офтальмолог Коган со своей любимой таксой, декан музыковедческого отделения консерватории Ольга Абрамовна Тесслер с внуком Эмилем (именно сегодня ему купили обещанного кролика) и, наконец, бледная Ариадна Арнольдовна фон Шнеллер, которую — бог ты мой! — он не видел лет десять, и как же она, бедняжка, сдала!

К Ариадне Арнольдовне он, прочищая горло, и направился, совершенно игнорируя ситуацию. А она, увидев его, не обрадовалась вовсе, а, напротив, побледнела еще сильнее и, не прерывая нервной беседы с офицером, рассматривающим ее абсолютно арийские документы, принялась строить на лице какие-то дикие отгоняющие гримасы, пытаясь не допустить приближения Гаврилы Оскаровича.

Как?! Спустя столько лет она не хочет его видеть?!

— Нади-и-ин, о неуже-е-ели!..

...Так и вышло, что, обернувшись на теноровые рулады и узрев забавного старого еврея с канарейкой, смешливый офицер с воплем: «Zoo!!!» буквально согнулся от хохота пополам и, уже не обращая внимания на пылкую французскую речь Ариадны (бедняжка слышала, что румынский похож на французский и *пришельцы* его якобы понимают), велел загнать без разбора всех этих перепуганных клоунов во двор, который, собственно, и оказался двором Дома Этингера.

Далее все разворачивалось еще быстрее.

Неуемная Ариадна Арнольдовна (офицер уже склонялся отпустить ее восвояси) принялась горячо его убеждать, что бедный больной старик совсем безвреден и нуждается в присмотре родственников, и вот как раз, к счастью, его собственный подъезд, так что... видимо, досадила своими приставаниями настолько, что, закатив жовиальные глазки, офицер дал знак солдату прогнать надоедливую каргу. Тот, не рассчитав силы, смахнул старушку в сторону так, что она, не удержавшись на ногах, упала, да еще ударилась головой о водосточную трубу.

Это и послужило сигналом к тому, что впоследствии смешливый румын, в лицах изображая перед товарищами, называл «еврейской оперой». Рассказывая, умирал от хохота и махал руками, умоляя не перебивать, успокоиться, и останавливался, пережидая взрыв гомерического смеха однополчан, и тут же сам сгибался от визгливого бессильного хохота, припоминая, как «артист» величественно поводил рукой, будто настоящий певец.

Словом, когда прозрачная от старости Ариадна медленно, как палый лист, отлетела к водосточной трубе и опустилась на землю, вступил оркестр — неистовой гневной мощью запели медные и духовые:

— Подо-о-онки!!! — в бешенстве загремел Большой Этингер, кинувшись поднимать Ариадну Арнольдовну. — Гну-у-усные подо-о-онки!!!

Он гневно распрямился; его тенор, сохранивший благодаря ежеутренним распевкам необычайную молодую силу, взмыл из колодца двора к синему осеннему небу; белоснежный артистический кок возвышался над притихшей толпой. Кенарь Желтухин, всегда подпевавший хозяину, залился одной из самых драгоценных своих арий. В окнах всех выходивших во двор квартир показались ошалелые, озадаченные, заинтригованные, злорадные лица. Так что ложи были полны и блистали.

С румынами тоже произошла некоторая заминка. Они растерялись: никто не ожидал подобных оперных сюрпризов от горстки евреев.

А Большой Этингер лишь разворачивался: наконец-то после долгого перерыва у него появилась публика! Одной рукой нежно прижимая к себе Ариадну Арнольдовну, другой вздымая клетку с кенарем, точно полководческий жезл или бутафорский факел, что освещает путь заблудшим, он с воодушевлением перешел на арию Радамеса:

> Сердце полно жаждой мщенья:
> всюду слышен стон народа,
> он к победе призывает!
> Мщенье, мщенье и гибель всем врагам!

Этот неожиданный концерт мог бы длиться и дольше, ибо впечатлительный офицер, вполне вероятно, не чуждый культуре, явно заслушался по-прежнему сильным и свободным тенором старика, да еще в таком необычном сопровождении...

Но один из солдат патруля, кряжистый мужичонка с Этингеровым тюком на спине, заскучав, передернул затвор, и кенарь Желтухин — несравненный маэстро, легенда городского фольклора — умолк, снятый метким выстрелом.

Два-три мгновения прерванный Гаврила Оскарович ошеломленно смотрел под ноги, где в разнесенной выстрелом клетке валялась горстка окровавленных перьев.

Наконец, поднял голову, и великолепный его тенор зазвучал с невероятной, последней сокрушительной мощью:

— Уби-и-и-йцы! Кровавые уби-и-и-йцы!!! Невинную пта-а-а-аху загуби-и-и-и!!!

Грянула в оркестре гороховая россыпь барабанов, ухнули литавры.

Солист упал на колени и секунды две-три еще стоял так, нашаривая на земле клетку. Затем повалился ничком.

После чего румыны методично и весело перестреляли всю небольшую массовку этого поистине грандиозного спектакля.

Ариадне Арнольдовне фон Шнеллер, как и невинным таксе и кролику, пришлось разделить участь остальных.

В окне второго этажа на раме окна повисла, распятая ужасом, Стеша в грубой своей кацавейке, застегнутой на три матерчатые пуговицы. Она видела всю сцену, она досмотрела все до конца. Спуститься вниз и прибрать тело старика не могла: ей надо было остаться живой, во что бы то ни стало. Не ради себя. Нет! Не ради себя.

Уж это она прекрасно понимала своей *запоздалой головой*.

А Большой Этингер... Что ж, старик свое прожил. Годы его такие, что не обидно.

Белея снежным рассыпчатым коком, он лежал под водосточной трубой голова к голове с прекрасной Ариадной, проникновенной любовью его молодости;

лежал, протягивая руку вслед откатившейся клетке с
убитым маэстро.

«Ста-аканчики гра-анен-ны-ия упа-али со стола,
упали и разби-ли-ся, разбилась жизнь моя...» — как
высвистывал незабвенный кенарь Желтухин, и вслед
за ним безмятежно напевал Гаврила Оскарович, он
же Герц Соломонович, но все тот же Этингер, хоть ты
тресни.

8

До Одессы Эська добралась только в конце сорок
пятого. Ехала долго, с пересадками (составы шли через пень-колоду, переполненные демобилизованны-
ми военными), и сама себе не поверила, когда с чемо-
данчиком вышла на привокзальную площадь родного
города и вдохнула такой знакомый воздух, к которому
примешивалось что-то саднящее: запах легкой гари и
прибитой дождями мокрой пыли на развалинах рас-
потрошенных войной и людьми домов.

От вокзала села на едва ползущий трамвай, зачем-
то вышла на три остановки раньше и пошла пешком,
пытаясь унять сердце. Она уже знала, что папы нет,
понимала, что, кроме Стеши, встретить и узнать ее
некому, значит, и переживать так не стоит. А вот поди ж ты...

Вначале ей показалось, что двор изменился не
сильно. Все так же висели чьи-то кальсоны на веревках, ни на сантиметр не сдвинулись ни старинная во-
дяная цистерна, ни платан, ни кусты сирени, нынче
уже голые, — все оставалось прежним. Ребятни только

198 прибавилось. У открытых дверей их подъезда стояла белобрысая девочка лет пяти, обнимая белую кошку. Она странно пристально глядела на Эську. В девочке вообще было нечто странное — в кошке тоже. Замедлив шаг, Эська опустила чемодан на ступени. У девочки были разные глаза: один серый, в крапинку, очень какой-то знакомый, другой карий, знакомый тоже. И у кошки-альбиноса (как в кошмарном сне) тоже были разные глаза: один безумный голубой, с вертикальной соринкой черного зрачка, другой — зеленый самоцвет.

— Барышня... — вдруг проговорила девочка хрипло. Стиснула кошку покрепче, повернулась и поскакала по ступеням вверх, крича: — Мама! Мама! Барышня приехала!

В дверях квартиры они и столкнулись. Стеша вскрикнула, всплеснула руками, Эська застонала от радости. Они аккуратно трижды расцеловались и обнялись (Стеша, робея, погладила барышню по колючей мальчиковой голове, не удержавшись от желания приласкать ее, как ребенка). И какое-то время обе никак не могли попасть в тон этой долгожданной встречи. Их разлука вмещала столько боли и новизны для каждой, что еще предстояло привыкнуть и к новизне этой, и к боли и осторожно преодолевать их изо дня в день.

Стеша засуетилась, первым делом бросилась «кормить с дороги» — у нее, как обычно, укрытые подушкой, лежали в миске теплые оладушки. Молниеносно застелила скатерть в Эськиной комнате, расставила тарелки, принесла из кухни заваренный чай...

И не дождавшись, когда барышня проглотит первый кусок, с затаенной гордостью принялась рассказывать, как ей удалось «сохранить обстановку».

Она и правда самоотверженно перетаскивала вещи и оставшуюся мебель Этингеров в эту комнату, едва их уплотняли очередными жильцами. Из столовой полдня, толкая и наваливаясь грудью, отдыхая через каждые два метра, привезла величественный буфет «Нотр-Дам» — с башенками, с ограненными вертикальными стеклышками в дверцах, с инкрустацией по карнизу: все слоновая кость, с резными гроздьями фруктов и цветов. Из Дориной спальни спасла круглый столик грушевого дерева, изящно присевший, застенчиво казавший из-под бахромчатой скатерти коленки трех полусогнутых ножек.

Из кабинета Гаврилскарыча, взломав ночью уже врезанный новыми жильцами замок, перенесла на спине нотный шкафчик, инкрустированный перламутровыми нотными знаками, и ломберный столик для игры в карты, который в детстве втайне был ее самой любимой вещью в доме.

Столик открывался двумя выдвижными досками, обитыми зеленым сукном веселого травяного оттенка, с ящичками для мела и карт (немедленно воспаряет над ним прозрачный и призрачный старик Моисей Маранц, раскладывающий карты для деберца). Когда игра заканчивалась и гости расходились, для Стеши наступали самые сладостные минуты. Выкуривая сигару, Гаврилскарыч досиживал вечер в своем кресле, а Стеша, набросив на плечи ему, сомлевшему в струях жемчужного дыма, шотландский клетчатый плед, неслышно суетилась рядом: отчищала щеткой пепел с зеленого сукна, протирала тряпкой полированные ножки (медленно, тщательно — чтобы подольше побыть *вдвоем*). Наконец, Большой Этингер поднимался и уходил в спальню к Доре, а Стеша вдвигала доски внутрь столика, и он становился обычным небольшим столом.

Хорошо, что концертное пианино с канделябрами и старый французский гобелен над кроватью (мальчик-разносчик уронил корзину с пирожными, два апаша их едят, мальчик плачет — все на фоне афиши Тулуз-Лотрека) — прикипели к комнате барышни издавна, да и хрен бы она, Стеша, кому позволила даже на них взглянуть.

Да, было тесно! Да, пройти между напольными часами и креслом деда-кантониста можно было только боком. Но, продолжая жить в своей каморке на антресоли, Стеша каждое утро и каждый вечер отпирала дверь Эськиной комнаты, свирепо инспектируя — все ли на месте.

Она уплотняла «нашей» мебелью комнату в ожидании барышни. И вот та явилась.

С торжеством был извлечен из-под кровати и явлен пухлый парусиновый саквояж с «венским гардеробом», давно позабытым собственной владелицей. Вот, полюбуйтесь, барышня: ни одной вещи не продала! Все блузки, все юбки-платья, две гладкие картонки устричного цвета со шляпками внутри и даже с длинными булавками, теми, что шляпу прикрепляют к прическе, — вот они! (Сказала «к прическе» и окоротила себя, бросив очередной испуганный взгляд на мальчиковый барышнин затылок.)

В тот момент, когда Стеша суетливо перебирала перед ней полузабытые красоты «венского гардероба», ожидая похвалы и признательности, — и Эська, конечно же, ахала, благодарила, гладила Стешу по круглому плечу, — это «элегантное старье» показалось и трогательным, и смешным, и претенциозным, и грустным... Но недели через две, когда осмотрелась и решительно по-

ложила себе «начинать жить», она принялась, усмехаясь, разбирать все эти позабытые за годы войны юбки и блузки, примерять и не без удовольствия бросать искоса взгляд на свою фигурку в зеркале — а ведь лет-то тебе сколько, «барышня»! в твои годы бабам случается уже и внуков иметь: выяснилось, что все вещи по-прежнему идеально подходят, все изумительно элегантны, а сшиты так просто на века.

— Полина Эрнестовна — вот кто порадовался бы такой сохранности, — задумчиво проговорила Эська, перебирая аккуратную цветную стопку вещей на кровати. Стеша немедленно отозвалась на это, что да, порадовалась бы и даже загордилась, кабы не сгибла вместе с одной своей старой клиенткой.

— Как?! — изумилась Эська. — Да я была уверена, что она умерла себе сто лет назад.

Нет, как оказалось, не сто лет назад, не такая уж, выходит, она была и старая в то золотое время, когда дамы трепетали от одной только возможности заказать наряд у великой Полины Эрнестовны. Вот в войну она да, была-таки уже древней старухой, сидела в инвалидном кресле, не поднимаясь. Но в чуланчике полгода прятала — да вы помните ее! — дочь кардиолога Файнштейна. Красивая девушка, но прихрамывала после полиомиелита. Их-то всех расстреляли, а девушка как-то вывернулась, спаслась и пришла к Полине Эрнестовне. И жила у той в чуланчике между коробками с пуговицами-нитками-тесьмой, пока соседка не донесла. Ну, само собой, за ними пришли и всех забрали — и девушку, и старуху, и заодно племянника Полины Эрнестовны, который все знал и кормил и тетку, и сиделицу. Старуху поленились тащить с третьего этажа, просто сбросили в пролет лестницы вместе с креслом, и все дела.

Они сидели за ломберным столиком уже второй час, и Стеша подкладывала барышне на тарелку нескончаемые свои оладушки, чай доливала — никак не могла подобраться к рассказу о гибели Гаврилы Оскаровича, сильно трусила.

Наконец, Эська отодвинула тарелку, накрыла своей сильной рукой Стешину наработанную руку и тихо, строго проговорила:

— Папа!

И Стеша обреченно выдохнула, закрыла ладонью глаза и монотонно, в нескольких конспективных предложениях все рассказала, не отнимая от лица мокрой ладони.

Эська, сгорбившись, долго задумчиво курила.

Она очень изменилась: внешне оставаясь такой же хрупкой, внутренне загрубела и отяжелела. Могла окатить каскадом крепкой брани. Но главное — ее подвижное тонкое лицо, в котором прежде отражались малейшие порывы настроения, словно бы отвердело, как будто она пришла к некоему определенному понятию о жизни и в коррективах уже не нуждалась.

Наконец, сильно вдавив окурок в блюдечко, так что другим краем оно встало на дыбы, тихо спросила:

— А... Сергей, управдом? В какой он, говоришь, квартире живет?

И Стеша спокойно отозвалась:

— Не живет уже. Прикончили его.

— Кто? — удивилась Эська, подняв на нее свои глубокие, странно блеснувшие глаза.

Стеша помолчала и так же легко ответила:

— Да кто ж это узнает!

Но уговор-то он выполнил. После того как вывез со двора на подводе тела убитых, постучал в дверь ее ка-

морки и, сильно дыша перегаром в приоткрытую на цепочку щель, спросил:

— Ну?! Я свое соблюл. Давай, выноси ту ценную вещь.

Она молчала и была плохо различима в темноте своей антресоли.

— Чи брехала? — вкрадчиво продолжал он. — Смотри, Степанида, ты меня не крути... Видала, какой с Большим Этингером приключился романс? То-то. Поди вынеси!

Она сказала ему спокойно:

— Ты что, дурак, — прямо здесь, среди дня? Так просто ж ее не унесешь.

— А шо, така тяжелая? — сощурившись, спросил он. — Не крути, говорю! Пусти меня, ну-к!

— Не тяжелая, а заметная, — спокойно отозвалась она, почти невидимая, только лоб блестел от испарины, и запахом ее пахнуло из дверной щели: крахмальным, сдобным-оладушкиным. — Иди, Серега, не дури, я тебя сама навещу, ночью. Не ложись. И никому ни слова!

Он усмехнулся, отступил и сказал:

— Навести, навести... Я не лягу! Я тя давно жду. Много лет тя жду. Обожжу и до ночи...

...Ночью она ладонью толкнула его дверь — та откачнулась, и Стеша просто тихо вошла. Повезло, что семью он отправил к родне в деревню, подале от «всей этой заварухи». Вообще, если не считать смерти старика, ей сегодня страшно везло.

Сергей и правда ждал, хотя света не зажигал — горела только керосиновая лампа. Сидел за столом в сетчатой майке, в синих сатиновых бриджах — накачивался водкой. Удивительно, подумала она с усталым злорадством, до чего же он, при всей наглости, всегда ее робел. Постель тем не менее была подобострастно расстелена — и уголок одеяла загнут, во как! Дожидался.

«Вещь» она завернула в платок, а то б он сразу узнал. В театре, говаривал покойный Гаврилскарыч, любое действие должно быть подготовлено и подогрето фантазией зрителя.

Увидев ее, Сергей вскочил из-за стола, руки протянул — облапить. В полутьме камушками блестели его похабные глазки.

Она грубовато толкнула его обратно на стул, шикнула:

— Да погоди ты! Сначала дело... И не гляди, что это тебе знакомо.

Развернула платок.

— Тю-у-у! — протянул он. — То ж палка Большого Этингера...

— Па-а-алка! — презрительно передразнила она. — Шо ты понимаешь! Во-первых, не «палка», а трость. Главное же, тут балдахин — чуешь, из чего?

— Ну?

— Чистое золото!

Он откинулся, вгляделся в Стешу. Она и сама — статная, со своей не меркнущей с годами льняной косой вкруг головы — казалась большой тростью с золотым «балдахином».

— Бреши, бреши...

— Говорю тебе, они все свои кольца выплавили, сама к ювелиру Лейзеровичу носила, и он прежний балдахин заменил новым — поди догадайся!

— А ну дай! — Он протянул руку, приподнялся. — Где там проба, гляну...

— Проба?! — Она негодующе отвела его руку и снова усадила на стул, придавив ладонью сутулое плечо. — Проба — эт зачем? Шоб все соседи, воры и гады навродь тебя, узнали? Сиди, говорю! Это не все... Тут тайник есть. Смотри! Щас удивишься.

С этими словами она деловито и плавно, под взглядом заинтригованного Сергея стала раскручивать «балдахин», который в тусклом свете керосиновой лампы и правда посверкивал убедительно. Знала, выучила назубок, сколько витков тот крутится в пазах, и еще секунды три, нависая над сидящим Сергеем, крутила и крутила вхолостую — готовилась.

Ей показалось, вся жизнь мелькнула за эти три секунды. «Девочка... нам не нужна прислуга», — сказал высокий красавец в белом кашне. «Мое доброе дитя...» — говорил старик, пряча мятое лицо в ее горячих грудях.

Плавно выхватив львиный клык из полой трости, она мощным коротким взмахом погрузила его в яремную ямку управдома. Тот откинулся, удивился (у него потом, у мертвого, были и впрямь удивленные глаза), схватился обеими руками за позолоченный набалдашник и успел вырвать его из горла, захрипел и повалился на стол грудью, лицом.

Клинок был, конечно, «декорацией и чепухой», как справедливо говаривал Большой Этингер, но только до сегодняшнего вечера. До того момента, пока на своей антресоли Стеша не отладила его на точильном бруске с присущей ей запоздалой тщательностью...

Так же тщательно и споро, как убирала обычно дом, она прибрала все вокруг тела удивленного управдома, вытерла клинок о его бриджи, замыла водкой, обернула трость в тот же платок и ушла.

Впоследствии трость (элегантная вещица) и правда стала всего лишь «палкой» — Стеша превратила ее в швабру, прибив поперечную деревяшку и преспокойно надраивая ею полы аж до отъезда в Ерусалим в конце восьмидесятых. Что касается золотого «балдахина» с его опасной начинкой, так он и посейчас, должно быть, *сияет рыбкам и медузам где-то на дне — там, в районе Ланжерона...*

Они сидели друг против друга третий час, и Стеша все рассказывала и рассказывала, перескакивая с одной знакомой семьи на другую, уточняя подробности гибели или спасения, предательства, мародерства, подлости или самоотверженного безумия спасителей.

Ни словечком не обмолвилась только про то, откуда взялась девочка, которую звала Ирусей. Та время от времени прибегала со двора, тиская все ту же безответную кошку, вставала столбиком у стола и открывала рот. И Стеша, почти не глядя, брала двумя пальцами воздушную оладушку и отправляла девочке в рот, а та, старательно прожевав, подпрыгивала и бежала играть.

— Стеша, — мягко проговорила Эська, дождавшись, когда девочка с кошкой в объятиях снова ускачет во двор. — Я так тебе благодарна — за все. И за... папу, и что вещи сберегла. За твою великую преданность семье. — Она сглотнула, помолчала мгновение и решилась: — Прости, что спрашиваю. И не думай, что осуждаю. Эта вот девочка — она твоя?

— Наша, — скупо отозвалась Стеша.

После чего, глядя глаза в глаза, обстоятельно поклялась барышне жизнью и памятью, что Ируся, как сказал бы сам Гаврилскарыч, *дитя Дома Этингера*. Так и выговорила — с истинно папиной домашней интонацией.

Далее обомлевшей Эське пришлось услышать очередной парафраз библейского сюжета с царем Давидом и пресловутой девицей Ависагой — сюжета, немало кормившего батальон живописцев разных эпох и народов.

Старик, мол, страшно мерз под старость, и она, 207
Стеша... ну, словом, в холодные вечера укладывалась
к нему — *погреть папашу*. Короче, берегла его, «как
синицу — окунь». А Гаврилскарыч — он, конечно,
под конец *головой совсем вознесся в небеса, пел и пел,
как ангел...* но клянусь вам, барышня, еще вполне был
мужчина.

— Погоди! что же это...— запинаясь, проговорила
побледневшая, немало сконфуженная Эська. На миг
показалось, что именно эта домашняя новость превратила ее, огрубевшую, сорокапятилетнюю, ничему
не удивлявшуюся женщину, в прежнюю застенчивую
гимназистку, что застукала отца у чужого подъезда под
руку с юной любовницей. — Ты хочешь сказать, что
эта вот девочка — моя сестра?

— Или сестра — наверняка не скажу, — так же обстоятельно, без тени смущения отозвалась Стеша,
спокойно глядя на барышню. — Тут ведь и Яша по-
бывал.

И вот здесь впервые развернуто — как оперное либретто — прозвучал Стешин рассказ о возвращении
Блудного сына.

— Вы, может, не знали, барышня, а сейчас уже и
причин никаких нет скрывать: ведь у нас с Яшей была
такая красивая молодая любовь! Еще до всего, до всего...
И на даче он ко мне каждую ночь бегал. И стихи — это
ведь он мне писал, помните: «Хочу упиться роскошным
телом, хочу одежды с тебя сорвать!»

И тогда, в сороковом, пришел ночью... То ли отцова гнева опасался, то ли соседских глаз не хотел. Как в
квартиру попал — неизвестно, может, дверь оказалась
открытой: молодняк тут до ночи гуляет-шастает. Не
исключено, что и ключ у него сохранился, кто знает.

Стеша услышала грузные шаги сначала по коридору, затем на деревянной лесенке на антресоль. Отворилась дверь в ее каморку, и, пригибая голову (значит, помнил о низких потолках), вошел кто-то огромный, бородатый... Сначала она страшно перепугалась, чуть не крикнула — подумала: вот заберут ее, и останется Гаврилскарыч один, такой нездоровый, старенький... Вскочила, как была, в рубашке, простоволосая. А он шагнул к ней, провел по волосам ручищей и шепотом:

— «Их вайс нихьт, вас золь эс бедойтн...» А волосы прежние, моя Лорелея...

И она узнала этот гимназический шепот, заскулила и вжалась в него со всей силы.

Короче, ночь Яша провел у нее, и это, барышня, была такая ночь, о какой любая женщина может только мечтать (при этих словах Эська с трудом удержалась, чтоб не поморщиться).

Наутро он выждал у Стеши на антресоли, пока соседи разойдутся, умылся на кухне, одеколоном сбрызнул шею... Видать, знаете, барышня, все ж таки робел перед встречей с папашей.

И правильно робел: старика чуть удар не хватил. Увидев сына, он поначалу не узнал его, а узнав, первым делом, конечно, запел.

Что там именно пел Гаврила Оскарович, спрашивать у Стеши было бесполезно. Прожив всю жизнь в столь музыкальном доме, со столь музыкально образованными людьми, она хорошо различала только песню кенаря Желтухина; но вот что отлично запомнила: вначале Яков Гаврилыч пытался что-то сказать, старался даже перекричать отца — все бесполезно. Так он тогда, знаете, барышня, взял и тоже запел.

— Кто запел? Яша запел?! — уточнила ошеломленная Эська.

Ну да, ну да... Хотите — верьте, хотите — не верьте, барышня. А как еще до папаши было докричаться? И вот когда Яков Гаврилыч запел — ох, ну и голосина у него, прям совсем как у Гаврилскарыча! — так тот, знаете, попритих вначале, стал вслушиваться, хотя и отвернулся. Потом, однако, оборотился, простер так руку, ну, вы знаете эти его картинные позы... и опять загремел.

Стеша вдруг оживилась и с грустной улыбкой спросила:

— А помните, помните, барышня, как пели они на даче дуэтом: «Однозвучно гремит колокольчик»? Помните, голоса-то их... как две чайки над морем? Так вот, не дай вам боже, барышня, было услышать эти два голоса тогда. А я — слышала... Кровь стыла в жилах! Счастье, что соседей никого дома не оказалось! Очень было все громко. Руками размахивали, Гаврилскарыч, как на похоронах, рубаху на себе порвал, хорошую, почти новую, ни единой штопки на ней. А Яша плакал. И пели оба как оглашенные. Папаша гремел: «Проклина-а-а-аю!!! Проклина-а-аю!!!» А тот: «Оте-е-ец! Ты не знаешь, что пришлось пережи-и-и-ить!»

Так что она голову не прозаклала бы — чья получилась девочка: проклявшего или проклятого. А то, что проклятье отца сработало незамедлительно, тому сама была свидетельницей: Яшу взяли тут же, во дворе — она видела из окна — двое мужчин, таких себе хлюпиков, я вам скажу, барышня. Яков Гаврилыч мог разметать их, как воробьев, да и поминай как звали: до порта рукой подать, прыгнул в любую фелюку — и в Турцию! Но почему-то не разметал. Помолчал так с минуту и будто покорился: опустил голову, достал наган и отдал. И пошел с ними со двора — шли тесно, что три друга...

Эська сидела, собираясь с мыслями. Спросила, как удалось сохранить ребенка от уничтожения и облав. И в ответ услышала, что Стеша всегда перед соседями выдавала «беляночку» за дочь одного молдавана, рабочего с завода сельхозмашин Гена на Пересыпи. Тот и в самом деле ходил к ней месяца три, пока не выгнала.

Она не стала уточнять, что все равно прятала удивительно тихую девочку у себя на антресоли вплоть до ночного свидания с Сергеем. Тот единственный ущучил, чья на самом деле Ируся: просто слышал однажды, как во дворе Большой Этингер пропел младенцу: «До-о-очь моя! Последыш моих чре-е-есел!» — сложил два и два, а с приходом румын шантажировал и терзал Стешу, пока не получил сполна — и за муки ее, и за страх, и за Ирусю, и за смерть высокого красавца с чу́дными серыми глазами.

Эська молчала, опустив голову. Потом неуверенно сглотнула и спросила:

— И все же, Стеша: ты ведь не девчонка, взрослая женщина. Я-то ничего в этом не понимаю, не привелось. Но разве такое нельзя почувствовать — от кого ребенок? Понимаешь, это... это для меня почему-то важно.

Та выпрямилась на стуле, спокойно вгляделась в осунувшееся лицо барышни.

— Да какая разница! — горячо спросила она с поистине Этингеровым достоинством. — Все одно — хозяйское.

Библейскому эпизоду (Давид с Ависагой) Эська не поверила ни на грош: белобрысенькая девочка с разными глазами, прижавшая к груди разноглазую, как в страшном сне, белую кошку, так отрешенно глядела на мир, что причислить ее к дому Этингера не было никакой возможности.

Поверить пришлось гораздо позже, спустя лет сорок, когда не по климату смуглый и, как говорила воспитательница, «мелкий мальчик» — и вправду миниатюрный, почти как сама Эська, — рожденный Ирусиной дочерью Владкой бог знает от какого иностранного студента, на детсадовском утреннике по кивку музработницы открыл свой воробьиный рот и с колокольчиковой нежностью и чеканной чистотой старательно прозвенел подержанной песенкой про срубленную елочку, вышибив слезы на глазах потрясенных родителей младшей группы детского сада.

— Прости меня, Стеша, прости! — забормотала Эська в торопливом замешательстве, сама огорчаясь своей бестактностью. — Конечно, Стеша, ты права. Ты так много сделала для нашей семьи... — И осеклась, пораженная новой мыслью: да ведь эта женщина, подумала, она и есть *семья*. А кто же еще? Не ты ж, бесплодное чрево, а вот она, она! Именно от нее, уже немолодой и грузной, завился поздний побег, и уже неважно, кто заронил в утробу этой Фамари долгожданное семя.

«Папа, не папа, — мельком подумала она со смиренной усмешкой. — Какая в том беда Дому Этингера!»

А Стеша распрямилась и, вздохнув, проговорила:
— Да. Вот еще... — Хотела что-то добавить, но, поколебавшись, просто вышла из комнаты и вернулась:

в грубой кацавейке, застегнутой на три уродливые матерчатые пуговицы. — Вот, — и, тайно торжествуя, поворачивалась к барышне то правым, то левым боком.

— Что ты, Стеша? — недоуменно и ласково спросила Эська, мельком подумав, что эта женщина, выросшая в их семье, почему-то всегда умудрялась одеться самым нелепым образом.

А Стеша достала из портновской шкатулки ножнички и аккуратно и неторопливо, слегка наклоняя грудь над столом, взрезала перед недоумевающей барышней материю на пуговицах. На стол выкатились три знаменитых Дориных кольца, легко прихлопнутые грубой Стешиной ладонью: одно обручальное, все в мелких, но чистых бриллиантах, второе — с тремя небольшими изумрудами на золотых лепестках и третье — с невероятно крупной розовой жемчужиной; те самые кольца, которым Большой Этингер прочил когда-то большую искупительную судьбу.

— Боже... — выдохнула Эська и вскочила. — Родная моя! Как же ты... Как же вы тут... все это время — голод, война... Родная моя, милая моя!

И тут обе разрыдались, повисли друг на дружке, стискивая одна другую тяжелой хваткой, раскачиваясь и воя в два низких бабьих голоса.

* * *

Вот, пожалуй, и все — на данную страницу.

Впрочем... Тут следовало бы добавить, что *последний по времени Этингер* — тот эксцентричный и нагловатый Этингер, которого даже его кроткая бабка в минуты гнева называла «выблядком» или «мамзером» (что, собственно, одно и то же), переодеваясь в своих опаснейших одиссеях, щедро использовал... даже не так: азартно и с присущим ему жестоким юморком *преображался, проживая характеры* ближних и далеких особей своего семейства, да и не семейства тоже. (К чему, например, терзать дух давно умершей героической старушки Ариадны Арнольдовны фон Шнеллер, вызывать ее аристократическое имя из небытия — и не просто вызывать, а присобачивать к паспорту, одной из тех фальшивых корочек, что пачками фабрикует какой-нибудь виртуоз из соответствующего отдела соответствующей легендарной организации?)

Но может быть, причудливая страсть этого типа — преображаться в давно ушедших родичей — есть всего лишь трогательное стремление окружить себя неким эфемерным подобием большой семьи?

Вот один из парадоксов этой путаной истории: мы всё о «клане» да о «Доме Этингера»... В воображении читателя наверняка уж возникла величественная картина: седобородый патриарх, прародитель двенадцати колен, окруженный шумящей армией потомков. Между тем род Этингеров всегда — вы слышите? — всегда, как нитевидный пульс больного, держался на единственном отпрыске, единственной надежде не пропасть, не захиреть окончательно. Словно некая нерадивая Парка, клюющая носом над пряжей, вдруг спохватится да и вытянет торопливым крючком едва не упущенную единственную тонкую петлю очередного поколения.

«Всегда на сопле висел», — утверждал *последний по времени Этингер*, субъект, мягко говоря, не сентиментальный.

Ну что ж — в конце-то концов все они существовали, все наполняли смыслом своих жизней имя рода, все подтверждали ту изначальную истину, что мы зависим от предков, от кровных, пусть даже и мимолет-

214 ных связей, что все мы — хранилища жестов, ужимок, пристрастий, телесных примет своих пращуров. Что мы всего только слабые существа, несущие в жилах ток горячей беззащитной крови.

...Но и этот артист, этот лихой человек мысленно частенько именовал — с издевкой, а то и с ожесточением — свое нелепое и жидкое, как пустой суп, семейство точно так, как давным-давно напыщенно и велеречиво назвал его еще старый николаевский солдат: «Дом Этингера».

Айя

1

То обстоятельство, что Ванильный Дед (старый казах, сторож с кондитерской фабрики, разносивший когда-то по редакциям ворованную ваниль в пробирках) приходится Гуле родным дедом, ошеломило Илью настолько, что он даже не постарался как-то замять свою оторопь.

Старик, вельветовая половина его лица, подернутая рябью постоянного тика, — все настолько не вязалось с фигуркой Гули в вензелях скрипично-ледовых пассажей катка Медео, что Илья только беспомощно рассмеялся.

— Что, бедный? — участливо спросила его возлюбленная с едва уловимой насмешкой, перепархивающей с одной брови на другую. — Несуразная родня, а?

Ее *городская* семья, в отличие от изобильной сельской, заселявшей чуть не целиком большой и богатый аул, и вправду была не совсем типичной: недружной, нервной, малолюдной, с печальными историями, со

216 сносками судьбы — внизу страницы, петитом, — что пролистываешь, не особо в них заглядывая. Впрочем, Илья, со своей рассеянностью к внешнему миру, не слишком интересовался всей этой роднёй: Гуля казалась да и была инструментом из другого оркестра.

Она выросла в дедовском доме, в семье своей тетки Розы. Ныне семья расползлась, хотя упрямая и деятельная Роза всеми силами — фотографиями на полках и столиках, спортивными кубками в серванте и даже кепками и шарфами, свисавшими с рогатой вешалки в прихожей, — пыталась придать номинальной семье статус «отлучились на пару дней».

На деле все обстояло вполне банально: лет семь назад пробивной теткин муж уехал в Москву, на защиту диссертации по какой-то «перспективной» теме, а заодно, как уверял жену, «прощупать почву, зацепиться и вытянуть семью». Но судя по всему, щупал там не почву, а зацепился, по словам Гули, «за племянницу одного научного хмыря, своего руководителя». (Рассказывая, она умудрялась обводить карминным карандашом свои лукавые губы; сомкнула их, поцелуйно выпятив в зеркальце на скрипичном пюпитре, и добавила: «...Так что все оказалось по теме диссертации».)

А спустя лет пять за отцом в Москву потянулись оба теткиных сына-спортсмена. Один играл ныне в столичном «Спартаке», другой... впрочем, на летопись жития другого у Ильи просто не хватило терпения.

Тем не менее многоступенчатая, как вавилонский зиккурат, сельская родня Гюзаль была уважена: тетка настояла на *настоящем казахском тое* в ауле, *настоящем кыз узату*.

— Чтобы уж проводы невесты были по всем правилам! Я ее как дочь воспитала и как дочь провожаю; и чтобы *беташар, как положено...* И не надо закатывать глаза, Илья! Вот увидишь, это торжественно и трогательно, как и любой народный обряд!

Надо признаться, *беташар* — ритуал обнажения перед гостями лица невесты — и вправду его взволновал, и был хорош, наверное, потому, что ослепительно хороша была невеста: когда взлетело над нею полотно из белой парчи, больно стало глазам от алебастровой белизны неподвижного, как на персидской миниатюре, лица (подруга постаралась, штатный гример телевизионных программ).

У обомлевшего, стоящего под градом конфет и монет Ильи в памяти на миг всплыл эпитет «луноликая» — который в детстве, при чтении «Сказок народов Востока», всегда раздражал и казался нелепым.

И в огромном шатре, расставленном посреди двора, напряженный и даже слегка оглушенный Илья, как и положено жениху, высидел во главе стола целое действо под цветистые, невыносимо длинные речи аксакалов.

Что касается свадебного пиршества, оно не посрамило ни родни, ни молодых.

Все традиционные блюда были тесно нагромождены чуть ли не друг на друге, и чьи-то быстрые руки ловко вытаскивали из-под локтей пустую посуду, тут же вставляя в лакуны аппетитной мозаики новые полные миски и новые тарелки, исходящие ароматным паром. Тут были и баранья сорпа, и хрустящие баурсаки, и жирный бешбармак, не говоря уже о конских деликатесах — казы, карта, и шужуке; а томленный в бараньем жиру лук, припущенный чесноком и специями, щедро заливал мясо и тесто.

Наконец, как корона на царственную главу, была на стол водружена *кой басы*, баранья голова, над которой в аулах долго и торжественно колдуют: и палят ее, и маринуют, а потом еще томят часами на слабом огне, после чего на огромном, как солнце, керамическом блюде выплывает она, оскаленная (ни дать ни взять — тенор, потерявший голову в миг, когда взято верхнее «до»), под нож самого почитаемого родственника, чтобы тот под выкрики присутствующих острословов и собственные поучительные комментарии принялся кромсать ее, одаряя каждого из гостей заветным кусочком.

Задача не простая, политически деликатная.

«Нашу роскошную голову», как потом именовала ее гордая Роза, распределял один из Гулиных двоюродных дедушек, попутно восхищаясь ею, даже будто лаская: отрезая то ухо, то язык из оскаленной пасти, то выковыривая глаз или раздувшуюся ноздрю, наделяя изысканным лакомством каждого по возрастному или должностному достоинству. В конце патриархального ритуала были извлечены и розовыми слитками на блюде выложены бараньи мозги — настоящий деликатес.

Всего этого Илья никогда в рот не брал. К тому же, свадебное застолье, как обычно в аулах, сопровождал честный ядреный дух паленой шерсти и разноплеменного скота в загонах неподалеку, а в ночном воздухе густо сплелись, прорастая друг в друга, запахи кизячного дыма и пищи, что готовилась в казанах по ходу праздника.

Илья обреченно следил за раздачей, надеясь, что аксакалы разберут всю несчастную *поющую* голову и ему не достанется ни кусочка из этих дивных яств. Но, конечно же, досталось: жениху досталось баранье ухо, «дабы приклонял свое к жене — за советом и любовью», и до конца вечера он не знал, куда деть пожалованное сокровище; так и сидел рядом с Гулей, зажав его в кулаке. И позже, когда возвращались в город на машине ее троюродного брата, он опять не решился выбросить в окно свой трофей, брезгливо упакованный в конвертик носового платка, и лишь на ступенях собственного крыльца с облегчением скормил соседской кошке сей знак родственного уважения.

* * *

Вот тогда, на свадьбе, он и обратил внимание на угрюмое лицо с характерной отметиной, и память мгновенно предъявила пробирки, заткнутые жеваной газетной бумагой, — те, что Ванильный Дед разносил по девяти этажам редакционной башни.

— А между прочим... — тут Гуля подняла палец, словно приглашая мужа прислушаться к звуку невидимого камертона, — между прочим, дед — прелюбопытная фигура. Надо тебе как-нибудь показать его эпистолярий...

И в очередной чинный визит к *казахской половине* дедов «эпистолярий» был предъявлен.

Каждый такой визит являлся для Ильи небольшим супружеским подвигом, ибо надо было пережить утомительное и никчемное теткино застолье, с безбрежным *удоем* чая с молоком, ненавистным еще со времен школьных ангин. Надо было выслушивать дурацкие Розины рассуждения обо всем на свете; не уклоняясь, подробно отвечать на ее выспрашивания о здоровье бабушки, «уважаемой Зинаиды Константиновны», которая, кстати, выбор внука не одобрила («она какая-то... непрочная!») и так ни разу и не появилась у новой родни.

Наконец, и это главное, приходилось созерцать во главе стола непременного беспамятного Ванильного

Деда, ради гостей принаряженного в белую рубашку и черный пиджак. Нижняя половина его тела — та, что под столом — выглядела не столь парадно: пижамные штаны на свободной резинке, для стремительного броска в направлении туалета.

Он сидел неподвижно, едва шевеля топорными пальцами рук, как-то бесполезно лежащих на фланелевых коленях, временами издавая короткое мычание, что могло сойти и за протест, и за понукание, и за звучок удовольствия, ибо Роза с ловкостью жонглера бесперебойно вбрасывала в щель мычащего рта «вкусненькое»: румяный колобок баурсака или кусочек *казы* — конской колбасы, на которую Илья не мог смотреть без содрогания, мысленно гоня из памяти рыжую кобылу Абдурашитова с ее молящими каштановыми глазами.

Словом, в очередной визит к *казахской половине* дедов «эпистолярий» был Илье предъявлен — на кухне, тайком, с заговорщицкой ухмылкой.

— Почему тайком? — поинтересовался Илья, уставясь на штампованную открытку шестидесятых годов: восковая желтая роза прячет пчелу меж лепестков, сбрызнутых глицериновой росой. — Он что — шпион? это шифр? здесь продается славянский шкаф?

Они стояли в пустом углу (стол обычно выносили в столовую и там долго, в несколько упорных совместных атак раздвигали с мучительным скрежетом застрявших в пазах деревянных полозьев), и Илья меткими поклевками в нежную шею загонял жену — а она уворачивалась — к вазону с развесистым кустом «декабриста», выбросившим в этом году рекордное количество пунцовых клювиков.

Тут Гуля открытку перевернула и приблизила к его глазам. Грязноватая изнанка оказалась сплошь вывязана изумительно ритмичной, мелко-виноградной, прихотливой, как пение Желтухина Третьего, вязью на каком-то иностранном языке и косо прибита синим штемпелем с тем же иностранным, но тупо казенным текстом.

— Потому что — тайна, — пояснила довольная загадочная Гуля. — Это единственная открытка, что вернулась. Чудо, правда? Музейная вещь. Я стянула и спрятала за часами. Видишь, штамп: «Адресат не найден»? Значит, Гертруда умерла, а Фридрих, видимо, уехал.

— А что за язык? — озадаченно спросил он. — Гертрудский? Принцодатский?

Тут в кухню заглянула Роза, велела нести еще урючного варенья.

— Немецкий, конечно, — бегло отозвалась его насмешливая жена. — Да там всего на столе достаточно! — это уже раздраженно-звонко тетке.

Она никогда не умела *рассказать* — как в детстве муштровала Илью бабушка: с самого начала, с обстоятельными отступлениями-пояснениями, с непременным возвратом к основному сюжету, со вспомогательными «в то же время», «итак» и «в конце концов»... Бабушка говорила, что когда-то риторика была предметом, изучаемым в гимназиях, и если маленький Илюша пытался взахлеб вывалить ей разом все происшествие в буре восклицательных знаков, прежде всего холодно его осаживала: «Остановись. Вдохни. Подумай. А теперь — с самого начала, и фразу — до конца, и слов не пропускать!»

В детстве это злило и обижало до слез, до желания, сжав кулаки, топать ногами, до отказа вообще произнести хоть одно слово, но постепенно приучило к порядку в мыслях и устной речи; порядку, возможно, несколько утомительному, но и завораживающему тоже. Гуля, во всяком случае, любила по многу раз слушать его истории, а в компаниях тормошила, требуя рассказать «про ту сумасшедшую бабку в троллейбусе, помнишь, с двумя парами бровей, и монолог ее из "Гамлета", ну, пожалуйста, еще только разик, последний!».

Сама же любила огорошить двумя-тремя загадочными фразами и умолкнуть, ожидая наводящих вопросов, любуясь его недоумением, постоянно ускользая, улыбаясь длинными сердоликовыми глазами — светлый текучий мед, прозрачный янтарь в солнечном луче. Если же вконец надоедали расспросы, хитро спохватывалась: «Ой, заниматься!»

Он и двадцать пять лет спустя яснее всего помнил профиль жены с бледной щекой на подбороднике скрипки; взмах руки со смычком, резкий взлет, удар по струнам и шершавая оттяжка аккорда вниз; и сухой пробег пальцев по грифу.

Вся картина исполосована солнцем: воскресный полдень, теплый дощатый пол веранды под босыми ногами. Сквозь отворенную дверь гостиной виден заповедный угол их комнатки: упавшая на пол подушка и край заезженной тахты с горбом сбитой простыни — они «валялись до самого обеда, как падаль!» (это бабушка).

* * *

Историю деда — звали того Мухан — Илья вытягивал из Гюзаль не меньше месяца. Потом сопоставил добытые эпизоды, связал обрывки в складный сюжет, записал даже кое-какие факты в записную книжку, слегка сожалея, что не потянет на создание *художественного текста*, но собираясь когда-нибудь, возможно, «сколотить материал к военной дате».

Это была одна из тех историй, что начинаются с события, «без которого ничего бы и не было».

Ничего бы и не было, если б некий немецкий коммунист, в середине двадцатых бежавший из Германии в СССР, не угодил в казахстанскую степь, где застрял и замер, оказавшись чутче к знакам судьбы, чем многие его товарищи по партии, в большинстве своем методично отстрелянные еще до начала войны.

Этот же зарылся, окопался на железнодорожном полустанке под Алма-Атой, устроился преподавать немецкий язык в местной школе. И, видимо скучая по семье, углядел среди учеников шустрого способного паренька, сына путевого обходчика, и посвятил тому все свободное время, остаток разочарованной, но по-прежнему деятельно пылкой души, а заодно свой немецкий язык (берлинский выговор), «язык Бетховена, Шиллера и Гете», который, впрочем, и так являлся одним из обязательных школьных предметов.

А талант к каллиграфии у пацана обнаружился сам собой, случайно, в процессе учебы; талант, скажем прямо, редчайший. И немудрено: писали в те годы пером да чернилами, с непременным лиловым нажимом тут, завитком там, с правильными округлостями и вытянутыми петлями, с наклоном да с потягом, с виноградными усиками, цепляющими ягодку соседней буквы, с крепкими сяжками твердых согласных, с запятой-головастиком, что и сама была произведением искусства. Мальчику это занятие очень нравилось, он нажимал, и округлял, и вытягивал, где нужно, и где нужно — скашивал... Фридрих Вильямыч вдохновился, приналег — развить талант, «вырастить гения»!...

Но после седьмого класса Мухан учебу забросил. Отец сказал: «Хватит штаны просиживать! Ты уже все выучил, сколько этой учебы мужчине надо?» Тот и пошел работать. К любимому педагогу, однако, захаживал, если выпадала минута, возвращал одни книжки, забирал другие, еще не прочитанные. А говорить — о, только по-немецки, таков уговор! «Ихь вайс нихьт, вас золь эс бедойтн, дас ихь зо траурихь бин...»

И можно только восхититься четкой работой органов (или бдительностью директора школы): накануне войны Фридриха Вильямовича все же выволокли с полустанка, где он пригрелся и кое-как обустроился, приспособился к вольным ветрам степных нужников и надеялся тихо дожить в этом неуютном, с ледяными зимами краю, столь далеком от родного Потсдама, от виноградников, беседок и парковых аллей великолепного Сан-Суси и от Берлина, где на *Бисмаркштрассе, восемь*, оставались его родные.

Ученика, впрочем, вскоре выволокли тоже, чтобы, как и миллионы других парней, швырнуть в пехотную мясорубку самой чудовищной войны в истории народов.

Это был август сорок первого; к тому времени Мухан был женат и имел полугодовалую дочь Розочку.

Почему человек, свободно владеющий немецким языком, никого в это обстоятельство не посвятил ни на призывном пункте, ни позже? Почему никому не продемонстрировал чудес, выплывавших из-под его пера? Почему предпочел угодить в гущу взрывов и пулеметной трескотни, в ад оторванных конечностей, горящих танков и падающих самолетов, хвостатых от черного дыма, — короче, в реальность, весьма далекую от каллиграфии? Все это осталось для семьи загадкой.

Видимо, почерку Судьбы мозговитый парень доверял больше, чем циркулярам военных политруков.

Но поразительно и то, что, оказавшись на изнанке обстоятельств — такой, казалось бы, выигрышной изнанке, которая могла обернуться и совсем иной судьбой: угодив в плен в окружении под Киевом и попав в один из самых страшных лагерей на территории Польши, в Майданек, — он почему-то снова скрыл знание немецкого языка.

Что его и спасло. Его и еще троих заключенных.

По сути дела, спасли его немецкая педантичность и копировальная бумага.

Каждый день он убирал административный барак, драил там полы, вытирал пыль со столов, выносил и выбрасывал корзину с бумагами.

— Понимаешь, — говорила Гуля, поднимая высокие «ласточкины» брови, как бы дирижируя ими *для убедительности*, — это у нас копировальную бумагу исписывали вусмерть, а фашисты ее использовали всего по разу, потом выкидывали — в мусорную корзину под столом. Оплошность, конечно, но дед говорил, что в конце войны немцы очень спешили, будто куда-то опаздывали: печи крематория дымили круглые сутки. И дед — у него было звериное чутье на опасность — стал втихую выуживать из мусорной корзины листы копирки и прочитывать их в бараке. Представляешь — иностранные буквы, шиворот-навыворот, по ночам, в темноте, с черной копирки?

— Как-то сомнительно... — бормотал Илья.

— Прикладывал осколок зеркала. Рисковал ужасно! Думаю, там, в бараках, стукачей хватало. В конце концов наткнулся на приказ о полной ликвидации лагеря в считаные дни. Тогда он организовал побег.

— Каким образом? Подробности! Майданек, как и все лагеря, отлично охранялся. Двойная проволока под током или что-то вроде...

— Ой, не знаю, отстань. — Она вздыхала, закидывая голову, тяжелым маятником раскачивая по спине гладкие, как вороново крыло, иссиня-черные волосы. Она быстро уставала от его дотошных расспросов и даже будто начинала скучать. — Может, подкоп? Дед всегда плачет, когда рассказывает, и мы его не мучаем. А сейчас он уже и не помнит ничего. Вроде бы один его товарищ до войны был инженером-электриком — дед говорил, гениальным, — и сообразил, как на время что-то там отключить... Думаю, все произошло как в фильмах, там же грамотные консультанты работают: колючая проволока, на ней — лоскуты кожи и куски мяса, тра-та-та-та-та — многих, конечно, постреляли... Удалось бежать деду и еще троим, и на каком-то хуторе их спрятали крестьяне, польская семья... Он говорит, самым трудным было — не нажраться одним махом. Они же в лагере были страшно истощены. Один из тех троих, кажется, как раз инженер, накинулся на еду, съел жбан вареной картошки и умер у деда на руках от заворота кишок.

И опять — торопясь ускользнуть, вывернуться из-под указующего перста судьбы, Мухан предпочел пробираться дальше один.

Пробирался ночами, вооруженный лишь тесаком, украденным из сарая своего благодетеля, — тесаком, которым тот резал и разделывал свиней. В одну из ночей, впрочем, ему удалось раздобыть оружие, прирезав кого-то, отнюдь не парнокопытного. Наконец, наткнулся на *наш* разведотряд. Так и прибился к частям наступавшей Советской армии, с ними и дошел до

Берлина. И вот там-то его немецкий язык (его берлинский выговор), если судить по открытке, весьма пригодился! Но в семье об этом узнали гораздо позже, в конце шестидесятых. А между возвращением Мухана с фронта и тем первым письмом из Германии в шестьдесят втором году было вот что.

Его забрали ночью в феврале 46-го трое равнодушных ублюдков в черных кожаных пальто. (Стояли сильные морозы, и один из «гостей», сорвав одеяло с маленькой Розы, похохатывая и постанывая от удовольствия, грел свои заледенелые лапы о спинку и грудь насмерть перепуганного ребенка.)

Бабка считала, что они были из СМЕРШа, и потом всю жизнь вздрагивала от неурочного стука в дверь, а спустя лет тридцать вообще вела настоящую подрывную партизанскую войну против установки в доме телефона. Она панически боялась ночных звонков.

В соответствии с приказом Верховного главнокомандующего № 270 от 16 августа 1941 года, приравнивающего бывших в плену советских солдат и офицеров к дезертирам и предателям, дед был приговорен к пятнадцати годам исправительных лагерей и срок отбывал сначала на Колыме, где за первые пять лет переморозил все пальцы на руках и ногах; затем посчастливилось: перевели в Гурьев, «почти домой», говорила бабка. Была она простой женщиной из далекого казахского аула, по-русски умела плохо — только имя свое подписывать, дед выучил после свадьбы. Но при этом была в ней поразительная выносливость, гибкость и женское *чутье к жизни*.

— А как ее, кстати, звали?

— Умсын. Русские соседи звали просто Марусей, Марьей. В старости — «бабкой Марьей». Тихая, с кроткой улыбкой, но, знаешь, — сильная: пока дед во-

228 евал, своими руками построила домик. Месила глину, смешивала ее с соломой, лепила саманные кирпичи... В том домике было очень тепло зимой — так мама рассказывала.

(Гулину мать Илья не застал: она «умерла от сердца» за восемь лет до их знакомства на Медео. Все упоминания о ней сопровождались грустным движением руки или подбородка в сторону фотокарточки в серванте, на которой девушка в белом выпускном платье, очень похожая на Гюзаль, щекой приникла к дереву, обхватив пятнистый солнечный ствол тонкими руками. Звали ее Мадиной.)

Глина, глина, жирная гурьевская грязь... Раз в месяц нагруженная сумками Умсын ездила с шестилетней Мадиной на свидания к мужу. Дочка семенила сзади, не выпуская из виду галоши матери, хлюпающие в грязи. Старшую девочку, Розу, Умсын оставляла дома: она была «слишком взрослой» для того смертельного финта, который они неизменно проделывали с младшей.

Трудно было назвать это «свиданиями»: тяжело и тесно ворочалась гудящая толпа, разделенная двумя рядами — сеткой-рабицей со стороны посетителей и железной решеткой со стороны заключенных. Глухая темная толпа мужчин с той стороны — поди узнай в серо-черной массе ватников мужа, отца или брата. Счастьем было опознать мелькнувшее за бритыми головами лицо или над тяжелым гулом и выкриками выделить взмывший родной голос; счастьем было просто осознать, что вот он, живой. Все еще живой.

И тогда Умсын решалась на немыслимое: приподнимала сетку-рабицу, и шестилетняя Мадина с карманами, набитыми папиросами «Казбек», ныряла под нее и бежала к той, другой решетке, за которой были руки, руки, руки в обтерханных рукавах рваных ватников; они выхватывали у нее папиросы, и разные голоса кричали ей «дочка!» на всех языках — русском, казахском, украинском, татарском, узбекском...

Охранник орал в матюгальник: «Назад, стрелять буду!» Молодой женщине только молиться оставалось: неужто в ребенка стрельнет!

А девочка неслась вдоль решетки и совала папиросы во все протянутые, жилистые, обвитые венами, трясущиеся руки несчастных героев несчастной войны, отбывавших второй плен на своей же родине.

— Да я совсем не боялась, — много лет спустя с мимолетной улыбкой говорила дочери Мадина. Гуле тогда было столько же лет, сколько маме в те ледяные поездки, и она ходила в музыкальную школу с черным скрипичным футляром в руке, в вязаной желтой шапочке и таких же солнечных варежках.

* * *

Вернулся дед в 55-м — «психический», осатанелый, еще с войны нафаршированный осколками снарядов, да к тому же больной туберкулезом.

Умсын его выходила.

— Бабушка просто завела стадо коз — сельская родня помогла. Поила деда молоком, ну и попутно заквашивала, делала творог, мягкий соленый сыр, курт, иримшик. И продавала по округе. Тетя Роза говорит: мама своим дочерям дала «козье образование» — как-никак обе закончили университет.

— Постой... стадо коз?! Бабка Марья?! Круглое такое морщинистое лицо, коричневое от солнца? Тощая старушка в бархатной жилетке, белый платок на голове. Пасла стадо в апортовых садах...

— Не знаю, я тогда еще не родилась. Слава богу, не помню, как дед бил ее смертным боем. У него же после всех лагерей что-то в башке сдвинулось.

Он еще и пил страшно, и гулял бесстыдно, открыто. Представляешь, сколько женщин после войны без мужиков осталось. Тетка на эту тему не любит распространяться, но ты обязательно спроси, как бабушка своими руками вырезала из дедовой спины осколки. Это ее конек.

Да, Роза любила живописать сей героический эпизод — героический с обеих сторон. Повторяла: «Наживую, наживую вытаскивала!»

— Он стакан водки выпьет, ляжет лицом на лавку, намертво вцепится в нее. А мама вначале основательно так прощупает пальцами «операционное поле», даже ухом к его спине склонится, будто прислушивается к голосам осколков — где-то там, в самой глубине его тела... Затем накаливала на огне острый нож, каким в селе баранов режут, делала в спине надрез и щипцами вытаскивала куски железа!

— Но почему... — озадаченно спросил Илья, не уверенный, что подобный вопрос не рассердит тетку. — ...почему с этим в больницу было не поехать?

Та победно махнула рукой и воскликнула:

— Отец доверял только маме! К тому же у него невероятно высокий порог боли. Он потому и через колючую проволоку продрался: оставил на ней чуть не всю шкуру и пол-лица, но выдрался.

Высокий порог боли...

Слишком часто Илья слышал в их доме этот термин, явно выуженный из какого-то учебника: тетка работала школьным психологом и любила щегольнуть медицинским словечком.

Мысленно он продолжал называть старого Муха-на Ванильным Дедом — ничего не мог с собой поделать: все чудились в подрагивающих топорных пальцах пробирки с ванилью — рубль штука, — заткнутые жеваной газетной бумагой.

...Первое письмо из Германии пришло бог весть как — без марки. Возможно, привез кто-то из туристов, а может, еще какой странный гонец, пожелавший остаться неузнанным, просто опустил его в почтовый ящик на калитке. Внутри была черно-белая карточка многолетней давности. Красивая блондинка (старомодная прическа, валики волос надо лбом) держала на руках мальчугана, такого же светловолосого, как и она, но раскосого, с высокими азиатскими скулами. На обороте карточки по-немецки написано: «Привет от Гертруды и Фридриха».

Что там и как у него произошло с этой немкой — а связь была, видать, не из походных, если он успел сыну дать имя любимого учителя (а может, совпадение?), — как взбрело ему в голову оставить ей адрес собственного дома и почему до сих пор она не писала и вдруг спохватилась — никто из семьи дознаваться не стал. Приняли к сведению факт: это ж надо, мол, — немецкий брат. Только как до него дотянешься? И, откровенно говоря, — зачем?.. Мудрая бабка Умсын один лишь раз взглянула на ту фотографию и, навсегда отодвинув ее от себя, просто сказала: «Что поделаешь, война».

А Мухан, вначале обескураженный, потом не на шутку взволнованный, взялся вновь за каллиграфию — и как только отмороженные пальцы его слушались! Открытки слал, иногда и посылки — благо, Берлин оказался восточным, *правильным*. Впрочем, после всех лагерей он ничего и никого уже не боялся. Как не боялся воровать ваниль с кондитерской фабрики. А бабку Марью — свою Умсын, что выходила его, спасла от медленной смерти, обезвредила минное поле его спины, собственноручно вспахав его раскаленным ножом, а главное, все грехи ему простила «с напуском-довеском» — свою Умсын продолжал бить отчаянно, от всего истерзанного сердца, так бить, что перепуганные дочери (сыновей, к сожалению, Марье не дал бог, и некому было отколошматить мучителя) обе бросались между ними, получая свое, и ох как получая, но все ж оттаскивая отца от матери.

— А Мадина потому и родилась такой больной, — вздыхая, говорила тетка Роза, — что он маму и беременную бил.

Всю историю уже можно было рассказывать при самом Мухане, не стесняясь и не понижая голоса. С угасанием памяти и жизни он все более успокаивался, часами сидел неподвижно — лишь по буро-вельветовой половине лица пробегала дрожь тика да иногда вырывались из горла рваные хриплые звуки, похожие на обрывки испорченной механической песни в недрах заводной птички.

Поэтому в семье удивились, когда дед стал уходить — вначале за калитку, потом и дальше. Однажды пропал на два дня, и вернул его какой-то проезжий дальнобойщик, прихватив чуть ли не в Гурьеве.

А после смерти бабки Умсын его стали попросту запирать: Роза работала в двух школах, Гуля в то время уже вышла замуж и переехала жить к Илье; сторожить сумасшедшего деда стало некому.

В конце концов он удрал через окно. Зима в том году стояла такая лютая, что в домах полопались батареи парового отопления. Хорошо, что в доме была еще печка, — Роза топила ее углем перед тем, как уйти на работу.

Никто из близких и предположить не мог, что полуживой старик в состоянии подняться на подоконник, вышибить стекло и выбраться наружу; и не только вывалиться из довольно высокого окна (правда, упал он в сугроб, наметенный под стенами), не только подняться, но и уйти со двора так далеко — следы вели к шоссе и там пропадали, — что никакие розыски не увенчались успехом.

Ушел и пропал. Навсегда пропал, будто улетел.

Илья, к тому времени медленно опоминавшийся от Гулиной смерти, принял известие об исчезновении Ванильного Деда вполне равнодушно; поразило только совпадение, сходство сюжетов: уход беспамятного деда так напомнил уход Зверолова, еще полного сил... Но гибель старого безумца представлялась столь ничтожной по сравнению с гибелью всего прелестного, нежного, еще не обжитого, еще не обиходного мира его любви, что к вечеру Илья о происшествии просто забыл (в те месяцы из его головы странным образом исчезали слова, люди и даже цепочки событий). Рано или поздно, скорее всего, весной, тело несчастного старика (который, к слову, и сам принес столько несчастий близким) должно было обнаружиться под каким-нибудь сугробом.

Но не обнаружилось.

И чем дальше, тем чаще Илья возвращался мыслями к этому странному уходу в пустоту, к вылету из запертой клетки, к пленной свихнувшейся птице, ко-

234 торая — как ни банально звучит расхожая эта фраза — смерть на воле предпочла теплу постылого дома.

Тут, пожалуй, вполне уместен выдох многоточия...

Но читатель явно успел отметить, что по всему роману у нас — как диковинные птицы по ветвям какого-нибудь древа, растущего на форзацах старинных книг, — рассажены певчие безумцы.

Это вынуждает признать некоторую склонность автора к сумасшедшим, безусловную к ним приязнь, порою и любование, и даже — да! — восхищение ими, как и возмущенное неприятие термина «душевная болезнь», которым люди издревле награждают носителей слишком яркого оперенья. Хочется возразить, что не болезнь это, а проявление дерзкого своеволия души, ее изумленного осознания себя, обособления себя от мельтешащей пустоты мира. По сути — доказательство самого ее, души, существования.

И положа руку на сердце: разве не стоит преклонить голову перед этим отважным неповиновением, перед увертливым скачком от загребущих лап судьбы, перед побегом — из самого замысла Божьего! — в непостижимую и неизбывную вечность тьмы?

2

Он совершенно не волновался за Гулю.

Честно говоря, втайне было досадно, что она подурнела, особенно к концу беременности. Илья злился, что это его так волнует; однажды, сильно смущаясь, оговорками намекнул в разговоре со знакомым психологом, соратником по канареечному делу, на свое *эстетическое нетерпение*, преобладающее над ожиданием отцовства, и тот все мгновенно свел к чему? (так тебе и надо!) — к *безматеринскому детству героя*:

— А ты, Илья, похоже, считал, что ребенок вылупляется как птенчик, из яйца?

Он говорил себе: смешно и стыдно так много об этом думать, точно это — навсегда. Ведь все вернется, причем очень скоро: и скрипичная линия бедер, и еле заметная перламутровая нить, сочленяющая — от пупка вниз — две половинки нежного живота, как соединяет еле заметный шов две склеенные половинки скрипки...

Сама Гуля была спокойно насмешлива к себе, к нему, к строгим окрикам бабушки, хотя быстро уставала и то и дело прикладывалась вздремнуть минут на сорок в странные часы — то среди утра, едва поднявшись, то в сумерках, как раз когда надо было собираться на концерт.

Часто повторяла:

— Ты, главное, не беспокойся. Все будет отлично. У меня, как у деда, — высокий порог боли.

А он и не беспокоился. Однажды только был неприятно удивлен, встретив Гулину докторшу из женской консультации.

Та остановила его посреди улицы, стала приставать с расспросами о здоровье Гюзаль и тоже почему-то уговаривала «не бояться», потому что «ваша жена — очень мужественная женщина».

— Что за чушь! — пожимая плечами, сказал он вечером Гуле. — Миллионы женщин рожают за здорово живешь.

— Конечно, чушь, — отозвалась она легко. — Не обращай внимания. Просто не думай об этом.

Но он впервые со странным смятением, как незнакомую, оглядел всю ее отекшую фигуру, тревожно отметив голубоватую бледность надгубья, капельки пота на лбу, отекшие лодыжки и мелкими рывками дышащую грудь.

— Но ты все же побольше отдыхай, — сказал тревожно.

— Какая-то она... *непрочная!* — вздыхала бабушка и качала головой.

А он... Ничего он не понимал в этих женских делах и боялся вдаваться. Может, и правда все было бы иначе, если бы над кромкой его младенческой памяти мягко круглилась теплая набухшая мамина грудь, ее родной влажно-молочный запах?

Иногда внезапным ночным кошмаром в полусне перед ним возникала головка новорожденного, кровавой торпедой разрывающая любимые покровы, и он вскакивал с колотьбой в груди. В последние недели опасался даже приблизиться к жене, просыпался от малейшего шороха и до рассвета тихо лежал на краешке их раскладной тахты, занимая смехотворно мало места; Гуля рядом ощущалась как вулкан, в любой момент готовый начать извергаться.

Вообще-то, рожать собирались по блату, в роддоме на улице Басенова. Они уже несколько раз на вечерних прогулках добредали до него, важно переваливаясь: двухэтажный охристо-желтый домик в просторном, немного запущенном больничном саду; родильный блок на первом этаже, палаты — на втором. Детей папашам традиционно показывали из окон второго этажа, а передачи в неположенное время роженицы поднимали в палаты на веревке. Словом, обычный районный роддом, ничего особенного, но акушеркой там работала Гулина подруга детства Сюзанка, веселая мулатка, рожденная украинской матерью от неизвестного *занзибара*: плюшевая круглая голова, ослепительный высверк улыбки и всегда припасенный свежий забористый анекдотец.

Именно Сюзанке он, как и было уговорено, позвонил среди ночи, когда, легонько тронув его за плечо, Гуля виноватым шепотом дунула в ухо:

— Эй, гусары... Труба зовет.

И дальше все покатилось, как положено: сумка с ее вещами лежала, давно собранная, так что нацепили необъятную шубу, на время одолженную у толстухи-соседки, замотали голову бабушкиным вязаным платком, и, стоя на коленях, Илья с трудом натянул на опухшие ноги жены сапожки, что купили в прошлом месяце — на три размера больше.

— Стойте! — крикнула проснувшаяся бабушка, на ходу натягивая халат на рубашку, как обычно, педантично застегивая сверху донизу все пуговицы. — А присесть на дорогу?!

Но присесть уже не вышло, так как необходимо было, сообщила Гуля, «бежать сломя голову». Дотянула!

Сюзанка примчалась к больнице на попутке примерно в то же время, что и они. Гулю уже «оформляли» (мерзкое слово!) в приемном покое, а Илье, терзавшему в руках лыжную шапочку, велели уходить.

— Как уходить?! — воспротивился он. — Но ведь как же... можно я только... можно я тут на стульчик присяду?

— Никаких стульчиков, папаша, вы что, особенный? Вы по-русски понимаете или вам по-казахски сказать?

Тут и влетела запыхавшаяся Сюзанка, сверкнула зубами, ткнула Илью в бок коричневым кулачком, и ему сразу стало спокойнее.

238   — Под окнами погуляй! — крикнула Сюзанка, уводя (навсегда!) его счастье, его теплую дрожь, лишь мельком глянувшую на него с беспомощной улыбкой и ничего на сей раз не сказавшую о высоком, высоком пороге боли, за которым и сгинула...

И все прошло прекрасно! Просто великолепно и даже не слишком долго: часа два он топтался на снегу под окнами родильного блока, пока за одним из них не возникла немо-хохочущая белозубая Сюзанка с поднятым и оттопыренным на ять большим пальцем. Она не имела права открыть окно, дабы не простудить рожениц, но форточку чуть приоткрыла, рявкнув басом:

— Девка! Роскошная! Раскосая! Три семьсот!

Кто-то там, внутри, видимо, сделал Сюзанке замечание, и она форточку захлопнула, выпятила запястье с часами и, тыча пальцем в циферблат, беззвучно проскандировала толстыми губами:

— Иди! Спать! — (Ладони лодочкой и под щеку.) — Утром, утром придешь!

Он и пошел. И минут сорок шел пешком, пружинисто подпрыгивая, как в детстве, сшибая друг о друга кулаки замерзших в перчатках рук, совсем не сонный, совсем не уставший, обдумывая, как разыграть бабушку, вернее, — надо же! — прабабушку: ну что, сказать, ты говорила, она *не-проч-ная?* А вот родила... близнецов? Или сразу уж огорошить, что тройня? У Гули был такой большой живот, с нее бы сталось... Сейчас все это уйдет, подумал с зашедшимся сердцем, — сейчас она снова станет грациозной, конькобежно-манящей, тонколодыжной, как олененок.

Бабушка не спала. Сидела за столом одетая, будто на выход, с выплетенной надо лбом косой, и он, разом забыв про все розыгрыши, выдохнул с порога:

— Роскошная девка!

Подбежал к ней, они обнялись — боже мой, они впервые обнялись по-настоящему! Он впервые увидел, как бабушка — строгая, по обыкновению, — отирает слезы большими пальцами и отчитывает его за бестолковость: он ничего не мог рассказать, кроме того, что девочка! раскосая, видите ли! увесистая, понимаете ли!

— Да сколько, сколько ж кило?!

— Сюзанка что-то говорила, не помню...

— Да ты просто дурачок! — припечатала она и, вынув из буфета графин, налила ему и себе по рюмке вишневой наливки: — А то не заснем...

Но минут через сорок они, успев поссориться из-за выбора места для детской кроватки («Нечего заталкивать ребенка в вашу комнатушку, вот тут, за исповедальней, в уголку, тут и рядом, и от сквозняков в стороне»), все же разошлись по своим углам. Уму непостижимо, сколько всего надо было успеть купить для младенца завтра — да нет, уже сегодня, сегодня!

...А наливка оказалась крепенькой: пока он расслышал дверной звонок, пока нашарил ногами тапочки, пока приплелся в прихожую, по пути машинально проверяя пижамную куртку на предмет застегнутости пуговиц, он все еще не до конца проснулся, хотя рассвет уже залил окна веранды белесым зимним цементом.

На пороге стояла Сюзанка с каким-то серым, блестящим, как мокрый асфальт, лицом, странно искривленным умоляющей гримасой. Это лицо из ночного кошмара — африканская маска воина, пугающая врага, — обездвижило его. Все качнулось, и опрокинулось, и понеслось в сознании Ильи, вмиг ставшего пустотелым и мягким, хоть поднимайся в воздух и улетай отсюда к чертовой матери, но припечатанного к собственным тапочкам тем же белесоватым цементом так, что он и с места не сдвинулся, когда Сюзанка упала к нему на грудь, продолжая кривиться и рыдать, широко разевая рот с ослепительными зубами. Она ничего не могла сказать.

— Кто это? Илья, кто так рано? — кричала из своей комнаты бабушка. Потом она, вероятно, появилась сама — все потом, потом, суетливыми тенями, обморочным топотом.

А он ничего уже не помнил с того момента, когда Сюзанкины зубы наконец сомкнулись, и, трясясь и стуча ими в его плечо, она глухо выговорила:

— Скончалась... Она скончалась, Илья...

— Кто... девочка? — прошептал он, ничего не понимая и ничего не чувствуя, кроме тяжести Сюзанкиного тела.

А та зашлась и стала сползать на порог, и он пытался ее удержать, ускользнуть от имени, которое она повторяла, стуча зубами, как на морозе (а и правда, мороз уже объял всю веранду, и это было плохо для канареек), пытался увернуться от догонявшего его, летящего на него любимого имени, скрипично-пассажного, канифольно-саднящего, вензелисто-ледового, *непрочного*, обреченного растаять... ах, он знал, что обреченного, всегда знал — так думалось потом, много лет спустя, ибо никогда он не переставал обдумывать историю своей несчастной, такой обаятельной, такой короткой любви.

Чего не простила ему Роза да и вся казахская родня — так это его отсутствия на похоронах Гюзаль на Кенсайском кладбище.

Но он и вообще не присутствовал нигде. Ибо распластанное на тахте бескостное тело, которое ворочал прибой мерно вскипающей боли, приносящий то звонко-насмешливый голос жены, то явственный запах ее кожи (что вчера еще, как щенок, он выуживал из укромнейшей ямки за ушком), то отдаленные канифольные звуки — смычка ли по струнам, коньков ли по льду, — это тело трудно было назвать существующим.

Спасительная таблетка, приплывшая на бабушкиной ладони, на время эту боль оглушала, замывая мутным течением милое лицо, погружая все вокруг в вязкий дурманящий ил. Бабушка плотно закрыла ставни на единственном в комнате окне, и он лежал во тьме этой импровизированной могилы на их с Гулей тахте, разделяя постылую тишину с ночной слепой бабочкой, шуршащей о слепое стекло.

На третий день бабушка отказалась дать ему очередную дозу благословенного забвения. Сухо сказала:

— Сдохнешь. Мне еще внука-наркомана не хватало.

И тогда его со всех сторон обнесло высоким порогом боли, переступить который у него — крупного, сильного и, в общем, уравновешенного человека — не оказалось сил.

Он продолжал лежать в затхлой темной комнате, протестующе вскрикивая, когда бабушка пыталась открыть окно.

Как-то так получилось, что в эти дни на правах друга дома у них обосновалась Сюзанка. Она являлась после смены в больнице, что-то пекла и варила, встречала соседей и знакомых, являвшихся в дом скорбной прерывистой цепочкой.

Предлагая чай или кофе («вам скока сахару?») — рассказывала «о нашем горе» охотно, с медицинскими подробностями:

— Она немножко подкравливала, совсем немножко, не больше других. Дали окситоцина. Вроде кровить стала меньше, но началась тахикардия. И давление меньше восьмидесяти. Ну тут уж физраствор стали лить струйно, а ей еще хуже: задыхается, давление падает, тахикардия растет... Вызвали реаниматора. Он пока прибежал — она уже хрипит, и ясно, что отек легких. Он фонендоскоп приложил, говорит — да у нее митральный стеноз тяжелый! Как же дали рожать, почему не кесарили, это ж преступление! «Как — почему?! Предлагали ей, настояла сама родить!» Мне-то она: «Не говори Илье, не говори Илье! Не хочу с заштопанным брюхом ходить»... Ну, повезли в интенсивную терапию, стали вентилировать, то, се. Ничего уже не помогло...

Вообще, Сюзанка быстро пришла в себя, как только обнаружила, что обвинять ее или врачей и некому, и не за что: так, мол, случилось. Судьба. *Она так сама хотела.*

Сюзанка приободрилась, бросилась *в семью* со всем сердечным пылом — мол, кто, как не она.

(Месяца через три пыталась даже поддержать *детного* вдовца, явно предлагая заменить Илье прекрасное тело усопшей своим тугобоким, горячим, вероятно, энергичным снарядом. Впрочем, он не пустил воображения дальше ее белоснежных зубов, собрав все свое хваленое воспитание для сдержанного отрицательного полуответа-полумычания.)

Дней через пять его «великого лежания» утром в комнату вошла нарядно — в свой синий шерстяной костюм — приодетая бабушка и сказала, явно прощупывая почву:

— Ну, с богом! Вставай.

Он приподнялся на локте, непонимающе вглядываясь в ее лицо: что такое? о чем...

— Ребенка пойдем забрать.

Он откинулся на умятую подушку. Да... там ведь был ребенок...

— Иди без меня, — сказал вяло.

— Так что, может, сдадим подкидыша в дом малютки?! — яростно выкрикнула она. Но опомнилась, взяла себя в руки. И уже спокойнее, суше проговорила: — Я встречалась с этой ее теткой, с Розой. Тебя она видеть не хочет, говорит: «Депрессия-шмепрессия, а жену по-человечески должен был похоронить». Своеобразный психолог, одно слово — школьный, но тут я с ней согласна: ты безобразно, непозволительно раскис! Надо взять себя в руки! А Роза... короче, забрать к себе ребенка она не против, но не сейчас. Не может с работы уйти — жить на что? Говорит — это уж потом, когда в ясли пойдет, ну и прочее. Так что делать нечего — возьмем пока к себе, подрастим. Я уже договорилась с Аидой, дочкой Абдурашитова. Там малышу два месяца, молока — залейся, будет и для нас сцеживаться. Правда, денег брать не хочет, вот беда. Говорит: «Да вы что, тетя Зина, я с дорогой душой, для сироты ведь!..» Ничего, потом найду способ рассчитаться, в долгу не останемся.

Все это Илья слушал, как посторонний шум из окна, — не отзываясь.

Бабушка с минуту еще постояла, изучая длинное, безвольно и грузно простертое тело внука, и молча вышла.

Вернулась часа через полтора.

Опустила сверток в кроватку, приткнутую, как и планировала, к боку исповедальни, села рядом на стул и тяжело, задумчиво проговорила:

— Опять младенец...

Илья так и не поднялся со своей тахты взглянуть на ребенка (о, конечно же, не виноватого ни в чем... но виноватого, виноватого, виноватого! — в *ее* смерти).

Так и не смог переступить высокий порог боли.

* * *

Бедной старухе пришлось справляться одной со многим, не только с ребенком. Она даже канареек кормила, терпеливо ожидая, когда в большом организме внука накопится и начнет действовать подмога нового, добытого Разумовичем заграничного антидепрессанта, который Илья, слава богу, не отвергал, а послушно глотал по утрам, вынимая щепотью из бабушкиной ладони. Он стал уже выползать из своей норы не только по нужде, хотя отворить ставни еще не позволял.

Из своего убежища слышал, как бабушка внятным и взрослым голосом разговаривает с младенцем — на редкость безмолвным, — мягко приговаривая:

— ...ай-я-а-а... ай-я-а-а...

Сам он к кроватке так и не приблизился. Пока, уверял себя. Все это пройдет, говорил себе, само пройдет, когда приглушится боль. Приступов боли, что накатывала волнами, охватывая левую часть груди и сжимая горло, он панически боялся: это было слишком похоже на смерть, какой он ее себе представлял. Неявным образом ребенок был с этими приступами как-то связан, поэтому, проходя в туалет или на кухню, Илья в сторону кроватки старался не смотреть. Потом, говорил себе. Когда-нибудь потом...

Наконец, однажды утром бабушка вошла и сказала прежним своим командным тоном:

— Ну, довольно, Илюша! Нельзя скорбеть о мертвой так, чтобы живых забывать, грех это. Давай, опоминайся! Хватит валяться, как падаль! Поднимись. Побрейся. Надо пойти...

— Куда...

— Ребенку имя надо дать.

Он молчал.

— Надо живой душе какое-то имя дать, ты слышишь?

Ответом ей было молчание.

— А то я не знаю, как и окликнуть ее, — добавила она внезапно дрогнувшим голосом. — Все «айя» да «айя». Совсем уж привыкла.

— Ну и назови, как привыкла, — отозвался он равнодушно.

— Как так? — опешила старуха. И вспыхнула, рассердившись: — Ты совсем спятил, Илья?!

Вышла, хлопнув дверью. Но к вечеру опять пришла. Присела на краешек тахты, нащупала своей жесткой горячей ладонью его вялую руку и властно сжала, как в детстве. Тихо проговорила:

— А знаешь... я все думаю, думаю... Кажется, есть такое имя.

— Какое?

— Да вот — Айя. Есть такое имя. В Библии, кажется. Или в Коране? Не важно. Я думаю: назвать, что ли, древним именем, чтоб она была... *попрочнее?*

Посидела еще, помолчала и, не дождавшись от него ответа, поднялась и вышла.

* * *

По ночам он стал выползать на кухню.

Варил себе кофе при свете уютного ночника, забавного гномика с лампочкой в желтом колпаке (купили его прошлой весной на ярмарке ремесел в Государственном музее, Гуля выбирала по цвету колпака). Выкуривал в форточку сигарету, безучастно разглядывая в черном стекле свое незнакомое острое клочкобородое отражение.

Впервые подумал, что надо бы сбрить эту мерзкую паклю, чтобы не чесаться, как шелудивый пес.

Впервые подумал, что через неделю заканчивается отпуск «по семейным обстоятельствам», милосердно данный ему главным редактором.

Впервые подумал о бабушке: «Бедная старуха...»

Бедная старуха, ну и досталось ей в эти недели — она и несчастный этот отпуск ходила вымаливать, и вымолила, и — целый месяц. Вот и ребенок... Ребенок! «Девка! Роскошная! Раскосая...» (Привычный спазм боли куснул сердце и отхлынул, как бы собираясь с силами для следующей волны.) Вот и ребенок на ее старую трезвую голову. Как там она сказала? «Опять младенец...»

Между прочим, при младенцах в доме не курят.

Он задавил окурок в пепельнице, ополоснул ее, поморщившись от резкого в ночи звука льющейся воды: не разбудить ребенка. Вдруг поймал себя на том, что ему удобно так думать, безлично: ребенок, младенец. Хм... А ведь это девочка, дочь. Дочь... Нет, какое-то чужое, иностранное для души слово. Не вникать: подрастить, отдать Розе, там ребенку будет хорошо. Сколько же это? Год, наверное? Это долго — целый год. Существо станет ползать под ногами, что-то там лепетать, мешать думать, читать и заниматься канарейками.

Утомительно, черт возьми, хлопотно. А бабушка в последнее время заметно сдала, поди, не молоденькая, да и ты — никчемен и вял, как инфузория, какой уж там ребенок... И сколько можно повторять, идиот: младенец ни в чем не виноват! (А эхом: виноват, виноват, виноват...)

Когда привычным маршрутом он наискось пересекал столовую, свет удивительно полной сегодня, какой-то оголтелой луны вычертил вертикальные прутья кроватки, приткнутой к боку исповедальни так плотно и уютно, будто она была еще одной большой канареечной клеткой. И сквозь прутья этой клетки он вдруг заметил, как шевельнулась крошечная молочно-белая рука. Это испугало и озадачило: как, разве детей не пеленают туго-натуго в безличный сверток? Или он... она... сама высвободилась? Ах да, Сюзанка что-то говорила о свободе движений. Новые веяния в педиатрии.

Он сделал несколько нерешительных шагов к кроватке и замер: на него смотрели.

Впервые в жизни он видел такого маленького и такого совершенного человека, смешно и трогательно одетого в явно большие ползунки, придержанные на ногах теплыми носочками, и теплую кофточку поверх еще чего-то светлого, плохо различимого. И это, безусловно, была девочка, не только потому, что вьющиеся колечки слабых волос так по-девчачьи выбились из-под чепчика.

Овал лица был Гулин, нежно-дымчатый, продолговатый. А вот глаза — совсем не раскосые, нет. Его собственные глаза, в полутьме только не видно, какого цвета. Илья нерешительно склонился над кроваткой, не в силах оторваться от этих блестящих, спокойно открытых глаз, от внимательного и безмолвного взгляда ребенка.

Подумал в смятении: разве *они* умеют так смотреть уже? Почему она так пристально глядит мне прямо в глаза? Она голодная? Мокрая? Что, что я должен сделать? Разбудить бабушку? Но *она* ведь не плачет. И почему *она* не плачет — младенцы, кажется, должны непрерывно орать?

В странном смятении он исследовал маленькое лицо, будто выточенное какими-то миниатюрными и очень точными инструментами, разглядывал четко вычерченные губы, продолговатую каплю-выемку над верхней губой, крошечное, но такое подробное ухо в приоткрытом чепчике, мягкую переносицу и круглые, тонко вырезанные ноздри. Вдруг ощутил, что ему очень нравится на нее смотреть. Может, и ей нравилось смотреть на него?

Он долго стоял над кроваткой, замирая от странной робости. Потом решился и указательным пальцем коснулся ладони ребенка — на диво вылепленной, *настоящей* ладони, открытой, как морская звезда, — и та немедленно отозвалась, схватив его палец, что вызвало цепочку болезненных сердечных спазмов: в груди вдруг пошли взрываться бесшумные гранаты, и осколки их достигали самой глубины его существа. И пальцы мои, длинные, подумал он, ногти овальные. А ушки Гулины: с круглой мочкой...

Он был ошарашен этой завершенностью облика; всегда считал, что все младенцы на одно лицо и лет до пяти невозможно понять по глупому розовому блинчику, на кого похожи. Никогда не имел обыкновения, повстречав на улице знакомых гордых родителей, заглядывать в коляски, чмокать губами и восхищенно ахать. Всегда был демонстративно равнодушен к детям и лишь сейчас с внезапной горечью понял, что все эти месяцы вовсе не ждал, вовсе не радовался скорому рождению своего ребенка, а просто эгоистично терпел, пока в его объятия не вернется любимая женщина.

Ты одинокий обездоленный выродок, сказал он себе, и неизвестно, кто в этом виноват или что виновато: возможно, и в самом деле — твое детство без братьев и сестер, без маминых слез, улыбки, шлепка. С одной лишь отстраненной переливчатой лаской канареечного пения.

Он не знал, сколько сидел так, упершись лбом в прутья кроватки, глядя в блестящие, странно разумные, странно сосредоточенные глаза новорожденной дочери, что-то смятенно беззвучно шепча ей, чего не успел, не сумел, не догадался сказать жене за месяцы своего жалко-постыдного, а ее мужественного ожидания; за месяцы ее подвига.

И эти непроизносимые и непроизнесенные слова, этот немой разговор двух сирот — ее, еще бессмысленной сироты-новобранца, и его самого, привычно и застарело не заласканного, да еще со свежей кровоточащей раной в душе, — самый первый, самый сокровенный разговор Ильи с дочерью останется с ним, согревая и спасая даже много лет спустя.

Гораздо позже обдумывая их первую встречу, он удивленно припоминал невероятный свет луны, какого не видал ни до, ни после этой ночи. Луна жарила так, будто некий ангел-осветитель, в безуспешных попытках отчаявшись обратить внимание Ильи на дочь, пошел на крайний шаг, возможно, и на должностное преступление, врубив на предельную мощность тот Главный Фонарь, который издревле освещает судьбоносные ночные разговоры.

Вдруг девочка сморщилась и закряхтела. Неумелыми руками Илья сгреб ее, поднял и мягко привалил к плечу, стараясь, чтобы его колючая щетина не касалась младенческой кожи. Вся она умещалась в его крупных приемистых ладонях. Он вспомнил, как Зверолов качал в ладонях канарейку, и стал плавно колыхать дочь, слегка наклоняясь, как китайский болванчик, как большой китайский болван, прозевавший легкоперое струнное счастье своей единственной любви (пролетела она и, словно перышко, уронила ему на руки эту девочку), торопливым неумелым шепотом ее баюкая:

— Тихо-тихо-тихо... тихо-тихо, маленькая... тихо, моя птичка... тихо-тихо... Ай-я-а... Ай-я-а... Ай-я-а...

4

Со временем Роза смягчилась, и раз в две недели, в пятницу они перезванивались, договариваясь встретиться в городе: тетка забирала ребенка к себе на субботу и воскресенье.

Для Ильи это было нешуточным испытанием.

Если суббота проходила еще сравнительно спокойно (мысленно он расставлял вешки в расписании дня: вот она проснулась, его ранняя пташка, почистила зубы — как всегда, забыв или сделав вид, что забыла завинтить крышечку на тубе с пастой... Вот завтракает — Роза, надо отдать ей должное, хорошая повариха... Потом рисует или возится с какой-нибудь дурацкой мозаикой — школьный психолог лучше знает, чем занять трехлетнюю внучатую племянницу, тем более что сама в это время должна переделать кучу домашних дел, так что день, слава богу, проходит в безопасной тишине дома: стирка-глажка-готовка под шелест разрезаемых переводных картинок, под стук деревянных деталей совершенно неинтересного девочке конструктора, но она такая старательная, такая послушная) — словом, если субботу можно было пережить, то воскресенье было буквально начинено смертельными опасностями.

Например, вопреки его просьбам, Роза тащила ребенка в зоопарк, с годами ничуть не ставший привлекательнее; или того хуже — на базар, где с упоением, забыв про все на свете, торговалась, в то время как любой негодяй, любой гнусный мерзавец мог схватить ребенка и в секунду утащить... (Нет, Господи, нет, только не это!!! Не посылай мне эти картины, а ты — заткнись, замри, уйми свое кошмарное воображение!!! молчать!!!) Или просто малышка засмотрелась на какую-нибудь яркую штуку и отошла в сторонку, она любит вдруг направиться куда-то восвояси, а у тетки нет бабушкиного рефлекса: цепко держать ребенка за руку, не отпуская ни при каких обстоятельствах. И если так, эта толстая дура уже спохватилась и мечется по овощным-молочным-фруктовым рядам, и плачет, и зовет ее, но та ведь НЕ СЛЫШИТ!!! И стоит, мечтательно глядя на какую-нибудь горку гранатов, она же такая приметливая и наблюдательная. И стоит, и стоит до самого вечера, до темноты опустелого гулкого рынка. Нет, это невыносимо! Молчать, молчать, молчать!

Часов с трех дня он просто переселялся во двор — оттуда хорошо просматривалась улица и автобусная остановка, к которой раз в полчаса, вздымая сердце, подваливал автобус, начиненный, как порохом, вспухшим ожиданием, и на миг призрак коренастой фигуры Розы подхватывал под мышки и снимал со ступенек отчетливый призрак маленькой фигурки в красном пальтишке. Но автобус (еще рано, слишком рано, успокаивал он себя) с урчанием отваливал прочь в облачке бензиновой вони — бездарный, никчемный, пустой, хотя и переполненный толпой пассажиров.

Он сидел со стопкой рукописи на том же старом, валком венском стуле, сто лет назад выбракованном из семьи обеденных стульев, грозящем когда-нибудь развалиться под столь увесистым седоком, все чаще поднимал голову от листов и все меньше понимал написанное.

Договаривались к семи (в восемь ребенок уже должен спать, умостив атласную щечку на цветастом подушкином боку), но Роза вечно опаздывала, да и автобус ходил так себе, и часов с шести вечера Илья это опоздание уже предвидел, уже планировал, уже ненавидел, воскуряя в себе какую-то особенную, неистовую слепую ярость. Без четверти семь! — она, конечно, не успела сесть с ребенком в нужный автобус... А вдруг что-то стряслось? Наверняка что-то случилось, и теперь она воет белугой, боясь позвонить! Да! Да!!! Недаром у него было предчувствие с самого утра!

Илья вскакивал и бежал в дом — звонить немедленно, обреченно, мужественно, переглатывая горькую слюну, стараясь крепче держать трубку у уха, готовый *ко всему (о, на сей раз он не позволит беде застать себя врасплох!)*...

Само собой, ему никто не отвечал.

Из своей комнаты, опираясь на палку, выходила бабушка (в прошлом году она ломала шейку бедра, к удивлению врачей поднялась в свои семьдесят шесть лет и теперь ходила с палочкой). Говорила:

— Ну что опять? Что ты сходишь с ума!

— Эта дур-р-ра!.. — рычал он прерывисто *(да, все уже случилось, все кончено, я стою тут, еще не зная, что все кончено, что я потерял своего ребенка)*. — Эта школьная дура, которая не в состоянии вычислить время выхода из дома, чтобы сесть на автобус вовремя!..

— Вон, проехал, — говорила бабушка. Он бросал трубку и мчался за калитку, а навстречу, отдуваясь, шла располневшая, поседевшая Роза, крепко держа маленькую лапку семенящей рядом внучатой племянницы, и та уже отчаянно вырывалась из тисков, чтобы, топоча ботиночками, броситься к бегущему навстречу отцу, который шутовски приседал и оголтело вращал глазами — «как последний идиот», по мнению Розы.

* * *

У них была выработана своя обиходная мимика — когда он решительно, раз и навсегда отмел всю эту мельтешащую пальцевую, локтевую и кистевую *суетню* и стал просто яснее артикулировать, иногда выражая что-то глазами, бровями, покачиванием головы. Впрочем, дочь уверяла, что слышит его даже из другой комнаты.

— *Как?!*

— *Не знаю. Кожей...*

Тот *первый ужас* вползал в дом медленно и неотвратимо, словно удав, занимая все больше места, располагая свои вспухающие кольца всюду, куда ни глянь, все туже затягивая смертный холод на сердце отца.

Первой — воспитательница в яслях:

— Вы проверьте ребенку слух, я окликаю ее, она не отзывается.

— Как не отзывается? Прекрасно отзывается!

— А я говорю вам, проверьте: в два года ребенок уже вовсю должен болтать, а она только какие-то слоги мычит.

— Ну и что? Это бывает — из-за короткой «уздечки».

Ни в чем не повинную «уздечку» под языком подрезали (орущая брыкливая Айя, вспотевший Илья и над ними — невозмутимая врачиха с тройным припевом: «Болтать будет — не остановите!»). И долго виноватый отец с зареванной дочерью заедали мороженым эту пустяковую операцию.

Затем бабушка:

— Знаешь, Илюша... Сегодня меня угораздило вазу разбить, ту, синюю, и прямо у нее за спиной. Грохот стоял, как у Ниагарского водопада. Она даже не обернулась...

Он подкрадывался к дочери (ужас ворошил мягкой лапой волосы на затылке, удав раздувался, заглатывая и переваривая его надежду, любовь и боль) и негромко звал:

— Айя! — И она оборачивалась! С этим своим слегка удивленным и в любую минуту готовым улыбнуться драгоценным остреньким личиком. Он хватал ее на руки и ритмично подбрасывал, отвлекая ее, приговаривая: — Ай-я! Ай-я! Ай-я!

В конце концов сдался.

И Разумович отыскал какого-то дорогого, особенного специалиста-сурдолога:

— Медицина должна быть самой лучшей, то есть самой дорогой, *конеццитаты!*

Сурдолог по фамилии Рачковский принимал не где-нибудь, а в совминовской больнице на улице Джамбула. И летним днем, все на том же девятом троллейбусе, в котором сейчас витали, мирно сливаясь и просвечивая сквозь кресла и кабину водителя, призраки двух безумных старушек его детства, Илья повез двухлетнюю Айю на консультацию. Оставшиеся до встречи двадцать минут отец с дочерью с пользой провели в прекрасном ухоженном парке больницы: посидели в беседке, видели двух воробьев, подравшихся из-за чего-то микроскопического, и чуть не поймали крупную глупую капустницу, доверчиво сложившую крылышки на косяке беседки.

Потом поднялись в лифте и разыскали нужный кабинет.

Далее, как это случалось в зловещие моменты судьбы, Илья окаменел, закуклился и просидел так всю проверку, до объявления приговора. Когда наконец дочь вернулась к его коленям и встала меж ними, опираясь ладонями и подпрыгивая, до сведения отца был доведен диагноз:

— Несиндромальная нейросенсорная тугоухость, левое ухо второй степени, правое — третьей.

Несколько невыносимых мгновений они с доктором молчали.

— Что это значит? — тяжело дыша, спросил Илья. — Господи, что, что это значит?! Скажите нормальными словами!

Доктор Рачковский (внешне он поразительно соответствовал своей фамилии: маленький, скособоченный то ли детским полиомиелитом, то ли другой какой болезнью, но с неожиданно быстрыми, как у прибрежного рачка, ухватками) посмотрел на него выпуклыми глазами и мягко проговорил:

— Успокойтесь, мой дорогой. Я... понимаю ваше смятение и вашу боль. Вы будете очень медленно привыкать к этому обстоятельству вашей — и ее, конечно, — жизни.

Он улыбнулся девочке и подмигнул ей, протягивая плюшевого зайца, чья засаленная потертость свидетельствовала о выслуге лет в этом кабинете. Айя скосила глаза на отца и от зайца отказалась, энергично помотав головой.

— По шкале нейросенсорной тугоухости четвертая степень — это уже глухонемые, — продолжал Рачковский. — Но она — не немая. Отнюдь. Со временем она наденет слуховой аппарат и, возможно, с помощью логопеда и вашей непременной помощью будет прилично говорить.

— Ай-я-а... — мучительно выдохнул Илья.

И девочка мгновенно обернулась к отцу со своей милой улыбкой.

— Да-да, — согласился доктор. — Во-первых, она слышит вас руками — ведь она все время льнет к вам, все время нуждается в тактильном контакте, не правда ли? Во-вторых, у вас очень низкий и внятный голос, бас. Понимаете, от звука воздух вибрирует, и эту вибрацию девочка ощущает и идентифицирует на подсознательном уровне. В-третьих, у вас отличная артикуляция, вы четко лепите губами согласные, не проглатываете слоги, договариваете слово полностью, а она, умница, уже явно определяет слово по губам. Так что вы, извините меня, просто идеальный отец глухого ребенка. Ведь такие, как она, очень наблюдательны и чутки; как правило, они отличные аналитики и незаурядные имитаторы. Короче, они приспосабливаются к этому миру своими средствами. Вы меня понимаете? Вы меня слышите? — мягко повторил он, заглядывая Илье в лицо. Тот поднял голову.

— А... может она слышать пение канарейки? — спросил он.

— Вряд ли, — ответил доктор, явно озадаченный вопросом. — Как бы это вам объяснить получше... Она скорее услышит Шаляпина, чем Лемешева. Кроме того, очень высокие звуки могут вызвать неприятное давление в барабанных перепонках, бывает, что кровь начинает волнами приливать к вискам. Но, скорее всего, высокий звук просто до нее не доходит — слишком слабы вибрации...

— Погодите, — остановил он Илью, когда тот поднялся и, как оглушенная рыба, с дочерью на руках стал пробираться между кушеткой и креслами к двери. — Вот я пишу вам телефон великого логопеда. Ольга Романовна Гельфанд. Она чудеса творит, на нее молиться надо, как на икону. Да постойте же! Послушайте!

Он высвободился из кресла, бочком подскочил к Илье, обнявшему дочь, совсем крошечную на его руках, и, быстро опустив тому в карман пиджака записку с важным телефоном, придержал его локоть — выше просто не доставал.

— Главное, вот что, — серьезно проговорил доктор, глядя в глаза Ильи огромными сквозь очки выпуклыми глазами. — Относиться к ней как к ущербному или как к нормальному человеку — ваш и только ваш выбор. — И суховато добавил: — Впрочем, в дальнейшем ее можно будет определить в специальное учебное заведение с пониженными, щадящими требова...

— Ни за что! — оборвал Илья.

— Но вы должны отдавать себе отчет, что здоровые дети жестоки и почти всегда...

— Спасибо, мы вас поняли.

Врач помолчал еще мгновение, не опуская руки и внимательно изучая этих двоих, словно должен был выдать справку о некоем особом родственном сходстве. Затем кивнул с явно удовлетворенным видом и буднично произнес:

— Удачи!

* * *

Она и в самом деле не слышала пения кенарей, но *понимала* его, так как любила прятаться и играть в исповедальне. По сути дела, эта темная утроба — душная, с клубком сложных запахов — была первой *терра инкогнита*, куда Айя сбежала, сильно напугав отца и бабушку, когда целых полчаса они искали ее, трехлетнюю, по всему дому, во дворе и даже в сарае.

Ее манила таинственная населенность пахучей пещеры. Отец переоборудовал исповедальню в обучающий шкаф, с отсеками для одиночных клеточек, с вмонтированными динамиками для прокручивания фонограммы. Там трепетала живая, очень чуткая пленная жизнь, — жизнь обреченных на пение желтозеленых птичек. В то время Айя не отдавала себе отчета в ощущениях, не понимала, насколько отличается от других детей, но чувствовала смутную связь с крошечными пленниками. Правда, каждого из них в конце концов папа извлекал из клетки, и, радостно трепеща радужным веерком распахнутых крыльев, они летали по комнате.

Отцовских канареек, их мельтешливое присутствие в доме она с рождения принимала как данность. Позже научилась *понимать их пение* (Илья давал ей послушать кенарей в наушниках — звук в них пробивался слабо, зато явственно проникал прямо в ухо).

В свое время Илья переоборудовал подвал в канареечный заповедник. Там содержались молодые самцы, которым на рассвете и в сумерках, когда сонные птицы лучше усваивают песню, он ставил обучающую фонограмму.

В исповедальне же содержались отменные солисты, «за которыми глаз да глаз!» — их Илья муштровал особо, готовил к конкурсам и относился к ним с поистине родительской тревогой. Например, там отбывал срок дерзкий молодой кенарек с черным хохолком и железным клювом, раздалбливающим все, до чего удавалось дотянуться.

— Назовем его «Дикий Крушитель», а? Смотри, это настоящий панк. У него и хохолок, как ирокез. И он всегда смотрит мне прямо в глаза...

Со временем Илья привык, что дочь часто прячется в исповедальне, и не волновался: в задней стенке там были просверлены отверстия для воздуха. К тому же, в отличие от бабушки Зинаиды Константиновны, требовавшей, чтобы Айя всегда была на виду и ни минуты не оставалась без дела («можно лепить из пластилина! можно рисовать! можно складывать конструктор!»), Илья, отлично помня себя в детстве, никогда не мешал дочери уединяться, никогда ее не теребил, не торопил, лишь исподволь послеживал за странноватыми, рассеянными, не всегда объяснимыми обычной бытовой логикой ее перемещениями по дому.

— Ее нужно развивать! — исступленно повторяла бабушка, стуча твердым указательным пальцем по столу, будто ставя точки под приказами. — Она отстраненная от жизни, непрочная, задумчивая, замедленная... Надо ее развивать!

— Она прекрасно развита! — парировал отец.

Случайным доказательством этого на первый взгляд самоуверенного утверждения оказались шахматы, которым Илья вовсе не собирался Айю учить. Просто по воскресеньям он играл в шахматы с Разумовичем — шахматистом тот был сносным, и этими ритуальными воскресными турнирами Илья пытался несколько смягчить запрет в доме на флейту. (Дело уже не в канарейках; в конце концов, занималась же Гуля на веранде — под сурдинку, конечно, и птенцы в подвале вряд ли могли ее услышать, но скрипочка все же звучала.) Нет, сейчас он опасался, что высокие звуки любого инструмента спровоцируют у ребенка головную боль.

Пятилетняя Айя уже неплохо говорила, и за это низкий поклон великой Ольге Романовне Гельфанд, уютнейшей толстухе с отменным чувством юмора и басом погуще, чем у Ильи.

Дважды в неделю вечерами они ездили к ней домой, на улицу *Патрислумумбы*. Типичный для Алма-Аты двухэтажный домик в любую погоду приветливо желтел в глубине двора, буйно заросшего скумпией. Поднявшись на второй этаж (площадка была с вечно вывернутой лампочкой), в темноте они нащупывали на косяке пухлой дерматиновой двери кнопку звонка, такого же басовитого, как хозяйка.

И вот уже издалека топали энергичные слоновьи ноги, и плита желтого электрического света увесисто падала из открытой двери, а бас-контрабас Ольги Романовны выпевал какую-нибудь новую смешнючую заковыристую скороговорку, сначала ме-е-едленно, потом все быстрее, наконец прокручивая ее перед изумленными и очарованными гостями мелькающим карусельным колесом. И занятия начинались.

Уже через полгода девочка говорила, забавно копируя манеру отца, повторяя за ним целые фразы хрипловатым, картавым, затрудненно пропевающим гласные голосом. Конечно, по сравнению со звонким чириканьем дворовых детей ее возраста это выглядело достижением более чем скромным. Но она все понимала по губам, с сосредоточенным вниманием вглядываясь в лица и отвечая с небольшим опозданием, будто обдумывая заданный вопрос.

Всем, кроме отца и Ольги Романовны, да еще Рачковского, у которого они появлялись раз в три месяца, ее развитие казалось замедленным.

Во время шахматных вечеров Разумович — для опоры больной спине — усаживался в старое кресло с высокой спинкой, обитой потертым велюром.

Илья помещался напротив, оседлав низкий табурет перед журнальным столиком с клетчатой деревянной доской, уставленной фигурами.

Обеими ногами встав на перекладину табурета, Айя привычно обнимала отца за шею и приникала грудью, животом, щекой к его широкой сутуловатой спине (так герои сказок, припав к земле, выуживают из ее глубин топот коня под долгожданным всадником). Время от времени она выглядывала, выпятив остренький подбородок, и обозревала поле боя. Так она могла стоять очень долго, до конца партии, до очередной ничьей... Что извлекала она из отцовой спины, какие могучие соки любви перетекали в ее худенькое существо, питая и успокаивая его? Может, задумчивые отцовы помыкивания в ответ на карканье Разумовича: «Ах, ты так?! Тогда мы пошли ферзем, *конеццитаты!*» — являлись неким важным витамином, связующим ее сознание с окружающим миром?

Бабушка, недовольная «этой кретинской неподвижностью», то и дело пыталась оторвать малышку от отцовой спины и услать куда-нибудь: в кухню за орехами, в свою комнату — за швейной шкатулкой: «Ребенок должен двигаться!» Айя не реагировала на призывы и окрики, бабушка сердилась и обзывала ее «древесным грибком» и «липучкой», возмущенно добавляя, что если в таком возрасте ребенок смеет не слушаться взрослых, то она не ручается за будущее.

Однажды, проследив за рукой отца, нерешительно витающей над шахматным полем, Айя заговорщицки проговорила ему в ухо:

— Жейтва пешхи?

Возникла пауза. Разумович поднял голову с выражением лица скорее испуганным, чем изумленным. Три глубокие параллельные волны на его широком лбу (на них всегда хотелось поместить кораблик) взлетели к слабо оперенной пустоши черепа, гладко выбритый подбородок провис, обнажив слишком ровную гряду нижнего протеза. Глядя на Илью поверх очков, он спросил вполголоса:

— Я не ослышался?

— Нет, — отозвался тот, не шевелясь над доской, продолжая как бы обдумывать ход, хотя сердце его так неистово заколотилось, что он испугался, не ощутит ли дочь этот бешеный топот. Не оборачиваясь, словно боясь расплескать драгоценный груз на своей спине, он ровно спросил: — Ты считаешь, жертвовать пешку, моя птичка?

— Та, — отозвалась она, не отнимая щеки.

— Я так и поступлю.

Этот день стал счастливейшим в его жизни.

Илья разом смел все мысленные преграды, которые так или иначе возводила его робость, страх за психику ребенка (не утомить, не нагрузить!) и страх за собственную психику, которая не вынесла бы жесточайшего удара, если б выяснилось, что глухота дочери лишь сопровождает другие тягости, коим он сопротивлялся давать название.

Сейчас он уже знал, что ясный взгляд ее внимательных глаз и обостренная чуткость мысли — не мираж, не фантазия, не упования его родительского сердца, а реальность. Да: ее надо развивать, но развивать лишь уверенность в себе, физическую приспособляемость к миру, бесстрашие перед ним. Ее надо развивать, да: чтобы она стала лучше всех, умнее всех, талантливее всех! Его дочь еще задаст всем вам жару!

Буквально за два вечера он заставил ее читать вслух, ревущим басом трижды повторяя сочленения слогов. Выяснилось, что глазами она уже давно читает. А он-то, идиот, думал, что она просто рассматривает картинки в книжках, которые читал ей на ночь! Теперь он заставлял ее читать вслух по нескольку страниц, сердился, если она отлынивала, дважды они ссорились, что напомнило ему их с бабушкой прежние отношения. Зато чтение вслух невероятно подвинуло ее речевой аппарат, даже Ольга Романовна была изумлена, когда, вернувшись из Кисловодска, обнаружила, что Айя свободно выговаривает почти все буквы.

В тот же период, вопреки бабушкиным сомнениям, Илья определил дочь на занятия гимнастикой и фигурным катанием.

Проходили они в центре города, на стадионе «Динамо». И раза три в неделю, отпросившись в редакции, он забирал Айю из дома и вез на встречу с тренером Виолой Кондратьевной. Молодая, крупная, резкая в движениях, буйно кудрявая настолько, что ее хотелось

264 называть Васькой Буслаевым, с широкими мужскими ладонями, которыми она отбивала — как отрубала — в воздухе музыкальные доли ритма, — была грубоватая Виола невероятно добра и терпелива.

В первую встречу, когда Илья сразу честно предупредил *о некоторой особенности дочки*, она замешкалась с ответом, явно озадаченная. Наконец, сказала, прямо глядя ему в глаза, сдувая со лба спирали непослушных кудрей:

— Боюсь, ничего не выйдет... ведь она не услышит музыки.

— Вот за это вы не беспокойтесь! — категорично возразил он. Со своей природной деликатностью, с пресловутым *бабушкиным воспитанием*, он становился нетерпим, если кто-то сомневался в способностях его дочери. Виола Кондратьевна еще пыталась что-то возразить, машинально запихивая былинные русые кудри под шапочку; тогда в тихой ярости он спросил: — А если я заплачу вам в два раза больше?

Она вспыхнула и резко ответила:

— Вы не поняли: я не торгуюсь!

— Я тоже!

Она опустила взгляд на девочку: та с кротким и пытливым вниманием переводила глаза с отца на прекрасную тетеньку. Виола Кондратьевна вздохнула и сказала:

— Ну хорошо. Давайте попробуем. Занятия начнутся пятого, в понедельник.

И занятия начались, и уже очень скоро Виола Кондратьевна ставила Айю всем в пример — а чего там особо хвалить, когда все так просто: ритм музыки прокатывает волнами по всему телу, и *нормальному человеку* чувствовать его совсем не сложно!

Конькобежную премудрость девочка осваивала с какой-то упоительной легкостью. Казалось, ей легче выделывать на льду все эти «флипы», «змейки» и «елочки», все эти «крюки» и «выкрюки», чем, захлебываясь впечатлениями, вечером рассказывать о них бабушке (та требовала подробных объяснений, будто и не обращая внимания на спотыкливую, врастяжку, речь девочки: волнуясь или сердясь, та начинала выпевать гласные).

— Так, «ласточка» — это понятно. А «пистолетик»? Это как? — настаивала бабушка. — Нет, не показывай, а расскажи.

— Ну-у... простая вещь: ты са-адишься... одну ногу вы-итянула... и кру-у... кру-у...

— Хватит! Она устала! — обрывал Илья.

— Нет, пусть доскажет! Мне интересно. Я присела, вытянула ногу — и что?

— И крутишься!!!

— Не кричи. Не «крутишься», а «вра-ща-ешь-ся». Повтори.

— Вра-а... вра-аст... раст... шаюсь...

Летом фигурное катание заменялось гимнастикой. И в этом заключались свои волнения: на маленькую Айю не смогли подобрать в магазине спортивную одежду. Пришлось бабушке сшить ей гимнастический купальник из простой ярко-голубой футболки, прихватив ее внизу и разрезав на плече — так было удобно влезать двумя ногами через горловину. (Свитера и майки всю жизнь выбирались по широкой горловине, потому что самое страшное на свете — продевать в отверстие голову: *застрянешь, и тогда всё: законопаченное безглазье.*)

Младшие дети плескались в лягушатнике — в большой бассейн ребятню не пускали, там осадисто бултыхались пожилые бегемотихи из группы здоровья (жуть совместного мытья в душевой после занятий: скользкие барханы задов и грудей пожилых дряблых теток отвращали ее не на шутку, так что по возвращении домой первым делом она приникала к стеклу книжной полки в папиной комнате, за которым, с сияющим бликом на скрипке, с победно поднятым смычком, матово светилась улыбчивая мама, снятая кем-то из однокурсников на выпускном экзамене.

(— А ты тоже сидел в зале, папа?

— Да.

— И смотрел на маму?

— Да.

— Это тебе она улыбается?

— Да, Айя. И тебе тоже.)

...Но главным, конечно, были зима, каток, высоченные — под небо — стадионные прожектора (катались по вечерам) и никогда не ругавшая даже последних неумех Виола Кондратьевна, красавица-раскрасавица наша кудрявая.

Щекотной лаской то лба, то щеки, то носа касались шалые снежинки; на погруженных в мутную темень трибунах (несмотря на желтые луны прожекторов, света не хватало) сидели нахохленные мамы, среди них терпеливо и гордо возвышалась сутуловатая башня: папа. Айя среди остальных малышей каталась в центре поля (по кругу носились оголтелые бегуны на коньках) и все время косилась в сторону отца — видит ли он, как она сделала «риттбергер», а потом сразу «аксель» и почти без перехода снова «риттбергер»? Видел ли, как чисто проделала вращение на двух коньках?

И главное, видит ли, как одобрительно потряхивает
Виола Кондратьевна головой и обоими кулаками —
«Мо-ло-дец!»?

Взрослые девочки лет восьми-десяти катались в
«настоящих фигурных» костюмах — синих, малиновых,
желтых, с короткими пышными юбочками, отделан-
ными каждая на свой лад, чаще всего искусственным
мехом. А уж длинная молния на спине, изгибавшаяся
на пояснице серебристой змеей, — вот где настоящий
спортивный шик! Ничего-ничего, говорил папа, вот
мы чуток подрастем... Пока же Айя каталась в рубчатых
в резинку рейтузах и свитере, зато в настоящей конько-
бежной шапочке — маминой, синей, с желтой полосой.

Однажды во время занятий на верхних ярусах стадиона установили пушки, поставили по два солдатика
у каждой, и те стреляли, взрывая и взлохмачивая воздух, поднимая тугую волну, обдающую тело горячим
ахом. Девочки визжали и ладошками закрывали уши,
а Айя совсем не боялась: было очень весело. Пахло дымом и порохом, прямо над головами вырастали и раскачивались, как кобры на хвостах, страшные и вели-
колепные струи фонтанов, кусты и деревья, пышные
крапчатые звезды, которые, вскипая радужной пеной,
быстро осыпались и стекали по черному глянцу неба
ужасными оскалами чьих-то фантастических морд. И
после каждого залпа на лед катка сыпались покрышки
от ракет, похожие на огромную кожуру от арахиса. И
дети бросались их подбирать.

После холодного воздуха катка — в духоту разде-
валки, где сперто пахнет мокрой от снега одеждой и
взмыленными после тренировки хоккеистами. Потом

долгое возвращение с папой домой: сначала несколько кварталов пешком, до остановки автобуса, затем нудная тряска в тускло освещенном и набитом людьми салоне (вечернее послерабочее время), с одними и теми же пассажирами: например, с теткой-бегемотихой из группы здоровья. Она в нежно-сиреневом пальто и таком же берете, с сиреневой улыбкой на приторных губах. Ставит Айю между колен, «чтобы не затоптали» (папа очень доволен и как-то льстиво ее благодарит).

Тетка своими толстыми жабьими губами всегда спрашивает одно и то же: как тебя зовут, сколько тебе лет, слушаешься ли ты маму, ну и прочие глупости. У девочки же перед глазами огромный вислый теткин живот в мыльной пене, поэтому она старается не прислоняться — и скорей бы домой, к маме за стеклом книжной полки, где насмешливо сияют чуть прищуренные глаза над скрипичной декой.

— Она тебе улыбается, папа?
— И тебе, Айя.

А еще через год, преодолев внутренний запрет на милые воспоминания, Илья впервые повез дочь на Медео, и с этим овально-медовым, леденцовым, дух захватывающим словом в их жизни появилась ликующая тайна двух заговорщиков: счастливые острова воскресных дней, куда они не допустили бы никого: ни бабушку, ни Разумовича, ни даже славную Виолу Кондратьевну.

* * *

Для рядовой публики каток был открыт по воскресеньям с самого утра.

И словно для того, чтоб прозрачная свежесть воздуха, снежные пики гор и цветная мельтешня лыжных шапочек и курток казались еще большим праздником, добираться туда — по вечному условию сказочных сюжетов — было делом утомительным и долгим: от дома до улицы Абая-Ленина, с дальнейшей пересадкой на автобус номер шесть. Или до Центрального стадиона, а там, выстояв очередь вдоль металлических турникетов, с боем ворваться в один из автобусов, одолев толпу себе подобных. Автобусы шли всегда переполненные, зато без единой остановки — прямо на Медео.

А там уже начиналось счастье!

Высоченные заснеженные пики Алатау едва тронуты карамельно-розовым светом раннего утра, так что темно-зеленые ели на склонах и в мохнатых складках ущелий кажутся совсем черными. И ты в яркой толпе (и все какие-то веселые, энергичные) идешь, да чуть ли не бежишь — по лестнице вверх, к громадному катку, а там уже музыка ритмично колеблет и вихрит воздух над слепящей плоскостью льда, где хаотично или по кругу катается разношерстная публика.

Вдоль кромки катка они доходили до первой же лестницы на трибуны и устраивались на деревянной лавке. Илья быстро, ловко, чуть ли не «наизусть» шнуровал ботинки на ногах дочери — ботиночки недешевые, из того сорта вещей, которые бабушка именовала «безумием»: высокие белые, из натуральной кожи, с мехом внутри (ничего, что они тяжелее, чем из искусственной, сказал знакомый продавец, зато на ноге сидят, как лайковые перчатки, — сами пощупайте!). Да и коньки были отменные: лезвия — с зубцами на носках, чтоб фигуры накручивать.

Теперь куртки долой — и на лед. Накручивать фигуры.

Выезжали вдвоем, держась за руки: Айя поначалу слегка терялась на безбрежном ледовом поле, трудно же без привычки: людей много, есть наглецы, что носятся как оглашенные, на беговых коньках с длинными лезвиями, а ими запросто ногу можно пропороть, да и бегут в два раза быстрее, так и чуешь спиной резкие хищные штрихи.

Едет вся цветастая цыганская толпа против часовой стрелки, но есть и такие, кто прет всем наперекор, вроде заядлого старика в трусах, с большим голым пузом наружу, от которого все шарахаются, а ему хоть бы хны: едет-посмеивается, пузо почесывает — жарко ему... В центре вообще броуновское движение — люди роятся, как мухи над сахаром; так с верхних трибун все и выглядит.

Позже, приучая *себя* к ее самостоятельности, превозмогая тревогу и ежеминутный порыв вскочить и бежать за ней на лед, Илья оставался сидеть на лавке, постоянно держа дочь напряженным взглядом, так что к концу катания глаза утомлялись и закрывались сами собой.

И хотя на катке был огороженный детский уголок, Айя довольно быстро вышла на «взрослый простор», сразу вписывалась в движение — и летела!

Ей нравилось ощущение резкого разворота, когда вначале катишь лицом вперед и вдруг одним движением корпуса, плавным махом бедра крутанешься — р-р-раз! — и уже спиной толкаешь воздух. В такие моменты она телом *слышала* короткий победный скрежет и резкие штрихи беговых коньков за спиной.

И когда — упоенная собственной ловкостью, разгоряченная, с малиновым румянцем во всю щеку — подъезжала к забору, отец торопливо разверзал утробу рюкзака, доставая приготовленные бабушкой бутерброды и пирожки, развинчивая крышку термоса с горячим чаем. Нарочито пыхтя, комично изображая свое «уфф!», она ковыляла к нему, разводя коленки, по лестнице вверх, плюхалась рядом, бесцеремонно выхватывала из руки бутерброд и впивалась в него зубами. И минут десять жевала, страшно довольная, усталая, голодная, мыча — «ку-у-усно!» — а глазом уже косила обратно — туда, на лед, времени ж мало, каждую минутку жаль!

День разгорался. Мощно синела ровная небесная твердь, как чисто выметенный пустой каток. Горные цепи высоченных пиков, многослойно и остро зубчатых, как разинутая акулья пасть, больно сияли белизной. Под ними перекрахмаленной скатертью, присобранной и приподнятой во многих местах чьей-то гигантской щепотью, топорщились горы пониже. И вот там, в этих крахмальных складках, постепенно смягчались, удлинялись и расплывались тени дня. Небо слегка уставало, синяя твердь размягчалась, приобретая лимонный оттенок, а из влажных урочищ всплывали и разрастались нежные лохмотья опалового мха...

К концу народ расползался. Сверкающее темя сахарной головы катка расчищалось от цветных мух.

Как ни жаль было отрывать дочь от удовольствия, Илья принимался звать ее — махал руками, грозил кулаками, изображал рассерженное топанье. Она смеялась или вообще делала вид, что не замечает его пантомим. Наконец, подъезжала, в последний миг тормозя

перед заборчиком — утомленная, распаренная (отец
озабоченно щупал изнанку свитера на спине), прерывисто дыша морозцем. Переобувалась и вскакивала на
ноги, непременно пружинисто подпрыгивая много раз.

— Ноги легкие? — улыбаясь, спрашивал отец, отлично помня это чувство.

— Сейчас полечу! — раскидывая руки и кружась,
кричала она.

И по-прежнему вдоль дороги стояли шашлычни-
цы, воскуряя фиолетовый пахучий дымок (но мы —
домой, домой! бабушка ждет к обеду!), и по-прежнему
под мостом бренчала льдом и камешками горная речка. Только не было Гули, и с угасанием солнца в воздухе гор меркло и угасало в его памяти плавное кружение
синего платья на льду катка; синий волчок, чье острие
до сих пор ночами вонзалось в сердце.

На обратной дороге в автобусе Айя, слегка чум-
ная от кислорода, непременно засыпала, привалившись к отцу всем телом, сползая головой в его колени:
довольно долго (пока годам к десяти не вымахала в
приличную дылду) на пересадке он, жалея ее будить,
выносил на плече и так стоял со своим драгоценным
грузом на остановке, ожидая второго, городского автобуса до дому.

И после был еще тихий домашний вечер — пуши-
стый хвост воскресенья, долгий-долгий, чае-варень-
вый, переливчато-канареечный, шахматно-задумчи-
вый, пасьянсовый вечер умиротворения всех богов.

*Первые дуновения свободы — пока еще только му-
скульно-радостной, пока еще под зорким приглядом
отца — она ощутила в минуты, когда летела на коньках,
кожей чувствуя ритмы музыки сквозь морозец и ветер,*

ожигающий лоб. От движения высвобождалась ее душа, летя навстречу приветливо распахнутому миру. В бесстрашии ее натуры, в бродяжьей цыганской тяге, что позже вспыхнула в крови солнечным пучком, выжигая в ее душе тавро ликующей свободы, содержалась, возможно, толика того ветра воскресных дней на Медео, с которым она породнилась в детстве. Того сильного ветра гор, что отвешивал поощрительные оплеухи, подгонял в спину и учил подниматься со льда.

5

К десяти годам это была крепкая, ладно сложенная девчушка с тугими икрами, мускулистой попкой, прямой спиной и довольно сильными тонкими руками. В ее повадке сквозила неуловимая мальчишеская милота́.

Уже было ясно — по размеру ноги, по кистям, вообще по пропорциям ее небольшого увертливого тела, — что очень высокой она не вырастет, ну и ладно. От матери она унаследовала овал лица с высокими скулами и острым трогательным подбородком и длинные ласточкины брови. Глаза были отцовскими, но не темными, а светло-карими, с зеленцой, что избирательно вспыхивала то в аллее яблоневых садов, то под зеленой кожурой рассветного или сумеречного неба и всегда победно сияла в окружении леденцовых бликов катка.

Вьющиеся каштановые волосы, тоже отцовские, доставляли ей ужасную мороку, особенно на соревнованиях: как ни завязывай их, а выскальзывают и, своевольные, разлетаются, мчатся на ветру как бешеные, заметая глаза и зализывая щеки.

А о том, чего стоила ей постоянная битва — это ежеминутное пробивание брони между собой и *безжалостно звучащим* миром, — свидетельствовали тяжелые провалы в сон, что случались время от времени и продолжались дня по два, по три: она падала без сил и засыпала, и все спала и спала, будто опоенная сказочным зельем, не отзываясь на тревожные прикосновения домашних, иногда что-то жалобно мыча на требования бабушки «не валяться, как падаль, а встать и, по крайней мере, выпить чаю!».

* * *

Ее школы, которую она ждала с радостно-таинственным нетерпением, Илья панически боялся. Игры с дворовыми приятелями в счет не шли — все это были дети и внуки старых соседей, почти что родственников; к тому же ее доброжелательность, открытая ясность душевных намерений, мальчишеская прямота и страсть к справедливости в играх всегда усмиряли самых отъявленных забияк.

— Папа! Я чемпион по рельсе! — объявила однажды, и он ее понял.

С незапамятных времен на их улице существовала такая забава — чугунная рельса на врытых в землю подставках. И бревном служила, и козлом, и все физкультурные упражнения, все детские игры и все увечья происходили от этой рельсы. «Чемпион по рельсе» еще во времена его детства означало вершину ловкости. Означало, что его бесстрашная прыгунья легко оседлала дворовый Олимп.

А вот предстоящей школы — боялся. Он и свою-то ненавидел все годы учебы. Но мысль, что шесть или восемь часов его девочка будет обречена одна противостоять возможным насмешкам и издевательствам жестоких чужих детей, — эта мысль просто сводила Илью с ума. Некоторое время он даже колебался — не послушать ли давнего совета сурдолога Рачковского, не определить ли ребенка в «специальное учебное заведение с пониженными, щадящими требованиями», но в ярости задушил этот трусливый порыв.

Накануне первого школьного дня, когда новенький ранец со всей восхитительно пахучей начинкой из магазина «Канцтовары» уже стоял на полу около «рыдвана», доставшегося ей в наследство от Зверолова, Илья посадил дочь на стул перед собой, положил ладонь на острую коленку и твердо проговорил:

— Они жестокие, глупые, завистливые. Все! За редким исключением.

Его воспитанная бабушкой манера изъясняться, внятно и без лишних слов, в общении с дочерью обрела форму почти совершенную. Просто всю ее душевную отвагу, ее страхи и оборонительные приготовления он ощущал как свои. Сейчас ему не нужно было уточнять, кто такие безликие «они». «Они» — это был весь мир, другой мир: здоровый, ушастый, равнодушный, подловато-изворотливый, сбивающий на переменках с ног.

— Они не терпят, когда человек в чем-то... отличается от них. В компаниях, в классах, в группах — они всем дают клички.

— Я знаю, папа, — ответила Айя, с готовностью глядя в его лицо.

Всегда чувствовала — по выражению глаз, что ли, по мимике губ, — за какой его фразой последует продолжение, важное продолжение, которое надо принять к сведению.

— Скорее всего, и я думаю, непременно, — тебе дадут кличку «Глухая».

Дина Рубина. *Русская канарейка*

— Я тоже так думаю.

Он помолчал, крепко сжал и отпустил ее коленку. Поднялся со стула, распрямил плечи и проговорил, легко улыбнувшись:

— Как только тебе там опротивеет, хотя бы и к концу первого дня, мы найдем другую школу.

Она улыбнулась в ответ, глядя на него снизу вверх:

— И там мне дадут другую кличку, папа?

* * *

Так вот же тебе, вот тебе, вот тебе! — торжествуя, повторял он то ли себе, то ли бабушке, возвращаясь домой после первого — спустя неделю учебы — знакомства с учительницей. И в сотый раз хвалил себя за «недопустимое легкомыслие и страусиную трусость», по словам бабушки, которая считала, что *о девочке надо предупредить заранее*: «Расставить все флажки, заставить их быть начеку, нагнать на них страху!» — и так далее. Ничего этого не понадобилось.

— Как глухая?! — потрясенно переспросила Фаина Равилевна, веснушчатая курочка-ряба с острым носиком-клювом и тревожными круглыми глазами. — Не может быть! Ни за что не поверю! Мне, с моим опытом... да не разглядеть такого?! — Она разволновалась до слез. — Почему вы меня не предупредили? Я бы ее на первую парту... и дополнительные занятия...

— Зачем? — осадил он ее.

— Ну, н-не знаю... — Она растерялась. И впрямь — зачем? Эта первоклассница, в отличие от многих детей, уже бойко читала, хорошо писала, знала все цифры и *совершала с ними действия*. А главное, с такой готовностью и внимательной прямотой смотрела в лицо учителю, не отвлекаясь ни на минуту, — большая редкость для ребенка в этом возрасте! Вот разве что с логопе-дом ей неплохо бы позаниматься, устранить кое-ка-кие дефекты речи... И еще, что отличало эту девочку от остальных детей: она уклонялась от игр в группе, предпочитая общаться с кем-то одним, с доброжела-тельным вниманием глядя сверстнику в лицо. — Ей, вероятно, нужен особый подход? — Курочка-ряба с го-товностью тряхнула головой, словно зернышко клюну-ла. — Может, освободить ее от какого-то урока? — Еще одно зернышко носом-клювиком.

Илья подумал и сказал:

— От пения, пожалуй...

...хотя сам пел ей с младенчества. Пел что попало, что в голову взбредет. Слух у него был малопослушный, нечуткий, в свое время над его *петухами* и *рычками* еще Гуля посмеивалась. Но Илье казалось, что он дол-жен — именно в память о покойной жене — *трениро-вать* в дочери чувство музыки. Вот и скрипку берег — в футляре, укутанную лоскутом синего бархата. (Зачем? Самому было трудно объяснить — зачем. Гулины слова вспоминались: мол, скрипка — ближайший родствен-ник голосу, она способна обидеться на хозяина и от-платить ему — добром или злом.)

Одним словом, ему упрямо хотелось, чтобы Айя *тоже* слушала колыбельные. И она *слушала*, уже за-крыв глаза, медленно перебирая пальцы его руки сво-ими теплыми сонными пальцами.

А в колыбельные годилось все, как в походную уху, — и куплеты, что напевал когда-то Зверолов, и ро-мансы, что так чувствительно и звучно исполняла су-масшедшая тетка в троллейбусе: «Опустел наш сад, вас давно уж нет...», «О, если б мог выразить в звуке...». Ну и, конечно, не обходилось без семейного: жалостнораздольных «Стаканчиков граненых», по пленительной эстафете канареечных поколений перешедших к Желтухину Третьему, тоже артисту не из последних, который и исполнял их — о, если б мог выразить в звуке! — с особенным блеском.

* * *

...Спустя лет двадцать ей довелось опознать эту песенку по совсем чужим губам — в бухте острова Джум, в Андаманском море, где мало что изменилось за последние лет триста.

К тому времени она рассталась с Раулем, хотя его засаленные дреды и пегая борода Карабаса-Барабаса еще мелькали там и сям среди бунгало морских цыган, обитавших на восточном побережье острова в трех рыбацких деревушках. Этот проходимец шлялся по окрестным отелям и забегаловкам в надежде, что кто-нибудь из знакомых тайцев, которых он, как и многие живущие здесь иностранцы, держал за олухов, клюнет на его побасенки и раскошелится. И самое странное, что так оно и бывало — его ссужали деньгами, даже понимая, что назад не вернется ни гроша.

С африканером Раулем она познакомилась на одном из пляжей на юге Таиланда. В то время она носила на шее «анкх», большой коптский крест — очень сильный драматический оберег, не терпящий поблизости присутствия того же знака. Так вот, у Рауля «анкх» был вытатуирован на плече. И надо было сразу понять, что два «анкха» должны держаться друг от друга на приличном расстоянии, иначе добром все это не кончится. Оно и кончилось большой дракой, после которой этот засранец добрых три дня провалялся в чьем-то гостеприимном бунгало. Он не знал, как умело девчонка дерется:

ей стоило только представить, что на ноге конек, тот самый, из детства, и удар становился точным и болезненным, тем более что работа в ночных пабах Сохо и Нью-Кросс-гейт на юге Лондона научила ее, куда следует бить, когда имеешь дело с обдолбанным мужским быдлом.

Рауль, давно застрявший на местных островах, подрабатывал пиратом на своей «лонг тейл» — длинной тайской лодке. Нарядившись в костюм капитана Сильвера — треуголка, обтерханный кафтан, препоясанный толстым ремнем, кюлоты и заткнутый за пояс декоративный кортик (не говоря уж о непременной черной повязке на глазу), — возил туристов на отдаленные необитаемые островки, палить там костры, купаться и рыбачить; словом, предоставлял всем жаждущим «дикую и опасную свободу в непроходимых джунглях».

— Для пущего антуража тебе следовало бы кого-то из них грабануть, перерезать горло да пустить на дно, — заметила ему Айя при первой встрече. — Если уж мы говорим о настоящей романтике.

Какое-то время все это ее страшно увлекало, да и количество нежданных типажей быстро пополняло коллекцию портретов для давно задуманной фотовыставки. Но очень скоро ей надоели и туристы, и костюмированные поездки, и вздорный характер нового сожителя. Надоело все! Она избила и прогнала Рауля, перестала брить половину головы (недели через две та оперилась мягким ежиком, зато на другой половине волосы отросли настолько, что закрывали глаз и щеку), извлекла пирсинг из ноздри, бровей и верхней губы, лишь одну оставив серьгу в левом ухе — ту, что из царской монеты, еще от Зверолова.

Сейчас ее девизом стало: «Художник самоценен и в эпатаже не нуждается!»

В разгаре был сезон дождей, деньги давно кончились.

Она жила в бунгало у Дилы — маленькой улыбчивой смуглянки, похожей на колобок, упакованный в алую блескучую парчу. Дила имела диплом каких-то учительских курсов, была грамотной и потому почиталась местными за женщину выдающегося ума. Айя ходила босиком и пробавлялась на гроши, которые сшибала игрой на бильярде с местными полицейскими; те ей покровительствовали и даже прикрывали по доброй памяти, еще со времен ее нелегальных «пиратских» заработков с Раулем.

За ее плечами уже были Лондон, учеба в арт-колледже, участие в нескольких интересных фотовыставках, изнурительная пахота на Джеймса Баринга в его долбаном рекламном агентстве, три безумных любовных интрижки, одна попытка самоубийства, глупейшие побывки в полиции за — тошно признаваться — пьяные дебоши.

Наконец, она сбежала в Азию, где месяца три болталась по Вьетнаму, Камбодже и Лаосу.

Она мечтала когда-нибудь сделать грандиозную фотовыставку под названием «Человек Азии»...

Если иногда кто-то из симпатичных туристов или местных обитателей соглашался на ее уговоры посидеть («полчасика, не больше!»), — она предавалась любимейшему занятию: вконец умучивала модель, заставляя сто раз менять позы, расстреливая человека дробью кадров со всех сторон, обегая его, досылая выстрелы снизу, сверху, добиваясь настоящей прострации. И спустя минут двадцать такого позирования эта самая прострация наступала: человек спускал все защитные накопления, как карточный игрок — последние гроши, и сидел с очумелыми глазами, пустопорожним лицом и абсолютным отсутствием мысли: идеальное состояние для портрета.

Этот маленький остров, расположенный между Краби и Ко Ланта, можно было объехать на велосипеде (хотя по нему лихо разъезжали и несколько мототакси). Более всего он напоминал случайное пристанище Робинзона Крузо, и, если не считать нескольких отелей в стиле «кантри» и с десяток забегаловок, был немноголюден.

В бедном, пустом и тесном бамбуковом бунгало хватало места не только Айе (у добросердечной Дилы она жила бесплатно, «как дочь»), не только косой безумной старой деве Росе, гениальной поварихе, что в свободное от готовки время колотила по коже потертого барабана, заливаясь диким смехом, но и множеству самых странных личностей, которых выносил сюда океанский прибой.

Все это был немолодой потасканный сброд со всех уголков мира — иногда забавный, чаще неприкаянный, истерзанный жизнью и неизлечимо больной; люди, которых носит по свету с юности. Каждый являлся со своими невероятными историями, рассказанными — как в средневековых новеллах — у костра: «Когда я тридцать пять лет назад бродил по Афганистану в самый разгар войны...», «Когда я двадцать лет назад возил гашиш из Африки в Глазго...» Каждый старался переплюнуть другого в перечислении ужасов, унижений, несчастий, людской несправедливости и пережитой боли.

Они исчезали, возвращались, оставались здесь подолгу, днем блуждая по острову, валяясь на белом песчаном пляже или просаживая последние гроши в дешевых пабах, вечером сползались на огонек к Диле. А она, колобок-коротышка, покачиваясь в гамаке, пела тягучие цыганские песни под барабанный треск, шлеп и рокот ладошек безумной Росы.

Вокруг костра стояла кромешная тьма, над головой вздымались и пересыпались звездные барханы, в воде бухты что-то мерцало — кажется, то был фосфор. В полнолуние вода становилась совсем прозрачной, и если опустить в нее руку, следом тянулся шлейф мерцающих искр.

Вся эта пряная экзотика, все эти лица уже были запечатлены камерой и больше Айю не интересовали.

Она не знала, что здесь еще делать. Восторг первых месяцев обживания острова, как и блаженное чувство безопасности, испарился. Картины празднования, похорон и свадеб морских цыган залиты на диск компа и отсортированы. Этот кусочек суши, со своими пальмами и лианами, с белыми языками пляжей, вылизывающих блескучую синюю сферу небаморя; простодушные местные люди со своими причудливыми бамбуковыми хижинами на ходулях; приморенные впечатлениями туристы, как блохи скачущие с острова на остров, — все осточертело, и она скучала: эх, были бы деньги...

Когда кончился сезон дождей, она стала выходить на берег и там бродила в ожидании парома из Краби.

Причала на острове не было, так что паром сбрасывал туристов недалеко от берега. Издали завидев его приближение, местные жители уже направляли к нему свои длиннохвостые, легкие и быстрые, как стрижи, лодки.

Айя надеялась на какое-то чудо: вдруг в одной из лодок окажется кто-нибудь знакомый, и можно будет перехватить денег на дорогу до Краби, а оттуда — на Бангкок или куда угодно, где есть цивилизация, выставочные залы, галереи, лаборатории для проявки и печати наработанных снимков.

Посреди уютнейшей бухты по пояс в воде сидела курчавая зеленая скала с макаронинами мокрых лиан на макушке, словно морская пучина в результате природного катаклизма только что извергла чью-то гигантскую мятую башку со свалявшимися дредами. Айе нравилось изо дня в день смотреть на эту плюшевую дылду, она скучала без гор на горизонте, ей не хватало их для устойчивости и ориентира.

Стоял обычный для этой поры бесконечный райский день, предъявлявший наблюдателю все то, что каких-нибудь три месяца назад казалось Айе волшебным сном: сапфировые воды залива двигались, как весенний луг под свежим ветром; каракулевые облачка отзывались такому же белому песку длинных шелковистых отмелей. Искрящийся горизонт, голубые тайские лодки, высоко вознесенные гривы кокосовых пальм, а под ними несколько бамбуковых бунгало на сваях.

Невероятная тощища, хоть прыгай в море и плыви... куда-нибудь.

Она стояла, неподвижно вглядываясь в обморочную бесконечность воды: просто ступить и пойти, покатить на коньках по этой глади, как по льду, и долго катить, хотя бы до Краби. Так ясно представила эту картинку, что улыбнулась и хмыкнула: было бы здорово.

И буквально в ту же минуту из-за скалы в море показался человек с чем-то похожим на посох в руках, и человек — о, боже, так ведь это и выглядело! — стоял на волне, как Христос на водах галилейских, и довольно быстро двигался к берегу.

Она тряхнула головой, чтобы сбросить видение, и одновременно схватилась за камеру — та, как у любого профессионала, будь то охотник или фотограф, всегда была под рукой.

Ах, вот в чем дело, с облегчением поняла она: этот тип стоит на доске, отсюда незаметной. Как это называется — виндсерфинг, бодибординг? или что-то вроде...

Как внезапно он вынырнул из-за скалы!

Судя по всему, человек был совсем молод: росту невысокого, сложен аккуратно, даже грациозно. Мальчик, что ли? Его резная фигурка стоит на доске, руки ловко вращают двулопастное весло, огребая волну то справа, то слева.

Солнце било ему в спину, сияя нимбом над головой, выжигая жарево бликов вокруг доски. Ах, сколько золота! Прямо церковная утварь, а не кадр!

Была в этой картинке упоительная легкость слияния разных поверхностей: неба, воды, тонкого человечьего тела на фоне плюшевой, с лохмотьями мха, морской скалы... Да-да, так! Стой так, мальчик, стой, миленький... Она скомпоновала кадр, сняла. Еще раз. Какая воздушная картинка: танцующая на воде стрекоза. Теперь лицо взять крупнее...

Выждав минут пять, пока он подойдет ближе к берегу, она вновь скомпоновала кадр. В фокусе оказалось лицо отнюдь не мальчика — мужчины, и очень интересное лицо: жестокое и одновременно женственное. Умное и одновременно легкомысленное (будто коверный-эксцентрик на время взялся заменять актера, игравшего, например, Гамлета в сцене явления Призрака, и реплики страдающего принца путаются с цирковыми репризами).

Прожигающие глаза, молниеносные руки из тех, что, как говорит папа, «ловко вяжут узлы судьбы»... Этого человека, подумала она, никто не застанет врасплох, этот — всегда защищен. И, похоже, вовсе не так молод, каким кажется отсюда, с берега.

Стоп.

Она вдруг поняла, что видит это лицо не впервые. И поняла не в первый миг лишь потому, что в прошлый раз он был одет, да еще как одет — в дорогой модный костюм.

Врожденная, скомпенсированная, обреченная на остроту зрительная память тут же и предъявила зал кафе в центре Вены, где Айя подрабатывала на кухне, по 285 своей привычке сторонясь многолюдства. А в тот день обслужила столик только потому, что Шандор, официант, упросил: ему позвонили из дому, что сынок упал на детской площадке и сломал руку, — Шандор помчался домой, а готовый заказ тем двоим вынесла Айя.

И скорее всего, быстро о них забыла бы, если б не примечательная внешность молодого: он был обрит наголо и похож на утонченного саудовского шейха, обработанного каким-нибудь Кембриджем или Сорбонной. Другой был стар, с клочковатой сединой вокруг бугристой плеши, с пристальными глазками битого жизнью кабана.

Конечно, к вечеру она перестала о них думать; мало ли какие посетители заходят в известное кафе в центре Вены — калейдоскоп самых невероятных лиц. Но буквально следующим утром, проходя мимо афишной тумбы, увидела лицо юного шейха на афише: в концертной бабочке и с бликом в улыбке — что-то такое он, оказывается, пел в Карлскирхе, какую-то кантату или еще что-нибудь не менее отстойное — короче, шизу зеленую...

Ну и ну, думала она, — столкнуться здесь, на острове, в чертовой дали от Вены, от Европы...

Ага, еще разик, вот так... Он классно сложен, этот шейх — тонкий, ломкий, хрусткий... просто «Пастушок» Донателло. Жаль, нельзя раскрутить его на сессию снимков. Что-то не пускает ее — подойти, навязаться.

Ладно, вон уже и паром показался.

В последний раз она изменила зумом план: лицо идущего по водам оставалось неподвижным, лишь губы едва шевелились. Не иначе, кантату свою репетирует.

Непроизвольно она вслушалась... И тут ее как ледяным ветром ожгло. Нет, он не был защищен. Во всяком случае, не от нее, умеющей читать по губам. Потому *что услышала она такое, от чего чуть не села прямо на песок.*

В этих чужих, очень пластичных и легких губах профессионального певца бездумно кувыркался и нежился, то потягиваясь, то озорно подскакивая, ее родной-семейный куплетик — будто отцово дыхание донеслось: «Стака-анчики гра-ане-ны-ия... у-упа-а-али со-о стола...»

6

Высокие тополя в школьном окне: осенью желтые-желтые, как Желтухин Третий, в мае — сначала зеленоперые, сквозистые, потом облитые серебристым трепетом беспокойной лохматой листвы, от которой по парте мечутся ушастые солнечные щенки. И тенистая дорога в школу по тополиной аллее вдоль арыка — все камешки, все выбоины ее, и тот пышный сиреневый дым весной в конце аллеи, где выстроились высокие кусты сирени. Она любила эту дорогу.

И школу любила, и никто там ее никогда не обидел. Так только, однажды в седьмом классе волосатый, как орангутанг, бугай-второгодник, свалившийся к ним из другой школы, окликнул ее на перемене: «Эй ты, глухарка!» — за что в тот же день был отметелен на волейбольной площадке Сашкой Семякиным и Булатиком Ужкеновым.

Еще она обожала многодневные походы всем классом: летом — на Иссык-Куль, через Алматинское ущелье, или в Тургень, или на Большое Алматинское озеро — ледниковое, ледяное, дымно-голубое, как алмаз. Ходили в урочище Чимбулак, где смирные и густошерстные, как лохматые сумки, яки пасутся на лиловом поле цветущих горных хризантем. Весной можно пойти за подснежниками на «прилавки» и бродить там целый день: выйти на речку, сидеть на камне, глядя на искристую, струистую, пятнистую, как змея — от россыпи камушков на дне, — шкуру воды... А россыпь золота листьев — осенью, в Ботаническом саду или в Парке двадцати восьми гвардейцев-панфиловцев: пружинно-ржавое золото под ногами, желто-канареечное — над головой, и все сливается вдали в мягкое сияние, с синей сердцевиной неба на мушке жадного взгляда, всегда нащупывающего *дорогу*...

А дорога начиналась дома: больше всего Айя любила обстоятельное складывание рюкзака. Кофе всегда варил папа, и большой, круглобокий, как торпеда, немецкий термос долго держал и нежил чудесный напиток. Затем складывалась одежда — ветровка с капюшоном, свитер даже летом (в горах ночью холодно), вторая пара джинсов. Особенно тщательно проверялась обувь. Отец, у которого и самого была слабость к хорошей обуви, всегда покупал Айе лучшие кроссовки — полдела для хорошего похода.

Во всей этой подготовке уже зрело предчувствие дороги, зародыш ее, невидимое присутствие, которое росло в сердцевине души как на дрожжах. Дорога начиналась дома и могла начаться где угодно. Айя чувствовала, что неизбежность дороги может настичь ее в самых разных местах. Неизбежность дороги, потребность дороги, ее ритм, ее ветер — преодоление пути...

В походах их всегда сопровождал Климент Нилыч — муж классной руководительницы, беззаветный школьный активист, душа-человек.

Маленький, каракатый, с белоснежной скобой волос, стриженной надо лбом такой ровной полосой (словно бритвой срезано), что казалось, голова прихлопнута начищенной до блеска жестянкой. Был он фотограф-энтузиаст, и после каждого похода в фойе школы вывешивалась стенгазета с собственноручно наклеенными им снимками — смешными, памятными или просто умопомрачительно-пейзажными. Правда, его манера всюду влезать своей камерой посреди разговора или вперебивку песни у костра слегка раздражала, но был он добрейший дядька, все умел в походе, вечно таскал на горбу какие-то аптечки, колышки, разрозненный инвентарь для разных походных нужд, так что вездесущий его объектив ребята терпели.

За секунду до того, как нажать на спуск, Климент Нилыч кричал: «Момент!» Затем поднимал большой палец и самого себя хвалил: «Сила!» Само собой, дети переименовали его в «Момента Силыча».

Айя избегала его, так как Момент Силыч говорил трясучим тенорком, слегка заикаясь (а она в то время еще *выбирала* себе людей для разговора, пока не поняла, что тембр голоса и манера говорить — не самый безошибочный критерий выбора).

* * *

В девятом классе, в конце июня, небольшой группой они шли на озеро Иссык — то, что выплеснулось почти полностью во время селя в 1963 году. Все равно там было очень красиво: гигантские ели, как стада зеленых лохматых яков, гуртом паслись на скалистых отрогах, осторожно спускаясь по склонам.

На привале, когда группа распалась — кто побрел собирать цветы, кто спустился к озеру, кто просто завалился вздремнуть в тенечке, — Момент Силыч отлучился по надобности, перед тем с превеликой осторожностью, как младенца, обустроив фотоаппарат на расстеленной куртке, долго сооружая и подворачивая для безопасности высокие борта.

Айя дождалась, когда он скроется за елями, подкралась к камере, осторожно подняла ее и приблизила к глазам видоискатель. Ей пришло в голову «сфоткать» физиономию кого-нибудь из ребят в минуту, когда тот не подозревает, до чего смешна его рожа (вот обалдеет Силыч, когда среди снимков обнаружит неизвестный ему кадр).

Но едва ее глаз приник к волшебному окошку, сквозь которое мир вдруг строго ограничился и в то же время как бы сгустился, углубился, вдруг став *картиной*, она замерла и все держала и держала у глаза этот миг, длила его в растерянном и восхищенном любовании.

В кадр попали три кедра — три богатыря — и спина наклонившейся за цветком или грибом Наташи Магометовой. Айя вдруг почувствовала, что хочет *оставить себе этот миг. Навсегда* (необоримая жажда власти над временем, ради которой, по сути, она и будет носиться по свету спустя каких-нибудь несколько лет).

В ту секунду, когда палец нажал на спуск, что-то эфемерное пронеслось в кадре: воздушно-пестрый сор, досадно запорошивший поле снимка. Она подняла голову: стайка аполлонов, протанцевав вокруг ели, поднялась еще выше и скрылась порхающим косяком.

Девочка аккуратно уложила камеру в гнездо из куртки и, пока не вернулся Момент Силыч, бродила неподалеку, то и дело оборачиваясь и посматривая на фотоаппарат в задумчивом волнении.

Дня через два (Айя еще не вернулась из школы) к ним домой нагрянул Момент Силыч. Был он торжествен, даже строг и всем видом изображал серьезные намерения. Илья, который в ту минуту был страшно занят в подвале — рассаживал молодых самцов по клеткам, — удивился, обеспокоился, но все же предложил кофе. И пока молол зерна в ручной мельнице, пока топтался у плиты в ожидании, когда подойдет пенка, его волнение росло, набухая самыми невероятными предположениями, — еще бы: едва знакомый человек вваливается, с порога объявив, что дело касается «вы-вашей девочки».

Вернувшись в столовую с полной джезвой и керамическими чашками, он увидел, что фотограф сидит все так же прямо, с тем же грозным видом, положив на стол ладони, большими пальцами придерживая меж ними фотографию, точно та могла подняться в воздух и улететь. И молча, значительно, заговорщицки — глазами и подбородком — указывал на снимок. Что, черт возьми, панически пронеслось в голове у отца, может быть там зафиксировано?

На снимке — Илья мысленно сразу назвал его «Поклонение идолам» — высились три исполинских кедра, под которыми кто-то (не Айя, не Айя! — первым делом, и почему-то с облегчением) стоял на коленях в высокой траве, словно молясь божеству.

Илья как-то сразу успокоился и стал уже внимательней рассматривать тонкую, будто просвеченную солнцем девичью спину, мощные, зримо шевелящиеся ветви раскидистых кедров, брызги солнца на траве и кустах...

И — удивительно, как это удалось фотографу; видимо, снято мастером, а может, это какой-то трюк? — по всему снимку была рассыпана целая пригоршня крупных аполлонов с желтовато-белыми крыльями в черных и алых крапинах. Весь снимок — сквозистый, крапчатый, с густо перемешанными, танцующими бликами солнца, с танцующей стайкой аполлонов — был пронизан невыразимой красотой и грустью угасающего дня.

Так и не понимая, зачем ему предлагают изучить этот и вправду удачный кадр, Илья продолжал разглядывать фотографию. Трудно было отвести взгляд: в этом небольшом прямоугольнике была такая многозначная глубина и высота неба, такой ощутимый объем невозвратного мгновения...

— Ну, кы-как? — спросил фотограф. — Хороша фы... фы-оточка?

Илья поднял голову и посмотрел на него.

— Это не фоточка, — медленно отозвался он. — Это картина.

— Правильно! — с торжественным нажимом воскликнул Момент Силыч и забарабанил пальцами по столу, держа паузу, как заправский актер. — А автор ее — вы-ваша дочь!

* * *

Потом Айя приспособилась к его брызжущей пунктирной речи, и когда уж совсем они были накоротке — так, как могут быть близки только настоящий учитель и настоящий ученик, — она бесцеремонно заставляла его повторять то, чего не поняла. Если же сидели в темноте, проявляя снимки, и она не видела его лица (темнота — враг глухого) — просто клала руку ему на плечо, *прослушивая* замечания.

Он вел кружок фотографии в подвале Дворца пионеров на Березовского, недалеко от школы. Кроме Айи туда ходили еще двое, студенты художественного училища Миша и Ваня, великовозрастные бывшие пионеры, которые так и застряли навеки в лаборатории Момент Силыча. Время от времени они отпрашивались покурить, взбегали по ступенькам и пропадали на крыльце минут на двадцать. Деятельный Момент Силыч не мог остановить просветительский гон. Усаживался напротив Айи и громко (свято верил, что, если повысить голос, она *хоть что-то услышит*) говорил:

— Вот пы-первая заповедь фотографа: никакая деталь не может быть ценнее целого! Ты должна будешь учиться всю жизнь, как завещал вы-великий-ленин: сначала ти-техническая сторона, потом кы-композиция... уличная, репортажная съемка... А кы-когда ты ры-рыщешь в поисках кадра, тебе главное — что? не ти-терять ни секунды... Правильно снятый кы-кадр зависит от пы-равильно подобранной оптики и пы-правильно подобранной пы-ленки. Здесь в чем фишка? Помимо угла охвата есть пропасть ты-тонких градаций: стекло, например. Есть портретные, есть пы-пейзажные объективы. И оба не годятся для, возьмем, натюрморта... У профи — как? Никакого объектива с пы-переменным фокусным расстоянием — они заранее хуже самых пы-простых «фиксов». У профи кы-каждый объектив сидит на своем аппарате, все под рукой, все зы-заряжено, все готово к мгновенной съемке. И если гы-гребец на реке или птичка на дереве далеко, профи снимает с плеча другой аппарат, с длиннофокусным стеклом...

Он вскакивал и бегал, забывая, что каждую минуту для разговора обязан предъявлять ей лицо. Тогда она ладонью требовательно стучала по столу. Он останавливался, будто пес по команде хозяина «стоять!», и, бормоча «извини-извини», возвращался на место.

Через полгода занятий Момент Силыч снова явился «к отцу» — угрожающе серьезный, гремуче-деятельный, опять выбрав время, когда девочка в школе, будто речь должна пойти о сугубо щекотливом предмете. Отверг кофе, уселся за стол и заявил решительно:

— Вы-вот что. У меня ды-две новости: хорошая и пы-плохая. Кы-какую выбираете?

— Хорошую, конечно, — улыбаясь ответил Илья, уже все понимая про этого человека, чья личность, высказывания и даже заглазная кличка в последние месяцы буквально поселились у них в доме: «А вот Силыч говорит, что...»

— Ладно. Так вот: девочке пора пы-ереходить на сы-средний формат, то есть на широкую пленку.

— Понятно, — сказал Илья, ничего не понимая. — Это хорошо. Что для этого требуется?

— Зы-занять деньжат, — ответил Момент Силыч. — Это кы-как раз ны-новость плохая. На девочке хорошо будет смотреться шведский «Хассельблад» или хотя бы японская «Бы-броника»...

После чего он расслабился, потребовал кофе покрепче и сы-сахару не жалеть и еще с полчаса громовым голосом — очевидно, Силычу казалось, что при глухой дочери и отец туговат на ухо, — распространялся «о плюсах и минусах», вроде проблемы выбора кадров, серийной съемки со скоростью, близкой к кино, что полезно при нестатичных сы-сюжетах...

Илья дважды варил ему кофе, стараясь поспевать за объяснениями — вроде того, что «с малого формата не все угадаешь, потому что в бы-большом формате снимок приобретает неожиданные ны-новые качества». И дважды — по звону ложки о стакан — отлучался к бабушке, которая ядовитым шепотом требовала «немедленно унять этого горлопана и зануду».

Потом из школы пришла Айя, и беседа завернула на новый круг — уже совсем Илье непонятный.

Фотоаппарат (пленочный, конечно же, только пленочный) — собирались купить на Барахолке — огромной нижней части города (не доезжая до кладбища на Рыскулова — и вниз). Больше этого торжища был только Бишкекский Дордой. Барахолка тянулась в необозримую даль: целый караван базаров, свободно переходящих один в другой, с названиями, годными для имен дорогих верблюдов: Рахат, Аль-Фараби, Болашак, Европа, Барыс-3, — страна чудес, где торговали с контейнеров, прилавков, табуретов, рюкзаков, досок, положенных на кирпичи, с расстеленных на земле газет... Место, где можно было купить *всё*, с серьезным видом увлеченно добиваясь мизерной цены. Можно было купить и золотые украшения — вопреки распространенному мнению, что золото на базаре серьезные люди не покупают. Однако именно серьезные люди покупали здесь и золото тоже, уверяя, что на Барахолке оно в три раза дешевле, чем в городе. И чем дальше от дороги, тем ниже были цены, проще товар, грязнее и у́же проходы между рядами.

Само собой, продавалось здесь и все, что относилось к фотоделу.

Дважды Илья с дочерью ездили на Барахолку и, сбивая ноги, обходили все круги ада, пока не впали в отчаяние: хорошая камера в любом случае стоила не меньше «Жигулей», даже подозрительная, даже явно ворованная... а *зы-занять деньжат* было решительно не у кого: толстосумы в друзьях семьи никогда не числились. Да и с чего отдавать — с бабушкиной пенсии? с мизерной зарплаты Ильи? с небольших доходов от продажи молодых самцов-кенарей?

Но тут (не было бы счастья, да несчастье помогло, и несчастье немаленькое) скоропостижно умер Ефим Портник, штатный фотограф газеты «Караван», классный профессионал, всегда обвешанный великолепной аппаратурой. Был он уже человеком очень пожилым, но поджарым и гончим, как и полагается настоящему фотокорреспонденту; казалось, Фиме сносу не будет. Но умер он в одночасье, упав прямо на редакционной летучке, не допив своего крепчайшего кофе, не докурив сигареты.

Илья не стал бы соваться на свежее горе к Фиминой вдове, но — неисповедимы пути слухов и связей городских — подсуетился, как всегда, Разумович, через всех знакомый со всеми. И Клара Григорьевна позвонила Илье сама и пригласила прийти; подчеркнула: с девочкой.

— Я вообще-то не хотела ничего продавать, — сказала она при встрече.

Они сидели у Фимы дома, в комнате, где все вокруг говорило о его профессии, о беспорядочной стремительности его хищного ремесла, а о Кларином горе говорили только темные круги под бессонными глазами на ее спокойном лице.

— Не хотела продавать. Так и жила бы со всем вот этим... будто он еще вернется. Но Разумович рассказал о вашей девочке, и... я не знала, Илья, не знала, и мне бы хотелось помочь. Словом, забирайте.

— Как — забирайте? — спросил он в замешательстве. — Но... я хотел бы знать цену... всему этому сокровищу.

— Берите так, — устало и спокойно проговорила она. И он возмутился, вскочил, она тоже поднялась, и минут пять они хватали друг друга за руки, спорили, оба сердились, и настаивали, и соглашались, и категорически отказывались. Айя в это время, нисколько не смущаясь, осматривала шикарное фотохозяйство, разложенное на двух просторных, углом составленных столах. (Сразу выудила с полки и отложила в сторону две книги: «25 уроков фотографии» Микулина и справочник «Фотосъемка и обработка» автора с экзотической фамилией Яштолд-Говорко.)

В конце концов Илья Клару уговорил, настоял, что будет платить в рассрочку, небольшими ежемесячными суммами.

(Он и платил два года, и выплатил достойную, как считал, цену, а лет через пять случайно узнал *действительную* цену всем этим предметам — и ужаснулся. Но Клара Григорьевна к тому времени ушла вслед за своим Фимой, так что некому было ни доплачивать, ни даже вслед прокричать свою нижайшую благодарность.)

Так или иначе, Айя оказалась с богатым наследством на руках.

Оно включало: *крутой* автофокусный «Никон F5», превосходный советский «Киев 88» (содранный, как сказал Момент Силыч, заводом «Арсенал» со шведского «Хассельблада» один в один), раритетный увеличитель «Ленинград» с объективом «Индустар-50У», профессиональный «Беларусь» с системой тяжелых штанг и пружин и с особым столом, по которому ездит тубус увеличителя, если вращать колесико с ручкой. (Сооружение громоздкое, но качественное — еле втащили в дом, испугав бабушку. Та воскликнула:

— Еще одна исповедальня!

— До известной степени, — пробормотал внук.)

Ну и прочая обворожительная мелочовка: набор 297
кювет для проявки-промывки и закрепления, старое
фотореле в деревянном корпусе, с никелированными
тумблерами установки времени, пинцеты для бумаги,
бачки для проявки, фонарь для печати с набором цветных стекол и, наконец («Кому это нужно?» — удивился
Илья), старый, с полусожженными полотнищами льна,
глянцеватель.

*Проявитель и фиксаж пахли по-разному; фиксаж
отдавал восхитительной кислятиной, похожей на запах
старой грибницы.*

*Момент Силыч прибежал, целый вечер сидел, в упое-
нии перебирая хозяйство, бегал по комнате и даже для
него необычно много и бурно говорил; вдруг спохватывался
и, крутнувшись на каблуке, вытаращивал лицо навстречу
Айе, которая вовсе его на сей раз не слушала (она вообще
со временем навострилась понимать, когда стоит обращать на Силыча внимание, а когда нет).*

*— Эх, вот раньше... Небось помните, Илья, какие кы-
камеры стояли в фотоателье: стационарные, большефор-
матные, на ты-треногах! Затвора вообще не было. Фотограф, как фы-фокусник, снимал с объектива крышку,
делал такие изящные пы-пассы рукой, пока пы-птичка
пролетала, и закрывал объектив. А качество тех старых
сы-снимков — не-прев-зойден-ное! Куда там нынешней
технике...*

Так в их жизнь вошли новые предметы, понятия,
разговоры и даже окрас быта — то, что всегда сопутствует возникновению Страсти.

Бабушка к новому повороту событий отнеслась
настороженно. Сказала:

— Две страсти в одном доме — многовато.

К тому времени она сильно одряхлела, но еще ковыляла сама от кровати к туалету. Вечерами, принарядив (непременная перламутровая брошь у воротничка блузки), Илья усаживал ее в кресло в столовой, и, раскладывая пасьянс, она по привычке еще пыталась руководить ходом жизни *этих двоих упрямцев и неумех*. Под двумя страстями бабушка подразумевала и канареек, с которыми, впрочем, под конец жизни совсем свыклась — настолько свыклась, что часто просила Илью «выпустить Желтухина на подмостки. Пусть исполнит, что ли, "Стаканчики граненыя"...»

И тот исполнял. Желтухин был заслуженным *старкой*, воспитал не одно поколение артистов, свою пенсию заработал — Илья его больше не притемнял. Клетка в теплое время года стояла на широком подоконнике, на веранде, зимой перемещалась в столовую, на верхнюю крышку бабушкиного старинного бюро, и постаревший кенарь, склонив пегую головку, внимательным черным глазком сопровождал движения хозяина по дому.

Илья, вероятно, и сам чувствовал справедливость бабушкиных слов о несовместимости двух страстей. Поэтому вечерами и в выходные принялся расчищать во дворе сарай, выкидывая оттуда вековое барахло, вроде коричневых фибровых чемоданов, каких-то эвакуационных тюков, в которые никто не заглядывал десятилетиями, радиолы пятидесятых годов, проржавевшего дедова велосипеда 1949 года выпуска и несусветных довоенных тазов и кастрюль. Были и сюрпризы, вроде старого однорукого ватника — того самого, из которого тыщу лет назад маленький Илюша со Звероловом выковыривали вату для канареечных гнезд.

Все это последовало в утробу дощатой беленой помойки, и хорошо, что бабушка не видела сего кощунства.

За две недели сарай был расчищен, проконопачен по всем щелям, побелен, затемнен старыми одеялами и клеенками, оснащен специальным красным светом — одним словом, превращен в приличную фотолабораторию.

И сразу как-то все изменилось: новая неукротимая страсть дочери совпала с ее стремительным взрослением.

* * *

Первый цикл ее *рассказов* (как сама она именовала свои снимки) назывался «Ветер апортовых садов».

С него, собственно, и началась судьба ее как фотографа: две работы этого цикла были приняты на престижную фотовыставку в «Кастеевке» (Государственном музее искусств имени Абылхана Кастеева) — успех для начинающего фотографа невероятный, тем более что запечатлено на них было одно и то же, всего лишь перемещение слоев воздуха: белесовато-жемчужного теплого и голубовато-холодного, с кристальной ясностью каждой острой травинки.

Она и передала это движение через травинку: лежала в росе минут сорок, простудилась, кашляла недели две.

К тому времени (отец договорился) ей в газете перепадали задания — сначала мелкие, вроде съемки-репортажа с какого-нибудь нудного детского праздника, потом кое-что посерьезнее. К фоторепортажу требовалось писать по нескольку предложений: кто, что, по какому случаю. Она и писала: пространно, не слишком подсчитывая слова, вставляя свои замечания. Вскоре выяснилось, что у девочки неплохой стиль — легкий и внятный, с хорошо упрятанной иронией. Ее заметки и репортажи нравились главному, и он все больше ее нагружал, так что Илья даже беспокоился — не повредит ли школьным занятиям *эта беготня с дальнейшим просиживанием в сарае*.

Между тем он с наслаждением выслушивал и просматривал весь забавный улов, который дочь притаскивала к вечеру и вываливала перед ним из своего трала: все сценки и странные личности — все, что сама называла «типажным материалом».

— Завтра наделаю пробников с одной клевой тетки. Я ее давно приметила. Это *банкетная тетка:* маленькая, лицо какое-то мышье, лапки скрюченные, зубов нет. Молчит, внимательно слушает речи-выступления. Потом на фуршете, пока все общаются, ходит-ходит вокруг стола и — цап-царап с тарелок то сырок, то огрызок огурчика... И до-о-олго — невероятно долго! — разжевывает, двигает деснами без остановки, мелет-мелет-мелет. А глазки-бусины мышастые так и рыщут по столу, и вся она, все ее существо — в поиске и жевании. Глаза — отдельно от нижней части лица... Я смотрю, смотрю, бегаю-снимаю, вытаращилась вся, смотрю — не налюбуюсь!

Тут вступала бабушка:

— Чем там любоваться! — негодовала она. — Пожилой человек, неустроенный, больной... Неприлично на такое пялиться!

— Как неприлично? — вскидывалась Айя. — Ты что, ба! Любить — неприлично?! Как можно такой типаж пропустить?.. Понимаешь, какая штука, — говорила она отцу, — движение в фотографии передать очень просто. Гораздо сложнее передать синхронность всех колесиков самокатящейся жизни. Или, например, вот — запахи. Я пытаюсь — пока не получается...

* * *

...Запахи, особенно запахи апортовых садов, она с раннего детства воспринимала своим обостренным обонянием как нечто сокровенное, личное, унаследованное по праву. Она и много лет спустя, в невообразимой дали от дома, стоя на берегу океана и глядя в слепящую синь, заряженную мощной стихией запахов: водорослей, рыбьей чешуи, мокрого камня, песка и просмоленных лодочных досок, могла без труда воссоздать в носовых пазухах *точный отпечаток многоструйной симфонии запахов сада, терпкий аккорд, в котором слились* острый весенний запах старых тополей (палые ветви, кора, резковатая пыль); плесневелый дух грибницы после дождя; прозрачный аромат цветущих яблонь и несладкий и тонкий, но парящий над всем садом незабываемый апорт, его душистая кислинка.

А сколько всего под яблонями растет — и пахнет, пахнет до одури: клевер белый и красный, на солнце млеющий до приторности; робкий и чистый завей одуванчиков — целые поляны их простирались вокруг; пыльный, старо-сарайный душок крапивы и подорожника, с его росой и улитками чуть не на каждом листе; сыровато-земляной, простодушный, грустный запах лесных фиалок...

Где яблонь нет, там другие травы, степные — тысячелистник, зверобой, душица, — и пахнут они острее и вольнее. Колючий лиловый репейник — тот на

302 ощупь неприветливый, а пахнет так нежно, так сладостно — медом.

А клубничные поля, с их волнистым запахом, вздымающим гребень до верхушек яблонь, а благородно-сдержанный, чуть клейкий аромат черной смородины, а малиновые поля — горечь самих кустов, и изысканный, жеманный — «на цыпочках» — запах самих ягод.

В терновниках и барбарисниках всегда пахнет паутиной: за нее столько всего зацепилось и нагревалось там, в упругой тишине неподвижного воздуха.

И совсем другие запахи жили в той части сада, где росли дикие сорта яблонь и груш — резкие, терпкие, диковато-птичьи. Там и птиц было много, потому как от жилья далеко и тишина необозримая...

Бодрые, веселые, спокойные запахи вокруг поливных установок — там всегда вода, поэтому много высоченной, зеленой и сочной мяты; вода ледяная, а вокруг все прогрето солнцем: горячая трава, раскаленные огромные камни, и надо всем витает прелестно-девичий (барышня-крестьянка) ягодный дух ежевики...

Осенью — дурманящий хор зрелых запахов: спелые яблоки, земля после дождя, мокрая палая листва, грибы.

А весной, едва просядет снежный наст, проявятся мышиные дорожки: паутина канавок, по которым мышиный народ рыщет-снует под снегом целую зиму...

* * *

Зимой она и стала уходить...

Поначалу просто убегала тайком на лыжах в самый дальний конец сада, где дубовая аллея и терновник, —

встречать рассвет. И бабушка, и отец строжайше запрещали одной ходить в сад, да еще так далеко: мало ли какой гибельный шатун может туда забрести. Но это было так здорово, так вольно и никому не подвластно, что часто Айя еще затемно с лыжами под мышкой выскальзывала из дома, стараясь бесшумно отворить дверь веранды, затем скрипучую дверь калитки, вставала на лыжи и катила, катила по снегу, чтобы поспеть к той минуте, когда горячая горбушка новорожденного солнца выпрыгнет над пиками елей, разом окрашивая в розовое и небо, и снег.

К тому времени участились ее ссоры с бабушкой, которые вскоре переросли в настоящие войны — с переменными атаками, потерями в живой силе, краткими перемириями. Старуха, сидящая в кресле и еле добредавшая до насущной цели в коридоре, все еще хотела руководить «детьми» и наставлять их. И если Илья по своему обыкновению снисходительно выслушивал указания, не переча бабушке, то Айя каждым словом и действием отвоевывала еще пядь своей территории, еще вершок самостоятельности.

Знаменитое властное бабушкино «помолчи!» с этой девочкой не срабатывало.

Еще пятилетней она как-то спросила отца:

— А бабушка — твоя мама? — И на его задумчиво-от-рицательное мычание: — А где твоя мама?

— Она... она умерла, — торопливо проговорил он, так как на пороге кухни, где они прикрепляли кормушки в двух новых клетках, возникла бабушка.

— А где ж ее портрет? — не отставала дочь, глядя ясными требовательными глазами. — Где портрет твоей мамы?

И тут своим коронным непререкаемым тоном бабушка крикнула:

— Помолчи!

Смешно и грустно сознавать: у Ильи от этого окрика до сих пор все внутри сжималось.

— Почему? — без малейшей заминки спросила Айя. И повернувшись к отцу, с недоумением: — Папа! Разве один человек может приказать другому: «Молчи!»?

...Бабушка настаивала на слуховом аппарате, твердила:

— Нечего колесо изобретать: люди с подобной инвалидностью всегда использовали усилители слуха. Кроме того, существует элементарная вежливость по отношению к окружающим.

Все это сильно Илью огорчало: и ненужные, неточные, безжалостные слова бабушки, и откровенная грубость Айи в ответ. Девочка была умна, насмешлива, как мать, умела уколоть не только словом, но и жестом.

— Кто инвалид? — вкрадчиво спрашивала она и кивала на бабушкину коляску. — Кто из нас двоих — инвалид?

Илья метался между обеими, любимыми, успокаивая одну, увещевая другую, урезонивая каждую по отдельности.

Однажды после очередной стычки с бабушкой зареванная Айя спустилась в подвал, где он колдовал над смесями кормов для молодых самцов, и проговорила отрывистым умоляющим голосом:

— Давай убежим!

Он удивился, растерялся... отложил в сторону пинцет и плошечки, не знал, как относиться к этим ее словам. Разом сильно расстроился и поспешил это скрыть за усмешкой:

— Как это — убежим? Куда?

— Неважно! — серьезно ответила она, не желая обращать это в шутку. — Надо спасаться!

— Ты шутишь, — огорченно проговорил он с обидой за бабушку: подобные вещи даже в пылу ссоры недопустимо произносить. — А как же наша старушка? Она беспомощна, дряхлеет с каждым днем. Она скоро умрет, Айя!

— За ней Разумович присмотрит! — нетерпеливо отмахнулась дочь, перебирая ногами, как стреноженный жеребенок. — Он ей и так во всем поддакивает, как раб запроданный.

И вдруг воспрянула, вдохновленная какими-то своими мыслями или планами:

— Серьезно, пап! Давай скроемся. — Вдруг подалась к отцу, крепко обняла его, прижалась. — Бежать! — пробормотала заговорщицки. — Бежать от нее, папа!

— Прекрати! — крикнул он, снимая со своей шеи руки дочери. — Как ты можешь! Неужели не понимаешь, что... ты меня ужасно этим огорчаешь, ужасно! Ты что, совсем не привязана к... дому, к нам с бабушкой?!. Кроме того, существует жизнь: моя работа, твоя школа... мои птицы... Да нет! — и сам на себя осердясь, что позволил втянуть себя, и даже серьезно втянуть, в эти дикие рассуждения, воскликнул: — Бред и чепуха! Чтоб я больше никогда не слышал.

Но глухой и прерывистый, как дыхание беглеца, страх, задавленный, еще детский, связанный с той тоненькой с огромными безумными глазами, что бежала за ним по другой стороне улицы, жалко и неистово натыкаясь на прохожих, — этот страх нет-нет и сжимал его сердце. Он видел, как ускользает дочь — как отдаляется ее доверчивая душа, отвердевает характер; понимал, что она не готова ни на йоту поступиться тем, что считает для себя важным. Чувствовал, насколько она решительнее, смелее, прямее да и попросту сильнее его. Разве это хорошо, смятенно думал он, для девушки?

Ее прямота казалась чрезмерной. Опасной! Даже губительной.

* * *

Ранней осенью в десятом классе Айя пропала на два дня, причем без всякой причины, вроде очередной ссоры с бабушкой; исчезла внезапно, догадавшись, слава богу, попросить одноклассницу позвонить и передать отцу, что «вернется, когда ее дом потянет». Полумертвый Илья полночи бегал по городу, а вторую половину просидел — в плаще, в туфлях, с шарфом на шее, чтобы «в случае чего быть готовым» (к чему?), — у постели угасающей бабушки, мягко отвечая на ее отрывистые вопросы:

— Ты позвонил в милицию?! Надо объявить розыск, слушай меня, я знаю, что говорю! Ты еще пожалеешь! — и так далее, успокаивая и держась лишь на одном этом звонке одноклассницы, лелея надежду, что «дом потянет» дочь уже утром.

Однако вернулась она лишь через день, устало-увлеченная, с несколькими ищелканными пленками, кажется, искренне не понимая — а что такого ужасного в ее *очень нужной отлучке?* Она ж предупредила, что все будет хорошо, и вот, все хорошо — она дома!

И глядела с недоумением, улыбаясь впечатлениям от поездки, с каким-то вдохновенным жаром подробно рассказывая, как села в электричку наобум, нарочно не спрашивая направления, и ехала долго — «куда-то вдаль, короче»; как слезла «ты не поверишь — черт-те где!» и просто пошла по полустанку, снимая все под-

ряд («Папа, ты не представляешь, какие кадры слови-
ла! Вот погоди, завтра проявлю...»); как попросилась
на ночлег к официантке вокзального буфета («Милая
такая тетка, две пленки на нее ушло — такие глаза бес-
шабашно-ласковые, а нос — как с другого лица: грозный, топориком. И щи у нее *мировецкие* — пап, почему
мы никогда щи не готовим?»)...

И отец в горьком отчаянии не мог объяснить ей,
в чем, собственно, ее вина, и — «Почему, ну почему
"люди так не поступают"? Какие люди? И где пропе-
чатано, как можно поступать, а как нельзя?» — и главное, в чем опасность такого бродяжничества по полям
и по горам беззащитной юной девушки с дорогущей
камерой на шее.

*Впоследствии она научилась в незнакомых местах
доставать камеру не в первую же секунду, а хотя бы
оглянувшись по сторонам. Но пришло это гораздо позже,
после кражи в Риме, ночного ограбления в сумрачной, с
красноватыми бликами факельных шествий, Авиле, но
главное — после страшного нападения в Рио, на темной и
вонючей улочке фавелы, где Айю, сброшенную в сточную
канаву, подобрала Анна-Луиза, в свои девятнадцать лет
уже вся исколотая и изможденная, и где Айя все-таки
выжила, провалявшись месяц в местном госпитале «Сан-
маритано» с тяжелым сотрясением мозга, переломами
ребер и ножевым ранением в спину.*

...Илья смотрел в милое, еще такое полудетское — а
для него всегда полудетское — лицо Айи, отлично понимая, что она сознательно и даже наступательно рас-
ширяет границы своей свободы, великую битву за эту
свободу ведет.

Глядел, сумрачно завидуя, страдая и втайне восхищаясь дочерью.

Слуховой аппарат они все же заказали, навестив для этого уже старенького Рачковского, который из больницы давно ушел, но все еще принимал пациентов частным образом у себя дома. Он-то решение одобрил (сам уже давно ходил со слуховым аппаратом).

— Ну вот, — сказал удовлетворенно. — Теперь ты услышишь многие звуки, которые были тебе не по карману. По большому счету, эта штука просто усилит всю страшную тарабарщину, которая нас окружает. Твоему мозгу, который шестнадцать лет ничего подобного не знал, предстоит адова работа: разобрать и разложить по полочкам звучащий мир. Главное, выделить из всего этого шума самое нужное: человеческую речь...

Они молча возвращались от Рачковского, и опять Илья боялся — видно, он обречен был всю жизнь чего-нибудь да бояться — этой новости в их жизни. Шел, держа дочь за руку, что-то мягко и убедительно говорил о масле, которым каши не испортишь...

Оказалось, еще как испортишь! Впервые надев аппарат, она просто пришла в ужас. Изумленное, ошарашенное, искаженное мукой лицо; необъезженная лошадка, на которую впервые накинули уздечку. Вынула аппарат, потрясла головой, словно пчел из ушей вытряхивала, и сказала:

— Боже, в каком вы все живете грохоте, папа!

Потом начались мигрени. Она терпела, шутила, что ее мозг, как компьютер, перерабатывает ту невнятную трескотню, которую она слышит вместо речи, и выдает все варианты сложения звуков в слова, пока не выберет подходящий.

Потом стала отлынивать от этой тяготы. В конце концов аппарат был сослан в коробочку в ванной,
откуда извлекался крайне редко, время от времени —
если присутствие на очередном многолюдном сбори-
ще, вроде открытия выставки, невозможно было отменить.

* * *

Впоследствии, раздумывая над переменой в их
жизни, Илья грешил на несчастные апортовые сады,
поглотившие его дочь так надолго и, как считал он, до
известной степени безвозвратно. Но растущий ком
отчуждения, поистине снежный, собирался из мно-
жества самых разных событий.

Вот еще что выпало на этот мучительный период: история с летящим яблоком, брошенным с грузовика.

...Айе исполнилось лет пятнадцать, когда с подругой
Милкой она гуляла по проспекту Аль-Фараби, объезд-
ной кольцевой дороге неподалеку от дома.

Их обогнал грузовик — обычный армейский грузовик с брезентовым верхом, в котором сидели четверо
солдат на ящиках с апортом. Обогнав девочек, солдатики что-то приветливо прокричали, а один, высунув-
шись из-под навеса, перегнулся через борт и с силой
кинул им огромное яблоко.

Этот роскошный, твердый, увесистый плод, обретя
в полете дополнительную силу скорости, как маленький снаряд прилетел Айе прямо в левую грудь, нежно припухшую за последний год. От силы удара и от
страшной боли, пронзившей левую половину тела, де-

310 вочка упала и долго молча корчилась на асфальте, прижимая обе ладони к левой груди, будто клялась кому-то в вечной любви, а вокруг нее на коленках ползала перепуганная, плачущая от жалости Милка.

В последующие две недели Айя с отцом, уверенным, что у дочери сломано ребро, перебывали у нескольких врачей и дважды делали снимок. Ребра оказались целы, а мнения специалистов разделились, от «все пройдет» до мрачноватых прогнозов чуть ли не прогрессирующего паралича.

Тогда разъяренный Илья прекратил эти визиты.

Чудовищный разлапый краб синяка месяца полтора не сходил с кожи, очень медленно выцветая перламутровыми тонами какой-то канареечной окраски, пока, наконец, не сошел вовсе. Но грудь...

Левая грудь потом всегда отставала от правой, всегда чуть запаздывала, доставляя этим Айе ужасные мучения и сомнения в своей женской полноценности.

Впрочем, никто из ее мужчин никогда не замечал разницы. Никто, кроме...

...кроме одного нашего общего знакомого, обреченного на невероятную наблюдательность вовсе не интимного, а скорее профессионального свойства...

— А эти милые разлученные грудки,— спросил он, поднявшись и набрасывая рубашку, чтобы выйти на палубу. — Они у тебя росли наперегонки?

И потрясенная его приметливостью, она села, рывком натянув на грудь простыню, расплакалась и вдруг одним духом рассказала историю о прилетевшем яблоке, хотя никогда никому об этом не говорила.

Он не стал отирать ей слезы, лишь медленно стянул простыню, полюбовался еще, склоняя голову так и сяк. Восхищенным шепотком пробормотал:

— Амазонка!

Опять не позволил натянуть простыню, сдернул ее совсем и с небрежной уверенностью заметил:

— Они сравняются... Когда наполнятся молоком.

7

И вот тут, будто не хватало других забот и сложностей, объявился Фридрих.

Сначала позвонила Роза, вечный провозвестник ненужной маеты.

В последние годы она приутихла, очень располнела, стала гораздо мягче — и к строптивой племяннице, и к ее бирюку-отцу. Вышла на пенсию и нянчила двух внучат-близнецов, которых ей подсудобил старший сын, отослав к матери свою жену с детьми — сначала «на лето», после оказалось — на неопределенный срок, «пока подрастут».

Обычно, попав на Илью, Роза требовала на ковер Айю (та давно уже избегала теткиных выволочек), и — мучительно-комическая ситуация: Илья должен был служить заочным толмачом между двумя этими непростыми особами, в паузах вытаращивая глаза, высовывая язык, как загнанный пес, изнывая от желания бросить трубку и пойти по своим делам. Дочь стояла рядом, молча корчась от смеха. При известном усилии она могла приспособиться к колебанию мембраны и услышать тетку сама, но это обстоятельство они дружно держали в секрете: Роза была очень многословна, говорила утомительно высоким голосом и вообще «несла страшную ахинею».

На сей раз она не потребовала к телефону девочку, а сказала Илье:

— Слушай... Такое дело тут. Родственничек нагрянул.

— И что же? — стараясь не раздражаться, спросил он, хотя раздражала его Роза точно так же, как и семнадцать лет назад.

В самом деле: почему он должен вникать во все визиты ее многочисленной сельской родни?

— Представляешь, это брат, который из Германии. То есть из Лондона, он сейчас в Лондоне живет.

Она всегда ухитрялась звонить в разгар какого-нибудь срочного дела. Илья и сейчас с огромным удовольствием бросил бы трубку, оборвав невнятицу этой бестолковой бабы.

— Роза! — мягко проговорил он. — Пожалуйста, именно сейчас я немного занят. Скажи сразу и коротко, что ты хочешь, а то я как-то...

— Господи! — воскликнула она. — Ну что ты такой *бестолковый!* Я говорю о брате, которого мы в глаза не видали. Военный роман моего отца, ну! Помнишь, дед слал открытки одной немке?

Ах вот оно что... Военно-полевой роман Ванильного Деда...

Он вдруг вспомнил кудрявую вязь на обороте старой открытки и давно забытую фотографию молодой блондинки с белобрысым, но скуласто-раскосым мальчиком. Ага-а. Ария заморского гостя. Бедная замордованная Роза: тут и внучки тебе, и *неблагодарная* невестка, а теперь и новоявленного брата принимай-обхаживай...

Да нет, торопливо объясняла Роза, никакого беспокойства этот парень не делает. Он, между прочим, большая шишка в каком-то международном бизнесе. Что-то там с персидскими коврами. Сейчас их фирма выходит на Казахстан, и, короче, он вдруг вспомнил, что у него тут родня. Понимаешь, его мать, Гертруда, давно умерла, он тоже не мальчик. Видимо, потянуло к неведомой сестре и племянникам. Такие подарки привез, я тебе скажу... Представляешь, открывается дверь, и навстречу мне плывет ковер-самолет... Ну, в смысле... Ну, ты понимаешь... Красота неописуемая! Значит, Айе он приходится... кем — двоюродным дедом, да?

— Да-да, — нетерпеливо пробормотал Илья, подгоняя ее к сути звонка и заодно к его завершению, как пастушья собака по вечернему времени гонит глупую овцу в загон. — Так что он хочет, этот коверный дед?

— Ничего! Просто познакомиться с родней, пока все мы не передохли. Очень симпатичный парень, лет где-то за пятьдесят, но моложавый, подтянутый — приятно посмотреть. Знаешь, так странно: он похож на папину фотографию в молодости, еще до ранения. Папа ведь красавцем был. Я аж прослезилась. А в этом еще и пропасть западного шарма, и такая... немецкая основательность. И умен, по глазам видно!

«Умен, — подумал Илья чуть не с отвращением. — У тебя, как послушать, все умники и все с бездной западного шарма».

А она уже частила:

— Время, знаешь, идет, мы не вечные, все надо простить — все грехи наших родителей, и всем обняться! Вот я и подумала: соберемся у меня в воскресенье, а? Часиков в двенадцать. Он здесь всего ничего: неделю.

Этого еще не хватало, подумал Илья, — часиков в двенадцать! Потерять чуть не все воскресенье. Выдержать бесконечное Розино застолье — нужно обладать железными нервами и стальным желудком. И каким образом с гостем будет общаться Айя? Он наверняка едва лепечет по-русски и наверняка абсолютно ей не нужен — последний довод он привел в надежде увильнуть от поклонения немецкому ковру-самолету.

— Нет, что ты! — воскликнула Роза. — Ты удивишься: он по-русски так и шпарит, прямо поразительно! И практически без акцента. Он закончил МГУ, что-то там научное и всегда, говорит, всегда испытывал интерес к своим «русским корням». Русским! Ну, правильно, для них тогда все наши солдаты были русскими. Слушай, долблю тебе полчаса: отличный парень, душа-человек. Познакомься, не повредит. Может, и пригодится...

— Да чем он мне пригодится! — гаркнул Илья с уже нескрываемой досадой, вполне, впрочем, обреченной, ибо знал: и потащится, и будет сидеть, и потеряет, как обычно, целое воскресенье, да еще нажрется жирной, тяжелой для его печени вкуснотищей.

— Так, значит, договорились, детки? — не слушая, завершила Роза и, как это частенько с ней случалось в конце разговора, добавила на глупой старчески-слезливой ноте: — Все же родная кровь не водица...

...То, что родная кровь не водица, новый родственник (здоровяк-плейбой, широким лицом и седой шевелюрой походивший, скорее, на преуспевавшего фермера из-под Хьюстона) продемонстрировал, едва увидел Айю, — простер обе руки, ахнул и головой покачал:

— С ума сойти, как похожа!

Далее, к изумлению Ильи, который искренне считал, что более всего дочь похожа именно на него,

Фридрих заявил, что девочка — вылитый Гюнтер в юности.

Кто такой Гюнтер, ради бога?

— Мой сын, — охотно ответил гость. — Просто одно лицо, с поправкой на возраст и пол, конечно.

Почему же, сладко воскликнула Роза, почему ты не прихватил его с собой?! Расскажи — чем он занят, твой мальчик? где он сейчас?

На это Фридрих спокойно отозвался: в тюрьме. И будет занят там еще двенадцать лет, так как убил человека в вооруженном ограблении.

Над столом воцарилась тишина, которую нарушали дракой за новый, подаренный гостем электронный автомобиль пыхтящие Розины внуки.

А он и вправду забавный мужик, подумал Илья.

Видимо, сходство девочки с его беспутным сыном произвело на Фридриха такое впечатление, что из оставшихся трех дней в Алма-Ате один он чуть не весь провел с внучатой племянницей: они ходили на выставку фотографий, где висели два ее «Ветра в апортовых садах», и потом до вечера гуляли по городу. А когда стемнело, в кабине фуникулера, всплывавшей над острыми пиками елей, поднялись на Кок-Тюбе, где с площадки открывался вид, как отметил гость, «из первейших в мире»: до кромки горизонта разлилось и шевелилось море огней со сверкающим утесом гостиницы «Казахстан», увенчанным рубиновой короной, с золотой змеей проспекта Аль-Фараби, с едва видимой, но ощутимо доминирующей над долиной громадой черных гор. И довершая картину, над этим праздничным кипением пульсировали красные огоньки пролетавших самолетов.

Там же случилась встреча Фридриха с одним челове-
ком («моим давним московским другом»), которая по-
казалась наблюдательной девочке странноватой. Они
встретились так бурно, словно не виделись лет двад-
цать, но, переведя взгляд на Айю, тот вдруг кивнул и
спросил:

— Племянница, которая фотографирует?

Откуда же он знал?

Он предложил Айе называть его «дядя Андрей», по-
тому что, оказывается, в молодости знал и маму, и папу.
Но разговор этот завел не сразу.

Сначала они с Фридрихом долго обсуждали какую-то
скучную абракадабру, какие-то контейнеры, какие-то
химические названия. Айя перестала всматриваться в
движение губ, отвернулась и стала любоваться свер-
кающим морем драгоценных горячих огней внизу, над
которым холодно и надменно сияла голубая горная луна.
Оживленно обернувшись, чтобы сказать Фридриху, что...
в губах «дяди Андрея» она увидела вскользь брошенное:

— А девочка — красотка...

— То-то и оно, — отозвался Фридрих.

— Бедняжка...

И Фридрих, на полуулыбке:

— А ты полегче: мы фантастически понимаем по гу-
бам...

Вот тогда «дядя Андрей» сообщил Айе (преувеличен-
но, как дурак, выпячивая и кривя речь в толстых губах),
что когда-то знал ее родителей.

— Такая веселая компания собралась, — сказал он. —
Твоя мама была прелестной женщиной. Прелестной!

И что-то такое было в этих его неприличных губах,
что Айя молча отвернулась.

А последний перед отъездом вечер Фридрих вообще просидел с девочкой в бывшем сарае во дворе,

задумчиво разглядывая фотографии, выхватывая из косого кургана на длинном «верстаке» то один снимок, то другой, возвращаясь к уже рассмотренным портретам или натюрмортам, выставляя их перед собой в ряд, чертыхаясь восторженным шепотом и хватаясь за щеку, точно у него болел зуб, — и надо отдать ему должное, был совершенно искренен: такое восхищение подделать невозможно (так впоследствии растерянно объяснял себе Илья) — да и к чему?

Потом немецкий гость долго сидел у них за чаем («О, насчет чая, знаете, я совершенно русский, вернее, совершенный англичанин, то есть казах казахом: смело наливайте молока по самый край!») и рассказывал массу поразительных историй из области искусства ковроткачества; например, о знаменитом «Весеннем ковре» персидского царя Хосрова Первого, сплетенном в шестом веке в честь победы персов над римлянами.

— Представьте гигантских размеров ковровое полотно: 122 метра в длину, 30 — в ширину и весит несколько тонн! Но главное — узор: земля, вода, цветы и деревья — все выткано из золота, драгоценных камней и самоцветов. Говорят, когда ковер расстилали, по залу проносилось весеннее благоухание садов пленительной Персии!

Он словно бы и не замечал ревнивого раздражения Ильи, который ничего не мог с собой поделать: от этого златоуста с его учтивой благожелательностью, ненатужным юмором и великолепным откуда-то русским языком исходило не весеннее благоухание садов, а необъяснимая опасность, какие-то смутные будущие несчастья, и лучше бы он поскорее убрался в свой Берлин, Лондон или где там его нора, несмотря на его восхищение фотографиями, канарейками и антикварным бабушкиным бюро (немедленно были названы стиль, эпоха и век изготовления и попутно даны два отменных совета по очистке *доски*).

— Кстати, вы, конечно, знаете, Илья, что самыми заядлыми покупателями русской канарейки были именно персы, иранские шахи, да-да... Но, что весьма огорчительно, на Востоке был повсеместно распространен бессердечный обычай: бедной птахе удаляли глаза кусочком раскаленной проволоки — чтобы слаще пела. Да-да, ужасно... что поделать: восточный обиход.

Зато бабушке Фридрих очень понравился. Она уже редко выезжала в кресле к столу, с трудом держала чашку в дрожащей руке. А на сей раз, это ж надо, потребовала парадного выезда. Илья облачил ее в нарядную шелковую блузку (брошь на месте и благородно гармонирует с желтоватой сединой жидких косиц, все так же ровно выложенных надо лбом), набросил на плечи шаль и вывез к гостю; знакомство состоялось. Старуха была чрезвычайно оживлена, и точно бес ее обуял — расспрашивала и расспрашивала гостя, задавая все новые вопросы, вызывая на новые — отрицать невозможно — остроумные, замечательно законченные, точно отрепетированные истории, случаи и анекдоты.

Илья с самого начала приметил быстрый острый блеск в глазах дочери, не сводившей взгляда с лица Фридриха: она жадно впитывала все эти звучные книжные названия, все эти *Портобелло-роуд, Кенсингтон, Вест-Энд и Сити, Тегеран и Исфахан*... Он не мог ошибиться: этот лихорадочный горячий блеск всегда предшествовал ее вылетам из клетки.

Ах, новоявленный родственничек, сирена заморская... Он, конечно, просто не понимал, с каким играет огнем, а объяснить ему что-либо в присутствии девочки было невозможно. Но бабушка-то, бабушка! Маразм! — в бешенстве думал Илья. Уж она-то, ей-богу, должна понимать, что творит.

— Видишь ли, девочка моя, — проникновенно говорил Фридрих. — Талант — это не подарок небес. Это кредит с высокими процентами. Можно, конечно, разбазарить его по мелочовке: фоторепортажи, местная газетка, то, се... Но если ты хоть немного этот свой талант уважаешь, то будешь пахать на него всю жизнь, и к концу дай бог убедиться, что ты хотя бы по процентам чиста. Ты ему всю жизнь обязана служить верой и правдой, как... как раб! Например, *обязана* получить настоящее образование! Сегодня, чтобы конкурировать с мастерами мирового уровня, в какой угодно области — в дизайне, в рекламе, в компьютерных технологиях, — необходимо постоянно быть в курсе, быть в тонусе, быть всюду одновременно. А образование нужно получать на Западе, не здесь.

По тому, как Фридрих раскраснелся, как говорил — все быстрее и сумбурнее, явно забыв, что стоило бы четче выговаривать слова, чтобы не напрягать так девочку, — было заметно, что он и сам увлекся. Витым черенком позолоченной чайной ложечки (ее Айе «на зубок» подарил Разумович, и с тех пор ложечка выдавалась только самым дорогим гостям) Фридрих, говоря, машинально чертил по клеенке, быстро обводя ее ромбовидные узоры, иногда спохватываясь и с досадливым выражением откладывая ложечку в сторону, точно опомнясь: да, узорчик простой, не персидский ковер, увы...

«Вдохновлен! — подумал Илья, чуть ли не с ненавистью глядя на гостя. — Озабочен судьбой провинциальной девочки».

— Отчего бы тебе не приехать в Лондон? — продолжал Фридрих. — У нас отличный арт-колледж, есть у кого поучиться. Там и выход на серьезные галереи, я бы тебя познакомил кое с кем из галеристов. У нас с женой приличная халупа, уж найдем для тебя чуланчик...

— Никуда она не поедет! — оборвал его Илья. — Здесь тоже есть, где и у кого учиться.

Господи, да откуда он взялся такой, с этими «халупами» и «чуланчиками» — энергично-усмешливый, наступательный, уверенный в каждом слове чужого языка?!

Почему в эти минуты перед глазами замаячило давнее, плывущее в жемчужном мареве лицо Земфиры? Почему Илья вдруг так ясно увидел ее, сидящую на камне поодаль от Зверолова, в чьих руках ловко и неотвратимо скользили петли, петли, петли? Этого Илья не знал, но бегущие облака, и голая грудь Зверолова с оттиском верблюжьего копыта, и обморочное кружение света в листьях над головой, в клочьях облаков...

Нет, сейчас он и сам был зрелым, в возрасте, мужиком, сейчас уже не ахнул бы, как тогда, в подвале у Морковного; сейчас ничуть бы не удивился той неравной любви.

Он догадывался, как беззащитен любой человек перед подземной тягой, перед могучим биением кровавого пульса в висках, того, что смывает любые условности и любые соображения о правилах хорошего тона, о родственных связях, о разнице в возрасте и прочих достойных соображениях.

Резко повторил:

— Никуда она не поедет!

И вполголоса, отвернувшись от дочери и опустив голову, чтобы та не смогла прочесть его слов по губам:

— Вы что, не понимаете, что у нас случай не прогулочный?

— Она прекрасно общается! — приветливо возразил гость.

— По-русски. Но не по-английски.

— Приспособится! — И рукой махнул. — Это дело привычки. Юность — самый прекрасный трамплин к преодолению...

— Про что вы говорите, па-апа? — громко, растягивая гласные больше, чем обычно (признак волнения), спросила Айя. — По-че-му-у ты бормо-очешь мне на-зло?

— Не груби отцу! — отчеканила бабка.

— Я-а не спроси-и-ла тебя-а-а! — в ярости пропела девочка и вскочила, с грохотом отставив стул. — Я са-ама, са-ама решу сво-ою-у жизнь!

Она взмахнула рукой, и на пол со звоном упал фруктовый нож — Илья не был уверен, что задетый случайно.

— О!.. Прошу меня извинить! — Фридрих в смущении поднял руки, как бы сдаваясь, — вальяжный такой добродушный медведь. При этом Илья мог поклясться, что никакого смущения гость не испытывал. — Сожалею, что послужил причиной ссоры. Айя! — серьезно и четко проговорил он, ловя ее взгляд. — Такое, конечно, следует обговаривать с близкими людьми. Твой отец прав.

— К тому же гражданам Казахстана затруднительно и дороговато порхать по заграницам, — добавил Илья, пытаясь сгладить конфликт. Впрочем, он совсем был не в курсе этих материй. — Вероятно, визы добывать — это...

— О, вот это — совершенная чепуха! — пожал плечами Фридрих. — Уж это совсем не препятствие, поверьте. У меня есть кое-какие возможности одолеть пограничные глупости за считаные минуты.

И дальше он постарался исправить минувшую неловкость, чрезвычайно увлекательно — как сюжет триллера — продолжая рассказывать истории, и не только о персидских коврах — которые, кстати, ткали еще две с половиной тысячи лет назад, и, вы не поверите, тем же способом, что и сегодня!

...Когда вечером, переодев в ночное и уложив бабушку, Илья по привычке присел на краешке «рыдвана» в ногах у дочери, придерживая ладонь на ее щиколотке — так она лучше его *слышала*, — они долго молчали. Он видел, как взбудоражена девочка волшебным возникновением этого «окна в Европу», боялся взбаламутить того дракона, вернее, того скакуна, в которого она на глазах превращалась, едва вдали замаячит какой-нибудь мираж. Чувствовал: стоит сказать о Фридрихе что-то хорошее, как-то *уравновесить, обезболить* этот нервный вечер.

Вместо этого легко, оживленно проговорил:

— Представляешь, есть такая наука — нейроэтология. Она занимается нейрогенезом, в частности и у канареек. Мы сейчас работаем над этим с Мишей Никулиным из Института зоологии, а потом опубликуем совместную статью. Так вот, оказывается, в мозгу у канареек постоянно зарождаются новые нейроны, способные в некоторых случаях заменять старые. То есть в нервные сети все время включаются новые нейроны, и значит, канарейка способна разнообразить свою песнь в течение всей жизни. Таким образом, мозг пожилого кенаря...

Она молчала, слегка отвернув к стене голову. На их языке это означало одно: ей осточертели его канарейки, и она слышать не желает ничего об их идиотском пожилом мозге.

Он проговорил задумчиво:

— Все же его русский поразителен... Невероятно! Этого не должно быть.

— Почему? — спросила она, мгновенно повернув голову. — Тебе же объяснили: всю жизнь им занимался, интерес к корням... Московский университет, да и жена русская...

— Никакой университет не дает такого непринужденного владения языком, — возразил Илья.

— Ну и что? — спросила она.

— Ничего, — помолчав, отозвался отец. — Думаю, он много лет жил в Советском Союзе.

И долго еще сидел в ногах у дочери на краешке «рыдвана», ладонью чувствуя ее тонкую щиколотку. Когда она уснула, убрал руку и пробормотал самому себе:

— И вообще: если б не явное семейное сходство, я бы решил, что никакой это не Фридрих.

* * *

Недели через две пришел на имя Айи от Фридриха пакет, в котором оказался открытый самолетный билет в Лондон с коротеньким смешноватым письмом, в котором дорогая Айя («...моя дорогая девочка, моя сюрпризная внучка») была приглашена жить в его доме столько, «сколько понадобится ее таланту и судьбе».

Эта открытка и этот билет (вообще, вся эта проклятая диверсия!) — при всей осторожности Ильи, особенно в последние два месяца, когда, взяв отпуск по уходу, он преданно обслуживал умиравшую бабушку, и силы и нервы его были напряжены до предела, — послужили причиной первой настоящей сильной ссоры между ним и дочерью. Раз пять он громко перечитывал письмо, издевательским тоном повторяя: «Дорогая девочка! — И голосом нажимая: — *Его* дорогая девочка!!!» — бледнея на этих словах, стыдясь этого тона, мысленно приказывая себе уняться и вновь потрясая листком, и презирая себя за возмутительные подозрения и ужасные картины, что возникали перед его глазами на этих, в сущности, невинных фразах, написанных сердечным пожилым человеком, ничего, кроме добра, не желающим внучатой племяннице...

Айя же в ответ плакала, *выпевая* невозможно оскорбительные тирады о его запертой жизни-клетке с канарейками и старухой-тюремщицей, о его трусости, боязни открыть окно и выпрыгнуть в нормальную жизнь.

— Твой дед уже выпрыгнул! — выдохнул он мстительно. И она немедленно отрезала:

— Твой тоже!

* * *

Вообще, с годами его характер портился. Он и сам понимал, что постепенно становится настоящим мизантропом и сам виноват в этом неприятном превращении. Не раз себе повторял, что сотни тысяч мужчин, случается, теряют жен, тысячи из них сами воспитывают детей, а у сотен бывает такая же беда с детьми, какая стряслась у него...

Но никто не ограничивает себя четырьмя стенами дома и работы, канареечной перепиской и обучающей фонограммой в исповедальне. Да ты и сам посадил себя в клетку, говорил он себе в иные бессонные ночи, а теперь добиваешься, чтобы в этой же клетке рядом с тобой взрослела и старилась твоя единственная дочь, ненаглядная твоя птичка.

Но бывали и хорошие дни, когда он убеждал себя, что все не так мрачно: вот, появились новые интересные знакомства в Институте зоологии в Академгородке, а весной он повезет на конкурс в Душанбе трех новых кенарей, и один — невероятный талант, да и два других уверенно ведут свою вполне оригинальную плановую песню; что в его переписке с канароводами и заводчиками разных стран зафиксированы поразительно интересные моменты, которые стоило бы систематизировать и, возможно, издать отдельной брошюрой. Что в специальных статьях на него и его опыт довольно часто ссылаются и что вот-вот он наконец сможет ездить повсюду — ведь его приглашают чуть не каждый месяц, — уйдет из газеты и сможет ездить, когда... Когда станет чуток свободнее.

Эту свою преступно вымечтанную на рассвете будущую *свободу* он мысленно отодвигал, стыдясь потаенных надежд: здорово устал за последние годы, когда бабушка, пересев в кресло, стала совсем слабенькой, но, верная себе, отказывалась от помощи посторонних *наемных* людей (произносила это слово с омерзением, точно речь шла о наемных убийцах), доверяя лишь рукам внука да еще Разумовича, своего преданного ученика, а тот в последние месяцы и сам сильно болел, даже флейту забросил...

Внешне за прошедшие годы Илья не сильно изменился: несколько пополнел, что благодаря его росту не слишком сказалось на фигуре, приобрел аккуратную благородную лысину в обрамлении припорошенных сединой вьющихся волос, отпустил шкиперскую бородку, уже совершенно седую, и стал носить роговые очки, сквозь притемненные стекла которых его глубокие темно-карие глаза глядели еще многозначительней.

Женщины попроще назвали бы его «представительным мужиком» или «интересным дядькой»; те, что *с запросами*, именовали «интеллигентным мужчиной». За все эти годы у него были мимолетные связи как с теми, так и с другими. Из серьезных отношений — один лишь тяжелый и нервный роман с милой Виолой Кондратьевной, «нашим любимым тренером», которая искренне не могла понять, почему они, двое свободных, любящих друг друга людей, до сих пор не могут устроить свою судьбу и свой дом.

— Почему?! — вскрикивала она в сотый раз. И он терпеливо ей отвечал, ласково вороша по-прежнему буйные, но уже поседевшие ее кудри (и она их не красила):

— Ну, Васенька... — (Он даже в постели называл ее «Васькой Буслаевым» — так, как давным-давно, еще в первую встречу, они с дочерью ее назвали.) — Я несвободный человек, Васенька, и ты это знаешь. Чуток подождем. — Опять-таки, мысленно подразумевая и мысленно отодвигая взросление дочери и бабушкин уход. И разрыв их был таким же тяжелым, нервным, прерывистым — с возвращением на два-три месяца, с бурным примирением, с возрожденными надеждами на будущее — и с окончательным финалом и телефонным ее плачем навзрыд.

И даже себе он не признавался, что истинной причиной его мужской отрешенности было давным-давно данное самому себе слово, что ни зубная щетка, ни «шампуньки», ни шелковый облепиховый крем, которым и он иногда пользовался зимой, если сильно обветривались губы, — словом, весь пестрый и милый вздор, принадлежащий дочери и щебечущими окликами разбросанный по дому, — никогда не потеснится ничьим иным *бабским* барахлом.

Из-за того, что ночами по нескольку раз он поднимался — *проверить* бабушку, переодеть ее в чистое, укрыть потеплее или дать горячего чаю (та пристрастилась к чаепитию глубокой ночью, говорила, что это «согревает нутро»), — его сон совершенно расстроился. Темными часами много думалось о жизни вообще, о том, что же все-таки с ним стряслось, и о дочери, о дочери, конечно же. О дочери...

Однажды вдруг пришло в голову, что, в сущности, он ничего не знал о своей жене. Куда подевались Гулины друзья после ее смерти — вся эта раскованная веселая орда, остроумцы и умельцы в любую минуту «сбацать» все, что душе угодно? Эта чудесная братия, что вваливалась гурьбой в кафе «Театральное» и просиживала там часами или со страшным хохотом облепляла поезд детской железной дороги в парке Горького (это развлечение почему-то считалось особым кайфом)?

Сейчас он уже не мог сказать, была ли его Гуля на самом деле талантливой скрипачкой или со временем превратилась бы в обычную училку соседней музыкальной школы, пополнела бы и огрузла, заодно и поглупев, как ее тетка Роза.

И лишь суховатое тело усопшей скрипки в черном футляре, обернутое в саван синего бархата, да еще его умница-дочь возражали этим ночным горько-меланхоличным мыслям.

Ранней весной одно за другим произошли два события: умерла бабушка Зинаида Константиновна,
и почти сразу, будто бы торопясь догнать ее в пути,
чтобы поддержать и составить компанию — там, где
все равно предстаешь на суровый суд одиноким как
перст, — скончался ее преданный ученик Разумович.
Их даже и похоронили неподалеку друг от друга — на
Рыскулова. Будет удобно за могилами ухаживать, сми-
ренно и деловито подумал Илья.

Он устал и был чертовски задерган — и в последние бабушкины дни, и с похоронами, что шли одни за
другим: надо было помочь вдове Разумовича, Марине
Владимировне, даме в быту совершенно беспомощной, учесть и устроить множество неотложных дел.

В тягостные дни бесконечного и мучительного бабушкиного умирания, осложненные еще тем, что старухе совсем отказало тело, но цепкий и беспощадный
ум продолжал надзирать, а язык еще ворочался, давая
указания, обвиняя и напоминая обо всех давних мелких обидах, — в эти дни Айя демонстративно пропа-
дала из дому с утра до вечера.

Однажды отец с горечью сказал ей:

— Знаешь, это уже предательство! Ты не ее преда-
ешь, а меня.

Айя долго смотрела ему в глаза, будто вдруг утра-
тила способность *слышать* его и сейчас мучительно
вдумывалась в шевеление отцовских губ.

— Нет, я тебя никогда не предам, папа, — наконец
сказала она.

— Куда ж ты уходишь все время? — спросил он в
отчаянии. — Что ты ищешь?!

— Ищу... — И впервые странно, не в лицо ему глядя, а мимо, мимо, куда-то за окно, она пробормота-

ла: — Я тебя освободить хочу. Помнишь, как в сказке: дойти туда, где спрятана душа Кащея?

И была так серьезна, что он содрогнулся и лишь рукой махнул ей: уходи!

— Где она?.. — стонала бабушка, высохшая, выбеленная, выдубленная годами и болезнью. — Где ее носит... проклятая кровь... Боже, как это мне напоминает... Если б ты знал, если б ты мог понять...

И ему хотелось крикнуть: «Так расскажи мне, наконец, объясни мне все, чтобы я *мог понять* всю мою жизнь, всю мою обрыдлую жизнь!!!»

Сидя у ее постели, время от времени воображал — *сценически, в лицах*, — как в последние минуты скажет ей, умирающей:

— Где моя мать, ты ответишь мне, ужасная старуха?! Где она?! Да была ли она вообще?!

Но ничего этого, конечно, не сказал. Наоборот — был очень нежен, до последней ее минуты делая все, что в таких случаях полагается делать заботливым сыновьям и внукам.

* * *

После похорон, рассеянно блуждая по дому и пока еще не зная, не понимая, что делать с огромной пустотой и долгожданной свободой, все еще привязанный к опустелой бабушкиной кровати невидимыми, но ощутимо прочными нитями привычки и бессонных бдений, он решил *уравновесить себя* — заняться запущенными домашними делами, например, для начала разобрать документы и фотографии в ее вечно запер-

330 том бюро (все же антиквариат, изящная вещь и все такое — старуха уверяла, что бюро принадлежало еще ее бабке, но, скорее всего, и это был миф) и передать его затем во владение дочери — а кому ж еще?

Ключ отыскался в кармане старого бабушкиного халата (где спрятана душа Кащея?), и потребовалась смазка и некоторое усилие, чтобы замок сработал; старуха не открывала бюро много лет.

На полках и полочках этого уютного шкафчика с откидной доской, пахнущего старым деревом, старыми бумагами и пролитыми сорок лет назад духами «Красная Москва», в полном порядке лежали перехваченные резинкой и надписанные по месяцам и годам фронтовые письма деда, бабушкиного мужа, до самой его гибели в марте 44-го (последним, сверху, было письмо командира); грамоты с бабушкиной работы советских времен и его, Ильи, школьные грамоты с первого по десятый класс. Кроме того, бюро оказалось набитым какой-то старой чепухой: программками давних спектаклей, поздравительными открытками, какими-то письмами от давних знакомых по санаториям... Были и три альбома с фотографиями, в том числе и старыми, с уютным коричневато-замшевым светом, с резными краями, обрамлявшими добросовестно запечатленный миг. А, вот и старинная одесская фотография неизвестной барышни с кенарем, так и не выброшенная после смерти Зверолова, — ну что с ней делать? да пусть лежит. Многие снимки были *с ампутированными членами*, отрезанными ровно, по линейке. Илья представил себе эту школьную линейку в руках бабушки: как она выравнивала ее, чтобы отрезать ножницами и выбросить в мусорное ведро некое детское, а потом и юное, и молодое лицо, которое... много бы Илья отдал, чтобы увидеть ту, отрезанную...

Коробку с тремя колечками (серебро, финифть... ничего особенного — куда их? Айя такого не носит), ну и прочее мелкое достояние минувшей жизни он сгреб в деревянную шкатулку и снес в подвал — *к птицам*.

Там шкатулку обшарила Айя, сразу объявив, что лично ей от бабушки ничего не нужно. Но она готовила серию натюрмортов для весенней выставки «Голос старых вещей» и уже совершила рейд по соседским сараям, выудив где старый китайский термос, где металлическую кошелку для яиц, где круглый глазастый будильник и отлично сохранившийся приемник «Рига»... И кучу еще какого-то барахла сороковых-пятидесятых годов.

— А это что? — спросила она.

Илья обернулся и увидел, что дочь извлекла из шкатулки и рассматривает круглую... да, старинную царскую монету с двуглавым орлом.

— А, это от Зверолова осталось, — сказал он. — Валялась в его «рундуке». Красивая, правда? Есть в ней стиль...

Она согласилась.

— Это что — серебро?

— Похоже на то... Видишь, тут на оборотной стороне чеканка: «3 рубли на серебро 1828 Спб». Можно просверлить дырочку и носить как кулон, — добавил он.

— Лучше серьгой сделать.

— Ну уж и серьгой... Крупновата.

— Я заберу? — спросила она.

— Да ради бога.

Затем ему пришло в голову почистить пожухлое дерево шкафчика и отлакировать — опять же занятие. Выдвинул все ящики, каждый промыл и протер тряпкой со скипидаром, умиротворенно посвистывая в тон старичку Желтухину, чувствуя, как новое, еще непривычное чувство покоя и благодарности — чему? жизни, вероятно, — постепенно, как робкий любовный озноб, проникает в душу. И когда перевернул и уложил шкафчик на бок, из щели между задней стенкой и одним из пустых ящиков показался уголок листа, за который Илья потянул, медленно извлекая из давней ловушки. Он бы машинально смял и этот листок и выбросил в корзину для бумаг вслед остальным «санаторным» письмам, если б внимание не привлек странный, никогда не виданный почерк, и первые же на листке оглушившие его слова: «...клинаю тебя горячо, глубоко, от всего моего сердца — насквозь!»

Почерк был бегущий, захлебывающийся, с неожиданным выхлестом высоких петель, хвостов и спинок у некоторых букв.

Илья стал читать, продираясь через все эти петли и отчаянный захлеб, холодея, веря, не веря, постепенно понимая, что держит в руках чудом уцелевший листок явно уничтоженного письма своей матери к бабушке. Письмо было написано, конечно же, безумным, слабым, но восставшим человеком, и яркая хлещущая боль стегала бы наотмашь любого, кто читал его, не только сына:

«...живу только верой, что тебе воздастся за все твое зло, за то, что с детства топтала меня, искалечила душу, отняла ребенка, за мою тоску и горе, за всю твою великую подлость, жестокость и ханжество! А та моя последняя встреча с послушным тебе негодя...» — на этом все обрывалось — ужасно, безнадежно. Навеки.

Он сидел на низком табурете возле поверженного шкафчика и, как ему казалось, безучастно смотрел в окно на полыхающее облако скумпии у ступеней крыльца. Желтухин Третий изливался лучшей своей арией, чередуя одну за другой россыпи и смеющиеся овсянки, пересыпая их увертливой скороговоркой флейты, выворачивая на звонкие открытые бубенцы. А после крошечной паузы, хитро скосив на хозяина глазик-бусину, выдал залихватские «Стаканчики граненыя».

Вот и все мое наследство, подумал Илья, сложил листок вчетверо и опустил в нагрудный карман рубашки. Но весь день тот жег его сквозь материю, и трижды Илья перепрятывал этот вопящий огрызок письма, чтобы, не дай бог, не нашла его Айя.

Подумал, усмехнувшись: ну вот... Я уж и сам стал «лакировщиком действительности»...

* * *

Дней через пять позвонила вдова Разумовича Марина Владимировна, попросила прийти, помочь. Она, как выяснилось, занималась ровно тем же, что Илья: разбирала бумаги. Странным и торопливым ему показалось это будничное желание вдовы «немедленно расчистить конюшни», как сама она и выразилась; «выбросить побольше барахла — знаешь, он всю жизнь копил кучу ненужных вещей»...

(В эту минуту Илья вспомнил другую вдову — Клару Григорьевну, которой хотелось оставить все, *как было при Фиме*, словно тот вернется и станет проявлять вчерашние снимки... Вдо́вы, конечно, тоже разными бывают, подумал он.)

— Научную переписку я уже отобрала, — сказала Марина Владимировна. — Вдруг кому-то из коллег что-то покажется важным. Но там есть письма и открытки от незнакомых мне людей, и нет сил все это прочитывать: у меня, Илюша, что-то зрение совсем поплошало. Вот если б ты взял на себя труд просмотреть... — И торопливо добавила: — Да и не старайся особо: если видишь, что «дела давно минувших дней» и чепуха поздравлений, — в мусор, в мусор! Мы и так за последние годы немыслимо заросли бумагами. Я давно говорю — к черту все эти дурацкие архивы! Некому их оставлять.

Сначала Илья решил выкинуть все, даже не проглядывая; но врожденная порядочность и опрятность в любых делах (бабушкино воспитание) взяли верх, он стал заглядывать в адрес-имя отправителя, пробегать глазами первую строчку...

...потом сокрушался, что многое все же выкинул гуртом, не глядя. Так мог и этот конверт выкинуть — с тонким листком внутри, с обеих сторон исписанным одним-единственным словом, вернее двумя словами, намертво сцепленными, как судорожные руки эпилептика: «*Конеццитаты, конеццитаты, конеццитаты...*» Мог бы выкинуть, если б глаз не споткнулся о тот же характерный почерк, со странным выхлестом петель и хвостов, — словно буквы этих запертых слов, подобно узникам темницы, стремились набросить петлю веревки на трубу соседней крыши, закрепиться над бездной, найти опору и — бежать!

Все это, вкупе с тем, недельной давности листком, Илью ошеломило; показалось неким давним посланием лично ему, украденным посланием от матери; а теперь ищи-свищи объяснений, продолжения и развязки. «Как в романах Стивенсона», — подумал он, и продолжал сидеть, держа в руках на первый взгляд бессмысленный, но так много говорящий ему листок, в полной невозможности двинуться и даже отозваться на приглашение Марины Владимировны из кухни «сделать кофейный перерыв».

...Бессонная ночь, последовавшая за этими событиями (он даже и не ложился; просидел на кухне до рассвета, до первого сонного попискивания канареек, до возбужденной птичьей перебранки за окном: «Влипли! Влипли!» — и в ответ: «Истриби! Истриби!», а после — размеренное, звонкое, троекратно отбитое отрешенным маятником: «Дней десять, дней десять, дней десять...»), — эта ночь стала бездонной утробой, переваривающей всю его жизнь.

Он размышлял: приходился ли Разумович ему отцом, стоит ли расспрашивать об этом вдову (решил, что не стоит); знала ли что-либо об этом обстоятельстве бабушка, а если знала, то... то как могла не только смириться с этим, но и взять Разумовича в союзники против своей несчастной дочери? Почему, наконец, оба они всю жизнь так упорно, так надежно и заговорщицы скрывали от него это обстоятельство — как двое убийц скрывают место захоронения своей жертвы?

Впервые он осознал, как странно родственно, странно близко всегда находился Разумович к их семье. Впервые припомнил ясно, со многими подробностями, как часто тот являлся в дом, нагруженный сумками «с разной там чепухой» («чепухой» оказывались дефицитные продукты, новый спортивный костюм для мальчика, рулоны туалетной бумаги и все

Дина Рубина. *Русская канарейка*

остальное, что в разные годы жизни трудно было *доставать*, а Разумович это умел — он все умел, кроме как на флейте играть).

Итак, возможно ль, что бабушка сделала выбор в пользу... дефицита?! Нет, нет! Только не это! Тут что-то другое...

Впервые Илья подумал о своем отчестве — Константинович. С самого его детства в семье подразумевалось, что отчество у него — как у бабушки и Зверолова, и это правильно и очень здорово, что все втроем они такие ровные и рослые *константиновичи*. Когда Зверолов хотел за что-то похвалить мальчика, он говорил: «Наша порода!» А тут впервые Илья вспомнил, внутренне ахнув, что Разумович-то, господи, ведь Разумович у нас — кто? Константин Аркадьевич, вот кто... Отчего же, даже странно — отчего никогда это имя не отзывалось колоколом в твоей груди? Совпадение? Возможно, что и совпадение. Но тебе-то, с этакой-то *ничейной судьбой*, следовало повнимательней быть, подозрительней быть даже и к совпадениям!..

Искать свою мать он не стал — из-за природной своей нерешительности, медлительности, замкнутости и грусти. Но для себя, глядя на дочь, многое решил раз и навсегда. И спустя неделю после потрясших его находок, когда в очередной раз, черкнув уже привычную писульку: «Па! Не волнуйся — найдусь!», она пропала и вернулась через два дня, сильно обгоревшая под ранним горным солнцем, он посадил ее перед собой и, с мучительной любовью глядя на высокие Гулины скулы, на карие, с зеленцой, охотничьи глаза под ласточкиными бровями, на облупленный под солнцем широковатый нос («моя азиатчина!»), тихо и решительно проговорил:

— Я хочу, чтобы ты знала, Айя: ты свободна. Ты навсегда и совершенно свободна. И хотя мне будет горько расставание, я пойму и... и приму твой выбор.

Весь этот вечер она была рядом. Долго толклась с ним в подвале *у птиц*, смотрела, как монтирует он на компьютере плановую песню для нового кенаря, рассказывала что-то смешное, все время ластилась.

Прощаясь на ночь, крепко его обняла.

А наутро исчезла.

Леон

1

А сейчас хотелось бы в двух словах отделаться от Ируси — белобрысой девочки с разными глазами, тискавшей лет около семидесяти назад свою любимую и тоже разноглазую кошку-альбиноса (ныне давно упокоенную с праотцами, как и некоторые из героев нашего романа).

От Ируси хотелось бы отделаться как можно скорее, беглым очерком обрисовав ее бледную и, в сущности, незначительную жизнь; незначительную, впрочем, только для нашего повествования.

В остальном все обстоит благополучно: Ируся и сейчас живет на пенсии в своем Норильске, или, как сама она пишет дочери и внуку — *доживает* («не жизнь, а сплошное мучение, скриплю потихоньку...»). Но уверяем вас, скрипеть она сможет, да еще в таком бодрящем климате, не один десяток лет.

Похоже, что Ируся, во всем столь отличная от Этингеров, унаследовала лишь Дорину страсть к поиску в себе разнообразных немочей.

Она с детства в этом поиске преуспела, вдумчиво исследуя собственное тело, заботливо, как опытная сиделка, приглядывая за каждым захворавшим органом, поощряя его к терпению и придавая бодрости духа.

Спросит ее мать с утра:

— Ирусь, шо эт мордаха у тебя малахольная?

А та ей в ответ умильно:

— Но-ожка плачет!

Немедленно Стеша бросается стянуть чулочек. Да: синяк на *щиколке* — это со вчера, об дверь ударилась. Другой ребенок и забыл бы давно, и помчался во двор доигрывать в салочки или в классики. Но только не Ируся, нет.

Причем ангины, простуды, ушибы, занозы и воспаления следовали друг за другом таким ровным строем, что возникало подозрение (во всяком случае, у Эськи, которую Ируся вслед за матерью звала Барышней), что девочка сама зорко послеживает, дружно ли строй шагает, не запаздывает ли кто, ровно ли отбивает шаг. Проходил синяк — на другое утро *плакал* следующий Ирусин подопечный: горлышко, ручка, спинка и даже попка.

Барышня в таких случаях закатывала глаза и восклицала прокуренным голосом: «Герцль! Где моя грудка?» Стеша молча отворачивалась, ничем на это не отзываясь: страстно любила дочь, искала и находила в ней черты обоих Этингеров.

Во всем остальном послушней и скромнее Ируси не было ребенка. И ученицы старательней — тоже не было: грамоты из класса в класс, стенгазета, общественная работа (на классных линейках Ирусе доверяли *контроль за чистоту рук и воротничков*); и вечно она — ответственная дежурная, староста класса, комсорг, а по окончании школы — серебряная медалистка.

— И шо ж это ток серебряная по бедности?! отчего не брильянтовая? — ядовито спрашивала соседка Лида. Она подметала Потемкинскую лестницу, подбирая монетки, в том числе иностранные, и потому *имела престиж от жильцов за валютную должность.* (Заметим вскользь — только не от Этингеров, которые помнили ее «девочкой» из заведения напротив.)

— Я вас умоляю, Лидия Ивановна! — с достоинством отвечала Стеша на этот ничтожный демарш. — Будто секрет какой. А *пятый пункт!* Где вы у нас видали дать *аиду*[1] золотую медаль!

Ну, пятый пункт или какой там еще, обсуждать не станем, а только музыкальных талантов, присущих этому самому *пункту,* и в частности, всем Этингерам, за Ирусей не числилось. Да и не то что талантов: элементарного музыкального слуха — и того, как говорила Эська, «у природы для нее не нашлось». А жаль: жаль, когда пустует свято-семейное место.

(К тому времени доцент кафедры вокала Эсфирь Гавриловна Этингер — худенькая, как подросток, с прямой спиной, седым ежиком на голове, в дыму вечно зажженной папиросы — занимала видное положение в жюри городских и республиканских конкурсов. Благодаря острому языку и неподкупно-тяжелому характеру она давно стала легендой консерваторского фольклора.)

Немузыкальная Ируся поступила в политех на химико-технологический и тем же аллюром — комсорг, редактор институтской стенгазеты, ленинская стипен-

---

1 Еврей (*идиш*).

диатка — на пятом курсе вышла замуж — благополучно, благовоспитанно, «с таблеткой анальгина за щекой» (это уже Эськино замечание, и мы не станем его комментировать).

Между прочим, была Ируся очень даже хорошенькой, *аккуратной* в чертах лица блондинкой, и самоцветная серо-каряя перекличка ее удлиненных глаз казалась, особенно при электрическом освещении, преддверием некой тайны, обещанием какого-то генетического избытка, неслыханного богатства клеток и молекул старинного рода, жадно выплеснутых в этом своем представителе. Во всяком случае, парней, влюбленных в два этих разных профиля, было немало.

А вышла Ируся за однокурсника — надежного, крепкого в плечах и шее, быковатого и хозяйственного парня из Николаева с фамилией для такой внешности неожиданной, подходящей скорее провинциальному актеру или начинающей поэтессе: Недотрога.

— Владислав Недотрога! — прокаркала Барышня после знакомства. Захохотала, выдохнула дым через ноздри, как дракон, таранными струями и припечатала: — Жуть!

— А шо такое?! — возмутилась Стеша, которой Владик понравился своей основательностью, порядочностью, круглой рыжей головой на массивном туловище. — Человек фамилию не выбирает.

— Еще как выбирает! — возразила та, придавливая и покручивая в пепельнице окурок. — И уж нам с тобой это отлично известно. — Она вздохнула и небрежно закончила: — Поелику у нашей дуры нет никакого вкуса, она наверняка станет Ириной Недотрогой.

Та и стала ею, и, честно говоря, мы бы не осуждали столь категорично это заурядное обстоятельство. Ибо оно известно: муж — иголка, жена — нитка; куда иголка, туда и Ируся Недотрога.

И после скромной свадьбы (у невесты, умудрившейся простудиться в августе, *плакало горлышко*, но к памятнику Неизвестному матросу на Аллею Славы молодожены, как заведено, *съездили и возложили*, а свадебный стол — *весь двор наскрозь!* — зареванная и счастливая Стеша соорудила завидный: соседи обсуждали *до ноябрьских*) — так вот, после свадьбы молодые уехали по распределению аж в Норильск.

* * *

«Места, — писала Ируся в ежедневных, как утренняя зарядка, цветастых открытках, — *романтические*: здесь еще стоят пустые лагеря, обнесенные проволокой...» Раз в месяц приходили и подробные письма, которые от начала до конца способна была осилить одна лишь Стеша с ее героической любовью. Это были восторженные передовицы; из них можно было узнать практически все об освоении минерально-сырьевой базы Енисейского Севера, о высоких позициях на мировых рынках *нашей* металлопродукции, о богатейшей истории предприятия «Норильский комбинат».

— Красота! — говорила Стеша, целуя письмо после завершения немыслимых усилий по преодолению тундры мелко-кудрявистых, как карликовая береза, дружно-сплошных слов Ирусиных посланий, в производственный смысл которых особо не вникала, прозревая сквозь них все, что было необходимо ее материнскому сердцу: что дочь счастлива, мужем любима, устроена и зарабатывает бешеные деньги с северной надбавкой.

— Ужас, — отзывалась на это Эська. — Не удивлюсь, если образовательный ценз населения в тех страшных местах самый высокий в мире. Можно представить, сколько доживает там бывших зэков — всех этих академиков, профессоров, на худой случай — дирижеров симфонических оркестров...

С наступлением июня молодые, *скучая за Одессой*, приехали в отпуск домой — прогреться, загореть и, как говорила Ируся, «навитамининиться». Жили у Этингеров, объедались фруктами, попутно поглощая несметное количество Стешиных деликатесов (от которых не поправиться за всю жизнь умудрилась одна лишь Барышня, до сих пор свободно застегивающая на себе кружевную блузку из «венского гардероба»), и купались в горячих волнах Стешиной любви, слегка приперченных шипящим прибоем едких Эськиных замечаний.

На время их гостевания Эська перебралась в Стешину вековечную каморку на антресоли, где они спали валетом на древнем топчане, предоставив «нашим северянам» удобную комнату.

Рыжий Владик, судя по всему, стал ценным специалистом в цехе электролиза никеля, ибо говорить, рассуждать и спорить он мог только об одном — об электролизе никеля, — хотя обеим женщинам нечем было отозваться на эту острую тему.

«Грелись» молодые на всю катушку, загорая до обугленного мяса на плечах и спинах. Ездили в Аркадию, на Ланжерон, на станции Фонтана, где на буро-золотистых «скалках» в воде произрастали целые колонии мидий. Хозяйственный Владик прихватывал из дому кастрюлю и рис и — Геркулес с рыжекурчавыми плечами и грудью, в синих сатиновых плавках, завязанных на боку бязевыми тесемками, — входил в воду и отдирал от «скалок» крупные мидии. Прополоскав их в воде, тут же на пляже и варил вместе с рисом.

344 Мидии в кипятке раскрывались, краснели, рис булькал и вздыхал, набухая. Это варево, именуемое *пловом*,
Владик с Ирусей обстоятельно съедали до последней
рисинки, не обращая внимания на песок, поскрипывающий на зубах.

А уже перед самым отъездом втроем со Стешей
дружно отправились на Привоз *делать базар* и до изнеможения («ой, ну мы ухря-а-апались!») ходили по
огромным и гулким корпусам — молочным, мясным
и рыбным, — по рядам между тачечниками с их рогатыми тачками, торгуясь, ругаясь, отходя и вновь возвращаясь к каким-нибудь помидорам, коим предстоял завораживающий перелет в край вечной мерзлоты
и северного сияния.

— Бабуся, а, к примеру, морковочка ваша почем?..
Та ты шо, бабка, а так, шоб взять?

Напоследок закупились «Куяльником».

Так называлась минеральная вода с Куяльницкого
лимана, особо ценимая бесплодными женщинами за
явления чудес *на предмет забеременеть*. Но сколько
тех бутылок увезешь в Норильск!

Так вот, у входа на Привоз на расстеленной мешковине сидел перед горкой свернутых из газеты фунтиков старый еврей, подслеповатый задохлик с глоткой, трубящей, как иерихонская труба:

— Покупайте порошок — каждый сам себе Куяльник! — ревел он с земли на манер ветхозаветного пророка Илии, воздевая обе руки с фунтиками. В фунтике
содержалась *жмэнька* некоего порошка, из которого,
ежели ссыпать его в стакан и размешать *хорошэсэнько*,
получалась та самая живая вода «Куяльник» — живая
настолько, что не беременел от нее только последний
идиот. Плати, бери-размешивай и хоть бочками пей. —

Покупайте порошок — каждый сам себе Куяльник! — выкрикивал продавец. Его «инвалидка» — жестяная коробка на колесах — стояла рядом, как смирная пожилая лошадь. Старик иногда и подвозкой подрабатывал, если у кого хватало храбрости или безумия в его таратайку лезть. — Каждый сам себе Куяльник, каждый сам себе курорт! — самозабвенно выпевал многотрубный пророк. — Покупайте-размножайтесь, вспоминайте дядя Юзя!

...И то ли чудодейственная вода сработала, то ли на время перестали у Ируси *плакать* жизненно важные для такого дела органы, а только вскоре она прислала жалобно-восторженное письмо, которое несентиментальная Барышня назвала «песнью торжествующего Куяльника»: Ируся забеременела, и с зачатия у нее уже *плакало* все, из чего состоит женский организм.

Стеша тоже — от радости — проплакала всю ночь, Эська же отреагировала по-своему. Она сказала:

— Как все это некстати!

— Господи! — возмущенно выпалила Стеша. — Да как у вас язык не отвалится, Барышня!

На что та философски отозвалась:

— Пусть отвалится все, только не язык. — Подумала и со вкусом добавила: — Вот увидишь: очень скоро у мадам Недотроги заплачет каждая клеточка, и ребенка пришлют к нам заказной бандеролью навеки — «прогреться» и «навитаминиться».

Стеша в сердцах отмахнулась. Она-то была счастлива заполучить Ирусю вместе с мужем и ребенком и до конца своих дней варить, жарить и печь, и спать валетом с кем угодно на своем топчане, молясь на эту святую троицу. Но понимала, что Барышня смотрит на вещи иначе.

И знаете что? Барышня-то оказалась права. Только в сроках немного ошиблась. Девочку прислали чуть позже, лет в шесть, ибо эта рыжуха...

Но — ша! пусть сперва появится на свет.

Начальство не отпускало Владика с производства, что-то там, как обычно, горело, план, как и положено ему, трещал по швам, а преданная и ответственная Ируся не пожелала оставить мужа в таких сложных обстоятельствах и *ехать рожать в свое удовольствие на всесоюзном курорте*.

Пришлось беспокойной Стеше впервые в жизни совершить грандиозное путешествие в недра полярной ночи (второе и окончательное путешествие в противоположную сторону — чуть ли не в Африку — она совершит перед смертью, будучи уже глубокой старухой).

С неделю до отъезда она керогазила с утра до вечера, не выходя во двор, — аж синий дым восходил под высокий потолок кухни. Даже Лида сказала:

— Мадам Этингер, вы шо — сказилися? Вы всех белых ведмедей положили там накормить?

Стеша на ответ не потратилась — силы берегла. Путь предстоял страшенный, аж голова кругом: сначала поездом до Москвы (куда ее должен был сопроводить один услужливый и доверенный Барышнин студент), а там самолетом до Норильска.

Шесть часов в небе-то провисеть, а?! шутка?! Не до парка Шевченко прогуляться...

* * *

Это путешествие, вкупе с рождением вожделенной внучки, осталось для Стеши вторым великим вос-

поминанием жизни. Во всяком случае, и много лет
спустя она рассказывала о нем *последнему по времени
Этингеру* с неиссякаемой силой свежего впечатления,
а тот внимательно слушал, и казалось, этот странный
мальчик мысленно вносит ее рассказ в какой-то свой
секретный реестр.

— Молодежи та-ам!.. Одна мо́лодежь, — рассказывала Стеша. — За мной там по улице Ленина толпы
таскались: гляди, мол, гляди, какое чудо — *бабушка*
приехала. Да еще в полярную ночь приперлась. Они
вообще все шебутные там, молодые, горластые, друг к
дружке ходят в гости целой компанией из дома в дом,
всю ночь куролесят... Особо, я ка-а-ак вывалила на
стол свою провизию — тут полный аншлаг с оваци-
ями! Там же у них что? В сентябре Енисей замерза-
ет — значит, навигация накрылась. И хоть вешайся:
в магазинах полный ажур — засохшая оленина, как
доска в дачном заборе, ну и частик в томате. Но при-
том в домах столы накрыты вкусно: и компоты варят,
и пироги пекут... У меня Ируся на сносях, все тело у
ней, у бедной, *плачет*, тут приходит с работы Владик
и говорит: в цех сегодня капусту привезли, сколько
брать? «Ну что, — говорю, — килограмма два бери?» —
«Какие килограммы, вы шо, мамаша! У нас мешками
берут, на всю зиму солят». И притаскивает огро-о-
о-мный мешок полумерзлой капусты, да и как встали
мы с ним, да как пошла рубка, шо у твоих казаков —
только ошметья по кухне летят. Заквасили в двух
огромных двухведерных кастрюлях... А погоды там, я
те доложу, — ну, жу-у-уткие! Морозище, ветра такие,
не ухватишься за фонарь или ограду — запросто в тун-
дру снесет. Меня там чуть под грузовик не затянуло.
Чую — тащит меня ветрище, гонит-ворочает, переки-
дывает со всей моей комплекцией, как оладушку; не

справляюсь с течением! Хорошо, шофер тормознул — увидал перекошенное мое лицо...

Там, в Норильске, Стеше повезло даже на легендарное северное сияние. Да не в тундре, куда ее молодежь уговаривала ехать «на пикник», а в самом городе.

Сначала по черному небу пронеслась прозрачная зеленая хламида, упущенная небесной танцовщицей, скакнувшей оленем через весь город... За ней бирюзовым неистовым парусом проплыла вторая. И тут как пошли прокатывать граненые волны, одна за другой, одна за другой: вспухают и опадают, и вновь играют-переливаются гранями, истаивают, опять растягиваются ребристой радужной гармоникой... По всему небу разгулялись нежные всполохи всех оттенков синего, зеленого и желтого, а красный — так от бледно-алого до багрового — ледяное пожарище! Небо дышало, шевелилось, перетекало из одного цвета в другой, и все куда-то неслось и неслось, и не оторвать было глаз...

Стеша обмерла с первой минуты: вмиг накатил *большой огонь* из дальней памяти детства — огонь, что спалил половину села и принес ее на порог Дома Этингера, где ждал красавец с рассыпчатым каштановым коком и с высоты своего прекрасного роста улыбался ей серыми глазами.

И она, как и все вокруг, стояла, закинув голову в небо, беззвучно плача и молча благодаря судьбу за то, что довелось такое увидеть.

— Ну и на что это похоже? — спросила Барышня.

Стеша задумалась, пытаясь выбрать слова — самые пронзающие, самые мучительные слова, которые знала, но, к сожалению, не умела связать меж собой.

Замялась, еще раз мысленно проверяя себя. Наконец проговорила:

— Это... все равно как Большой Этингер вдарит на кларнете.

* * *

Итак, в Норильском роддоме — разумеется, в страшных Ирусиных муках и всевозможных осложнениях — родилась крупная девочка темно-рыжей масти, которую мать назвала в честь отца — *Владиславой*.

(«Слишком много *славных недотрог*, — недовольно заметила себе Эська, покрутив в руках письмо, где подробно описывались послеродовые затруднения Ируси в важном процессе мочеиспускания. — И совсем не видать вокруг Этингеров».)

И ошиблась. Ибо девчонка, увидев свет вовсе не там, где обычно произрастали горячие темпераменты *других* ее предков, всем своим крепеньким существом как нельзя роднее и ближе оказалась к пульсации того горючего гейзера, который обычно подразумевала Барышня, произнося словосочетание «Дом Этингера».

2

А пройдемтесь по фасаду...

...Ибо дом, где некогда в бельэтаже, в квартире с каминами, витражами и мраморной острогрудой наядой, в уюте, задиристых перепалках, шумных застольях и музыкальных трудах проживало известное в городе семейство; дом, чей парадный вход обрамляли колонны, прежде белые, а ныне облупленные и испещренные похабными рисунками и словесами; дом с флигелем в глубине мощенного камешками-«дикарями» двора, со старинной цистерной для воды и водяной колонкой — дом этот стал неузнаваем.

Он похож на потрепанный штормами и выброшенный на сушу бриг, давно заросший сорняками и облепленный окаменевшими ракушками.

В своих ободранных стенах он укрывает потерянных и все потерявших, побитых и обугленных войной, ничем, кроме обид и стычек между собой не связанных людей.

В каждой семье было свое горе, свои убитые, расстрелянные, пропавшие без вести, сидевшие по лагерям.

Тут попадались бабки, пережившие оккупацию, семьи, бежавшие из окрестных сел от голода; наконец, вернувшиеся из эвакуации одесситы, ибо толпы эвакуированных стали медленно возвращаться-просачиваться, неделями тарахтя в мучительно неспешных поездах с Урала, из Средней Азии и прочих дальних мест, утрамбованных войной.

Вернувшись, они оседали всюду, куда удавалось поставить ногу, в самых неожиданных и не приспособленных для обитания человека местах. Сарайчики и всевозможные подсобные помещения считались очень приличным жильем. Подвалы шли за полноценную квартиру; за полуподвал могли убить. Зашивались досками подлестничные пространства — там можно было бросить на пол матрац и поставить табуретку с примусом. Отгораживалась часть лестничной клетки — лишь бы поместилась койка и все тот же примус, или чадящий керогаз, или допотопный «грец» — чугунный бочонок со слюдяным окошком, полным огненных вихрей...

Так что пройдемтесь по фасаду, ознакомимся бегло с кое-каким населением...

И начнем, пожалуй, с управдома Якова Батракова, что вселился с дочерью Анфисой в полуподвальную комнату вместо Сергея, еще в войну убитого неизвестными бандюками.

Была это странная до оторопи пара, хотя изумить кого-либо странностью или дикостью в то послевоенное десятилетие было трудно.

Анфиса — несуразная девица гренадерского роста с белым отечным лицом, в клетчатом платке на роскошных вьющихся волосах, в мужских ботинках на огромных ногах, всегда в каких-то ужасных, надетых одна на другую, криво застегнутых кофтах.

Во дворе, а тем паче на улице она появлялась крайне редко; если появлялась, то непременно в сопровождении отца. Вернее, тот являлся в сопровождении дочери: она плелась понурым прицепом вслед за мелким Батраковым, присобаченная к его лапке своей огромной вялой и бестолковой ручищей, безостановочно бормоча: «П'истали, п'оклятые!..» А сидя дома, с утра до вечера стирала и развешивала на штакетнике отцовы рубахи и свои задрипанные сорочки и юбки.

Сам Батраков был еще диковинней: тощий, но с брюшком, большеголовый, но с тонкой кадыкастой шеей, все свободное от пьянства время он либо читал (был записан в пяти районных библиотеках), либо трепетно ухаживал за цветами в игрушечном — метр на полтора — палисаднике, лично им благоустроенном и обнесенном штакетником. Видимо, он чувствовал себя настоящим хозяином дома, двора, одноэтажного флигеля во дворе. Когда бывал трезвым, обходил владения, там и сям поглядывая, подправляя недочеты, наказывая нарушителей порядка — или того, что он порядком считал.

— Стоять, вашу мать! — орал на мальчишек, застигнутых за кропотливым художеством на многострадальных колоннах подъезда, а те, конечно, бросались врассыпную. — Эт что за пыр-на-графия!!! Ух, и дам я вам прост-ра-ции!!!

Налимонившись, становился необычайно отважен и дерзок и тогда непременно выступал, по словам Барышни, *с выходной арией «Жиды обсели!».*

Евреев во дворе было, конечно, достаточно, но главной мишенью управдома оказался хирург Юлий Михайлович Комиссаров, вселившийся с женой и дочерью в бывшую Яшину комнату, на удивление хорошо сохранившуюся — просторную, с камином, с веселыми купидонами по потолку, с бессмертной Яшиной деревянной лошадкой на колесиках, уже успевшей покатать три поколения коммунальной детворы. Лошадка стояла в углу, как в стойле, была самым старым жильцом квартиры, и ни у кого не поднималась рука ее выбросить — напротив, каждый отмечал: эх, делали же в России вещи! Карево-рыжая, с серыми яблоками на боках, с засаленной гривой из настоящего конского волоса и кожаной, в старых узлах, уздечкой... (Нет-нет, тпррру! — бог с ней, с лошадкой; этак мы никогда не вернемся к Батракову и Комиссарову.)

Так вот, едва грузчики, перетаскавшие мебель Комиссаровых, покинули двор на своем раздолбанном грузовике, Батраков явился к новым жильцам «проверить документики на законность вселения» и был вспыльчивым Юлием Михайловичем спущен с лестницы.

Напившись, управдом выходил в центр двора, под окна Комиссарова, крайне редко бывавшего дома, и дурным дискантом заводил:

— Комиссар, выходи-и! *Зухтер*[1] нападение на караульное помеще-ение!!! Кай Юлий Циммерман, выходи-и! Я те дам прост-ра-ции!

И за тюлевыми занавесями всплывали и колыхались, как утопленные, бледные лица жены и дочери хирурга. Наконец, однажды, разбуженный после двойного дежурства, вечно недосыпавший Юлий Михайлович — толстый, волосатый, взлохмаченный и больше похожий на забойщика с мясокомбината, чем на овеянного городской славой хирурга, — вылетел к Батракову, в ярости размахивая огромным Стешиным тесаком для рубки мяса (что на кухне подвернулось), и минут десять гонял управдома по двору, рыча:

— Р-р-распорю и не зашью!..

После чего Анфиса вывесила на штакетнике плохо простиранные отцовы кальсоны, и целую неделю трезвый Батраков мирно окапывал ноготки-маргаритки в своем палисаднике и в сетчатой авоське таскал из библиотеки тома Сухово-Кобылина и Мамина-Сибиряка.

Впрочем, уже через неделю жильцы не без удовольствия прислушивались к очередной арии управдома, одобрительно отмечая в ней новые фиоритуры:

— Кай Юлий Циммерман! Эт что за пыр-на-графия!!! *Зухтер* штык наперевес, я дам те прострации!!!

И стоявшая у окна Барышня с чашкой коричного чая в руке (она давно к нему пристрастилась, убедив себя, что корица прочищает мозги) задумчиво говорила:

— Мельчают солисты в этом дворе...

Кто там стоял за спиной Батракова, покровительствуя нелепому холую, неизвестно. Жильцы погова-

[1] От «зугт эр» — говорит он (*искаж. идиш*).

354 ривали, что есть где-то «рука» у этого *хабла и фарма-зона*. Возможно, то был миф, из тех, что возникают сами собой, как вообще в подходящей питательной среде зарождается жизнь; но кто-то же назначил его управдомом, со всеми его ноготками и маргаритками, пятью библиотеками и волоокой прачкой Анфисой.

Во всяком случае, именно он, Батраков, забивал и утрамбовывал вернувшимся людом все мыслимые щели и простенки дома, и как утверждали осведомленные товарищи — «не задарма».

Что касается бывшей квартиры Этингеров, она оказалась бездонной и безразмерной. Она делилась, как инфузория-туфелька под микроскопом. И столкнувшись с незнакомым субъектом в длинном коридоре, увешанном оцинкованными лоханями, тазами и стиральными досками, никогда нельзя было знать — гость это, новый жилец или просто *интересный чудак*, перепутавший этажи или номер квартиры.

* * *

Не видим резона публиковать тут полный список квартиросъемщиков, тем паче что они то и дело менялись, то умирая, то разъезжаясь, то съезжаясь с родней. Упомянуть, пожалуй, стоит лишь о двух-трех штучных персонажах, из тех, что мелькнут разок-другой в нашем кино, и без того перенасыщенном мельтешением лиц, голосов, кулаков и грудей.

Например, тетя Паша с пышной белой бородой, ростом чуть выше стула. Занимала она чулан в кухне, который ныне тоже считался полноценной комнатой.

Тетя Паша была сновидицей («У каждого своя профессия», — философски замечала на это Барышня) — она во сне видала покойников. И свежих, и застарелых покойников, которым всегда есть что сказать живым — за деньги, разумеется. И они говорили: давали указания *за наследство*, мирили передравшихся на поминках детей, советовали, на ком стоит жениться, а кто — бросовый товар. Вся округа *знала за Пашин удивительный дар*, и бывало, на другое утро после похорон к ней уже стучалась вдова с отекшим от слез лицом, вчера узнавшая о существовании *другой вдовы* своего покойного мужа, или понурый вдовец с какими-то бытовыми вопросами, типа — не скажет ли Клавдия, куда она заховала облигации последнего займа, що всю комнату он раскардашил, и без толку.

И тетя Паша, как правило, уже держала наготове ответ.

— Все покойники ходят через меня! — говорила она со сдержанной гордостью.

Тут нелишне добавить, что официально тетя Паша *сидела в будке*. Ее дощатый киоск «Пиво—Воды» на углу двух центральных улиц летом становился средоточием вожделений всех солнцем палимых. К нему устремлялись издали, влекомые мечтой о крюшоне, о двойном сиропе, малиновом или вишневом...

Вот здесь, пожалуйста, коротенький клип из далекого детства: стеклянные колбы с цветным сиропом, узорная тень от платана, выплеск ажурной пены на асфальт, и в тонкой и загорелой детской руке — «битон» с газ-водой. И над уличным шумом, поверх густо-зеленых крон возносятся в синее небо прерывистые, взахлеб, неутомимые трели трамваев...

Далее просто *идем по жильцам*: дядя Юра Кудыкин — бывший борец и налетчик, бывший моряк и ветеран двух войн, бывший мороженщик и зэк, а ныне рабочий сцены в Театре юного зрителя на Греческой — кристальной чистоты человек, душа общества, гениальный механик и злостный блядун, и нет таких прекрасных слов, какие нельзя было бы сказать о дяде Юре, и мы еще многое о нем скажем.

Затем — *Инвалидсёма*, мастер по ремонту швейных машинок, всегда в полосатой пижаме и сетчатой шляпе, в сандалии на одной ноге (вторая нога, в толстом вязаном носке из козьей шерсти, перехвачена бинтом и потому похожа на бревно вареной колбасы). Считалось, что ходит он на костылях, но он, скорее, на них летал: делал три быстрых шажка, костыли взлетали по бокам — расступись, прохожий! — и лишь четвертый шаг поддерживал костылями, наваливаясь и обвисая на них всем телом: «Ой, эта болезнь у меня столько здоровьé отняла!» Был он бо-о-о-ольшим предпринимателем, о чем тоже — в свое время.

...И наконец, Любочка — ныне старушка, а прежде — ого-го!

У Любочки биография хвостатой кометы, и ей-же-богу, стоит на нее отвлечься, не пожалеете, ибо в шестнадцать годков эта гимназистка забеременела от антрепренера театра Анны Гузик и бежала с ним из дому, успев на пересадке в Киеве торопливо избавиться от груза чрева своего, после чего, к счастью (это она всегда подчеркивала благодарным голосом), детей у нее быть уже не могло.

— Основное различие между мной и католической церковью, — любила повторять Любочка, — в том, что она верит в непорочное зачатие, а я верую в порочное не-зачатие. Причем я верую крепко и деятельно, а она — кое-как.

Кстати, антрепренер крутился на ее орбите всю жизнь, несмотря на многочисленные ее замужества.

Точнее, возникал в самые трогательные и судьбоносные моменты жизни.

Любимую фразу Любочки: «Я сменила пятерых мужей, но любовник у меня всю жизнь был один!» — Эська, у которой не было ни мужей, ни любовников, отмечала с явным одобрением.

Словом, примчавшись из Киева в Петербург *уже
налегке* (во всех смыслах, ибо по дороге потеряла и своего антрепренера), Любочка сняла комнату в пансионе
«Летний сад», где жили еще две сестры из Витебска, обе
социалистки, и некий молодой инженер, направляв-
шийся на работу в Аргентину, но застрявший в пансионе, едва его восхищенный взгляд нащупал задорные
прелести недавней гимназистки.

Это было утонченное общество.

На второй день пребывания в столице начитанная
Любочка послала телеграмму в Баденвайлер Чехову и
вскоре получила ответ от хозяина пансиона: «Жилец
выбыл неизвестном направлении» — что, в общем,
нельзя считать абсолютной ложью.

Молодой инженер увез ее в Аргентину, где какое-
то время тщетно пытался создать с Любочкой хоть
какую-то видимость семьи, но не преуспел, и в конце
концов бывшая гимназистка написала все тому же ан-
трепренеру покаянное письмо с призывом о спасении.
Тот ответил ей телеграммой: «Люба вертайтеся здесь
скоро будет лучше». Телеграмма датирована сентя-
брем 1917 года и послана из Москвы.

Она примчалась.

И угодила в стихию, в смерч, тайфун истории, в
сердце коего, как принято считать, порхают бабочки, и
уютно там обустроилась: вышла замуж за заместителя
наркома тяжелой промышленности.

Преданный партии человек, замнаркома к первой
же годовщине свадьбы — это был праздник 8 Мар-

та — подарил Любе красную косынку и партбилет, который никогда не пригодился. А вот что таки пригодилось — это пятикомнатная квартира в Столешниковом, оставленная ей мужем после развода.

В моменты крушения любви Любочка травилась головками спичек, предусмотрительно запивая их молоком.

Однажды очнулась в объятиях известного дрессировщика.

Словом, была Любочка феерически беспечна и легка, всерьез ни во что не вникала. Никогда в жизни нигде не работала, вначале — как жена замнаркома, потом по привычке. Подружки, портнихи, косметички, мозолистки, маникюрши... Не оставалось денег на жизнь — продавалась комната. Когда все комнаты, кроме ее спальни и чулана за кухней, были проданы и деньги пущены на ветер, в ход пошли камешки и чернобурка, после чего много лет расставлялись ширмы и сдавались койки.

На худой конец, возникал новый мужчина.

Как-то так выходило, что была она знакома со всеми, всё про всех знала, знаменитостей не признавала, кумиры толпы в ее устах обращались в пыль.

— Леонид Утесов? — спрашивала она. — В смысле, Ленька Вайсбейн? Он дальше всех на улице плевал сквозь зубы. Начинал в Зеленом театре. Вот город был! Вот была настоящая демократия! Любой фармазон мог прийти и сказать: «Хочу исполнить!» — «Пожалуйста, исполняй!» — Она брала паузу и небрежно добавляла: — Но Ленька Вайсбейн известен был тем, что дальше всех плевался.

Красивой она даже в юности не была — очень веснушчата, и нос как-то неудачно вмонтирован меж близко посаженными глазами. Но дьявольское обаяние окутывало ее недурную фигурку таким плотным облаком, что разглядеть веснушки или нос мужчины просто не успевали. Да: и голос был — как у опереточной примадонны: низко-напевный, волнующий и значительный, что бы там она ни несла.

Четвертый ее муж, изобретатель, человек мрачный и совершенный нелюдим, сделал ей предложение на другой день после случайного знакомства в чьем-то доме. Любочка, уж на что привыкла к экспресс-чувствам сильного пола, в тот раз и сама была поражена.

— Это когда ж вы, милый, успели так втюриться? — мягко спросила она. — Вы, помнится, весь вечер с опущенной головой просидели, косички из бахромы на скатерти плели...

— Голос, — кратко пояснил рационализатор, глядя в угол.

Сама она частенько повторяла не без кокетства:

— Я никогда не была хороша собой, поэтому, если уж мужчина застревал в моих сетях, я старалась, чтоб, пока он поднимается по лестнице, из квартиры доносился запах свежесваренного кофе.

Любочке было под шестьдесят, когда подруга пригласила ее на свадьбу дочери. Она явилась, критически оглядела многолюдное застолье... глазу не на ком было отдохнуть! Разве что жених... он был оч-ч-чень неплох: располагающая улыбка, смешливые глаза.

Часа через три она ушла со свадьбы. С женихом. Потом клялась, что не хотела, так само вышло. Этот жених, одессит по рождению и прописке, стал ее последним мужем, и с ним-то она вернулась в родной город с явным облегчением, тем более что верного антрепренера — друга, любовника, надежной опоры на всех виражах непростой ее женской судьбы — на свете уже не было.

Ян, новый и последний ее муж, оказался очаровательным человеком: добрым, легким и очень остроумным, типичным одесским «хохмачом».

Соседи Яна любили и уважали, и потому его внезапная смерть (он был младше Любочки лет на двадцать пять, и любой скандал, который сама же затевала и сама успокаивала, та начинала словами: «Вот когда ты закроешь мне очи!..») — эта смерть потрясла всех.

Яна кремировали, и поскольку у Любочки все не доходили руки забрать его прах, дядя Юра Кудыкин сам съездил в крематорий куда-то за поселок Таирова, привез и вручил вдове красивую урну; после чего все соседи стали готовиться и чистить обувь: похороны и поминки по Яну могли стать большим культурным событием двора. Но шли недели и месяцы, а потом уже и годы... Не помогали даже сновидения тети Паши, в которых Ян слал Любочке убедительные и уже отнюдь не остроумные просьбы упокоить, наконец, его прах, а заодно прикупить земельки для собственной могилы.

Все улетало прочь, не задевая легкой ее головы.

Пузатенькая урна с прахом смешливого Яна так и осталась стоять у Любочки на изящном круглом столике у окна, составляя — надо отдать должное ее вкусу — интересный ансамбль. И все вокруг договорились *уже не трогать* вдову с ее большим и красивым горем.

* * *

Вечерами, когда хозяйки стряпали *харч на завтра*, вся кухня сияла огнями наподобие бальной залы: у каждого жильца был свой счетчик и своя лампочка над столом, и никто не хотел *одалживаться у со-*

седей электричеством. Когда за окнами темнело и прожекторный свет заливал пространство кухни так, что любая вещь, вроде оловянного половника, представала уникальным экспонатом предметов быта, открывалась дверь, и в помещение медленно вплывала Баушка Матвевна — кроткая старушка, занимавшая пять метров, выгороженных от бывшей ванной комнаты Этингеров. Это были пять темных метров без единой щели света, с какой-то роковой технической невозможностью провести туда электричество, и потому день и ночь озаряемых огоньком двух-трех свечей. Дядя Юра Кудыкин, впрочем, уверял, что электричество в логово Баушки Матвевны провести — *как два пальца обоссать*, и даже сам он берется это сделать, просто та тратиться не хочет: старушка, говорил он, «скупа, как рыцарь». (И правда: стоило кому-то из детей подбежать к ней с задорным воплем: «Баушка Матвевна, дай конфетку!» — та мигом добродушно отзывалась: «Говна тоби!»)

Итак, старушка вплывала в ослепительное и ослепляющее пространство коммунальной кухни, ковшиком ладони прикрывая огонь своей гордой пенсионерской свечи: она тоже не желала *одалживаться светом* у соседей...

* * *

Одноэтажный флигель выходил во двор застекленной верандой, высокая дверь которой была заколочена, а жильцы в свои комнаты попадали через длинный, жутковато-темный затхлый коридор. За третьей справа дверью жили в тесном закутке Матрена («тетя Мотя, подбери свои лохмотья!») с сыном Валеркой.

362   Матрена мастерила бумажные абажуры диких расцветок и продавала их на Привозе. Когда партия была готова, всюду — по углам комнаты, на столе, на подоконнике, на шкафу и даже на кровати — вырастали бумажные пирамиды такой могучей и непредсказуемой радуги цветов, что случайный гость в дверях с непривычки отшатывался, как от оплеухи, и не сразу получалось освоиться в этих неистовых джунглях.

Вообще-то, происходили они, мать и сын, родом из Харькова, в Одессу угодили какими-то сложными послевоенными путями, потому и разговор их был пересыпан словечками харьковского диалекта: *сявка, ракло, раклица*; не куличи, говорили они, а *паски*, не мигать, а *блымать*; а если кто что проиграл, то, значит, *стратил*; и вешалка для одежды называлась по фамилии харьковского фабриканта, когда-то их выпускавшего, — *тремпель*. Если хорошего было в жизни гораздо меньше, чем плохого, тетя Мотя вздыхала: «Один рябчик — один конь». И когда в прятки играли, Валерка выкрикивал не как все дети во дворе, иначе: «Пали-стукали сам за себя!»

Барышня этого мальчика очень привечала, говорила, что он «настоящий», иногда обзывала диковатым именем Франциск Ассизский — за то, что весной он подбирал птенцов, выпавших из гнезд, и выкармливал их из пипетки, а если птенец не выдерживал заботы и помирал, то Валерка хоронил его в канавке за флигелем — там у него скопилось целое птичье кладбище.

В пятом классе Валерка был уже старостой кружка юннатов во Дворце пионеров, опекал кошек по окрестным дворам и держал дома двух черепах, Катю и Никифора, мечтая получить от них потомство. Каждую осень он укладывал своих черепах в спячку — это был торжественный ритуал с краткосрочными погружениями животных в теплую ванночку, — а весной так же научно и бережно извлекал их из картонной коробки к летней жизни. Дух Божий, говорила Эська, витает всюду, даже и в нашем безнадежном дворе, когда из тени кошмарных абажуров выходит в мир святой, покровитель птенцов, кошек и черепах.

* * *

Когда уже и застекленная терраса флигеля была поделена Батраковым на пять гробовидных отсеков и заселена, как голубятня, стало ясно, что источник доходов исчерпан. Дом выжат, как лимон, инфузория-туфелька перестала делиться, дойная корова не даст больше ни капли молока.

Тогда Батраков обратил алчный взгляд на старых жильцов, еще *с довойны* окопавшихся в бывшей квартире Этингеров. В первую очередь — на двух женщин одноименной фамилии, по старинке нагло обсевших — каждая по штуке! — целых две комнаты. Антресоль? А что — антресоль? Это ж *щикарная* жилплощадь! И двое там вполне обустроятся, еще и место останется. А цельную залу (имелась в виду Эськина комната) — эту залу давно пора перегородить на три *щикарных* комнаты и вселить туда товарищей, которые тоже советское равноправие имеют...

Эська не испугалась, как того ожидал Яков Батраков, введенный в заблуждение звуками концертного фортепиано, истекавшими из окон ее стародевичьей обители, только очень удивилась, будто впервые Якова Петровича увидала.

— С *довойны?* — повторила она вслед за управдомом, который не полез нахрапом угрожать и выселять, а сначала аккуратненько напомнил мадам Этингер, что времена сейчас *не такие, чтоб жировать*, и у него имеются полномочия «сплотить» одиночных жильцов с прежней кубатуры на законные нормативы. — Пожалуй, да, с довойны... — Она задумчиво смерила взглядом тощую наглую фигурку на пороге комнаты. — До Первой мировой, Петрович... Так что иди, дружок, подрочи. А то как бы мне не пришлось искать мой наградной пистолет.

Эта фраза, брошенная вскользь (разумеется, никакого наградного пистолета у Барышни в помине не было), а скорее, военные фотографии, на которых тонкая, ремнем перетянутая в талии Эська смеялась в компании каких-то высших армейских чинов, произвела на лихоимца Батракова такое впечатление, что и спустя много лет никто на площадь старух не посягал.

...тем более что взамен убывшей Ируси у них довольно скоро возник другой активный жилец, чья темно-рыжая, с гранатовым отливом гривка, завитая природой в мелкий упрямый баран, стала чуть ли не главной приметой квартиры.

Но идемте же, идемте дальше по фасаду — и если считать по окнам, небольшое, но главное по красоте витражное окно (в прошлом ванной комнаты) по-прежнему принадлежит Лиде, бывшей «девочке» из заведения напротив, ныне ядреной и бодрой старухе, исправно метущей Потемкинскую лестницу.

Окно она по-прежнему намывает на Пасху, только клич свой слегка изменила:

— У нас бога нет, кроме Ленина! — вызывающе кричит вниз, во двор, стоя на подоконнике и до последней капли отжимая тряпку цепкими руками душителя.

Лида варит самогон и, чтобы не привлекать чужого внимания звоном бутылок (окна-то открыты), разливает свое зелье в медицинские грелки — удобно и практично, особенно для докеров, основных ее клиентов; те легко проносят грелки на территорию порта. Однажды один из них, откупорив Лидин контейнер, жахнул стаканчик, шумно выдохнул и произнес фразу, ставшую в квартире исторической: «Как галошей закусил!» — в новой грелке самогон приобретал пикантный резиновый привкус.

Тут хотелось бы исполнить небольшое изящное каприччио о запахах одесских дворов и подворотен, о фиалковом ветре ранней весны, когда под деревьями и на газонах еще лежит дырчатый грязный снег, и новый плащ — дня на три, потому что лето обрушивается внезапно; о благоуханном сиреневом сирокко поздней весны на станциях Фонтана, о бородатых запахах моря (водоросли, йод, свежерасколотый арбуз — причем зимнее море пахнет иначе, чем летнее, когда со стороны степей прилетает и вплетается в волосы и в кроны деревьев горьковато-полынный запах трав).

Хотелось бы исполнить каприччио о цветущих акациях и каштанах, о платановом шатре над улицей Пушкинской, о том, как летними вечерами одуряюще пахнет со всех городских клумб цветками табака и только что политой землей.

Впрочем, о запахах Одессы писали многие, и писали приблизительно одно и то же: море, порт, рыба, рынок с его мясными и молочными рядами, акация и каштан, сирень и тополя...

Вздор: у Одессы запах нематериальный.

Над ней витает необоримое влечение к успеху, уверенность в победе и вечная надежда: «Пройдет и это, а Одесса пребудет всегда!» Возможно, местоположение этого города, крутой замес стихий (земля, воздух, море и даже огонь — поскольку море и горит, когда сжига-

366 *ют на нем пятна пролитой нефти) и есть та формула естества, что отличает родившихся здесь от нас, прочих грешных? Тот тонус душевных мускулов, который принято связывать с темпераментом здешних обитателей; некая певучая тональность речи, ничего общего не имеющая с национальностью?..*

Есть в воздухе Одессы пленительная тяга, уверенно ставящая паруса души, неосязаемые частицы восторга, томительной страсти, творчества, риска и авантюры — нечто вроде шпанских мушек, дамиана, мускуса, заразихи или корня яира, что наполняют чресла желанием, поднимают дух и подвигают на поступки не обязательно благородные, но всегда эффектные. Так что искать материальные приметы в кипящей взвеси из морских брызг, летучих песчинок и опаловых бликов на перистых и кучевых облаках — искать приметы, отличающие Одессу от какого-нибудь Херсона, — занятие суетное и неблагодарное.

Впрочем, один материальный запах отличал-таки наш двор.

Наш большой двор, где дети играли в прятки, маялки, цурки и «штандер», где хозяйки развешивали белье и чесали языки, где каждый день вспыхивали и гасли скандалы, где на ходу разбирали вчерашнюю шахматную партию, сыгранную где-то в Цюрихе, или обсуждали недавнюю замену нападающего в «Черноморце», — этот двор звучал непрерывно: стуком костяшек домино, разновысокими голосами детей и взрослых, колокольчиком мусорной машины, забиравшей пахучие отбросы, по которым, как в сказке Андерсена, всегда можно было узнать, кто сегодня готовил рыбу.

Он звучал раскатистыми, зычными, хриплыми призывами старьевщиков, стекольщиков, точильщиков; лирическими и бодрыми вперебивку «песнями по заявкам радиослушателей» чуть не из каждого окна. Двор звучал мощно и легкомысленно, напевая и хмыкая, отхаркиваясь и громко прочищая нос, выбивая ковры, вытрушивая половики в парадном (невзирая на грозную надпись: «Не трусить!!!»). Двор звучал и звучал, умолкая лишь на два-три предрассветных часа, когда так сладко спать и так хочется тишины, но и ее может нарушить любой *базлан*, которому не спится, которому приспичило *интересоваться за погоду* у припозднившегося соседа:

— Шо? Дощь?

— Та не, грязь есть, но лично не идет...

Так вот, этот наш двор пропах плавящимся полиэтиленом.

Фирменный полиэтиленовый пакет с девицей, рекламирующей «Мальборо», доставлялся в Одессу моряками и шел на толчке по рублю. Подарить такой пакет на свадьбу молодым (конечно, в придачу к льняной скатерти или настольным часам «Янтарь») считалось хорошим тоном.

Инвалидсёма раздобыл где-то пухлый, как бревно вареной колбасы, рулон красочного полиэтилена с повторяющейся картинкой: полуобнаженная красотка призывно изогнула смуглое и гладкое мексиканское бедро. Он поставил дело на поток: нареза́л заготовки, которые оставалось только спаять в пакет. Среди коммунальной вольницы были выбраны две надежные старухи (одной была сновидица тетя Паша, ростом выше стула и с пышной белой бородой, другой, чего уж там стесняться, — наша Стеша, потому как заработать копейку — дело нестыдное).

Инвалидсёма выдал *девушкам* паяльники с особой насадкой: на жале ее крепилось железное колесико с острым ребром. Через удлинитель, уходящий к *Инвалидсёме* в окно полуподвала, паяльник врубался в сеть, и старухи наметанным движением проводили колесиком по краям разомкнутого пакета. Право на бизнес было куплено у Батракова за десятку в месяц. За пару-тройку часов (в обед жарко, а вечерами темно) старухи умудрялись напаять целую кучу пакетов. И — воскурениями в храме пронырливых богов Левого Дохода — едкий удушливый запах плавящегося полиэтилена проникал в каждую щель, пропитывая висящие на веревках бюстгальтеры и кальсоны, заполоняя двор и вызывая у жильцов надсадный кашель.

Сюда, в этот двор, к двум уже очень пожилым женщинам и приехала на неопределенный срок рыжая, с гранатовым отливом в крутых кольцах волос девочка с крепкими коленками, так и мелькавшими перед глазами, даже когда она вроде бы находилась в покое.

3

Гужевой транспорт Одессы доживал последние дни, погромыхивая по булыжникам окраин. Завидев такую подводу, пацаны догоняли ее и запрыгивали на край, привычно рискуя: осатанелый биндюжник мог и кнутом огреть.

Еще кое-где работали кузни — там подковывали битюгов, и в густеющих сумерках южной ночи глубина озаренной пламенем утробы казалась геенной огненной, где хмурые черти рвут и терзают ногу бедолаги-коня. Сгиб ноги тяжеленного битюга издали казался невероятно хрупким — вот-вот сломается.

Полуобнаженные парни, вылязгивающие на наковальне подкову из раскаленного металла, вгоняющие «костыль» с размаху в два-три удара, казались учениками косматого Вулкана.

Исчезали битюги и подводы, появлялись телевизоры и радиолы, стала модной заправка сифонов, и это был свой спектакль, достойный настоящего ценителя, особенно если не полениться и пойти к дяде Мише, что у клуба Иванова сидит: неторопливые движения его рук отлажены до механистичности, газ в стеклянный сифон подается мерными порциями, и ты зачарованно смотришь, как серебристой стайкой взлетают внутри и растворяются в воде жемчужные пузырьки. А пока до дому дойдешь, незаметно для себя самого половину сифона и выдуешь, даже если потом от отца по шее перепадет.

Еще вся Одесса, за редким исключением, мылась в банях, и каждый ходил в какую-нибудь свою, доказывая, что именно в ней — особо густой пар, или самый душевный банщик с отменными вениками, или «мама» — так распаренные мужики звали буфетчиц в банях на Молдаванке — готовит неотразимую тюльку... Вот она подплывает к столику, застланному клеенкой, склоняет к тебе полный стан (а прятать тугой живот, перетянутый фартуком, никому в Одессе и в голову не придет), преподносит твоей блаженной физиономии тесное декольте с выпирающими буграми дрожжевых грудей, улыбается и ласково говорит: «Ну, рассказывайте!..»

И разве это не самая приятная манера взять у клиента заказ?

Тут опять хочется отлучиться на поэтический жанр о помывке тела. На оду или даже на поэму, что кажется вполне уместным: воспевание банного ритуала, как и любое кружение вокруг голого тела, всегда содержит античную подоплеку, пусть и далекую от героики; что-то от Римской империи содержит, от ее культа обнаженной плоти.

В Советской империи в середине двадцатого века, при совершенном отсутствии эротики в надстройке, в базисе прочно присутствовал обиходный факт всенародного обнажения. Еженедельное «мытие» до известной степени определяло сознание — банное-шаечное, парное-веничное, пиво-раково-креветочное сознание советского гражданина и советской гражданки. Общественный пар окутывал десятки миллионов простых людей крякающим блаженством — и сквозь него проступало осознание откровенной наготы твоего личного тела, и тела соседского, да и просто чужого, проплывающего в пару скользкого тела, как сквозь утренний туман проступает на садовой дорожке мраморное бедро или грудь внезапно встреченной статуи...

* * *

Отработав положенные три года по распределению, а потом еще три, «на заначку», *наши северяне* — по мнению и страстному ожиданию Стеши — должны были вернуться домой, в человеческий климат и нормальную жизнь. Но те рассудили иначе: в Норильске им, как ценным специалистам, выделили от комбината роскошную двухкомнатную квартиру в центре, да и на работе компания подобралась отличная, не соскучишься — все молодые, веселые, душевные. И перспективы для материального роста открывались *шикарные...* Короче, никакого резона возвращаться в «ваши клоповники» ребята, как выяснилось, не видели. Вот с девочкой — это да, проблема возникла немалая. В еженедельных телефонных разговорах, которые Стеша заказывала на центральном телеграфе, Ируся беспрестанно жаловалась, что дочка «страшная егоза, требует нечеловеческого внимания и столько сил отнимает, что — не поверишь, мама, — под вечер у меня плачет каждая клеточка, а ей хоть бы хны! К тому же без конца болеет — видимо, климат оказался не по ней. Так что, конечно, мама, было бы хорошо хоть на годик отправить ее к вам, оздоровить и... — она помялась и закончила: — ...может, как-то... угомонить?»

И Стеша, боясь поверить в такое счастье, заорала в трубку:

— Доця, да ты шо!!! Присылай, чем скорее!!!

Вот так и получилось, что буквально недели через две после этого разговора Владку из Заполярья привезла Ирусина сослуживица, которая очень кстати собралась отдохнуть-подлечиться в одном из одесских санаториев. Стеша лишь подъехала на троллейбусе к вокзалу, где милая женщина с явным облегчением и вымученной улыбкой («У вас такая активная внучка!») сгрузила девочку в жаркие Стешины объятия.

В первый же день, когда, совершив столь долгое и утомительное для шестилетнего ребенка путешествие, Владка наконец оказалась *дома* и — накормленная, выкупанная в тазу на кухне, переодетая в новое, желтое в черный горох, платьице «с фонариками» — была, как примерная «доця», выпущена *на люди,* она успела:

украсть у Любочки кольцо с гранатом и подарить его на улице айсору-точильщику (в уплату потрясенной Любочке немедленно пошло одно из Дориных колец, неизмеримо дороже);

рассказать управдому Батракову, что ее папа зарубил топором, разрезал на кусочки и закопал в вечную мерзлоту соседа дядю Борю («А если не верите, дядя, можно откопать и посмотреть — у нас с мертвецами ничо не случается, они как новенькие лежат!»);

перезнакомиться со всеми во дворе, подговорить дворовую ребятню сбегать в порт, протыриться на корабль и «сплавать до куда-нить», а когда сие намерение было, слава богу, предотвращено добродушными подзатыльниками охранника в проходной порта — заменить плавание на трехдневный поход в катакомбы, и хорошо дядя Юра, проходя по двору, обратил внимание на подозрительно вдохновенные физиономии у всей компашки, готовой выдвинуться в путь, подверг суровому допросу искателей приключений и для острастки накостылял по шее каждому — на всякий случай.

Короче, *эта* оказалась явно из Этингеров — судя по количеству вырабатываемой в минуту энергии.

* * *

В Барышниной комнате потолок расписан кудрявыми купидонами, ссыпающими вам на головы цветы и фрукты из рогов изобилия. Лепка вокруг медальона люстры тоже кудрявая, надтреснутая и *обратно же готовая выпасть* кусками на головы. Роскошный наборный паркет — дуб и ясень *(дубыясень)* — чреват разбитыми и выпавшими плитками...

— Все в упадке, разрухе и подлости... — говорит Барышня.

Иногда она пускает Владку ночевать к себе в комнату, в свою шикарную кровать с никелированными шишками и двумя вздышливыми перинами, куда можно прыгнуть с разбегу и пойти на дно. Барышня маленькая, легкая как перышко — седой мальчишка! — и все время мерзнет, а Владка — крепенькая и плотная, и полыхает, как печка:

— Я тебя согрею, Барышня, пых-пых, закрой глаза! — и кладет той на щеки две горячие ладошки: — Ну? Пышно?! Горячно?! Ахает?

На стенах и на крышке концертного пианино у Барышни стоит и висит множество фотографий в затейливых рамочках, а над кроватью французский гобелен: мальчик-разносчик уронил корзину с пирожными, два апаша их едят, мальчик плачет, все на фоне афиши какого-то Тулуз-Лотрека *(Тулупакрюка)*.

На нотном шкафчике у нее стоит «последний Гарднер» — вовсе не человек, а причудливо изогнутая вазочка для фруктов: фарфоровая, сетчатая, с букетами фиалок. Есть балерина с туловищем, ручками и ножками из фарфора и пышной бархатной юбочкой для иголок и булавок. Это — «что румыны не унесли», потому что Баба спрятала. Есть еще куча интересного: например, ломберный столик для игры в карты. Он открывается, обнажая зеленое поле сукна, на котором мелом можно записывать все что угодно. Раньше там записывали «взятки», но означало это слово не то, что сейчас имеется в виду, когда во дворе говорят о Батракове.

Итак, дело к ночи. Свет выключен, Владка с Барышней лежат тихо-тихо. Короткий миг тишины, когда девчонка уже угомонилась, а старуха еще не принялась храпеть. И тотчас же из всех щелей и углов на

374 колесиках выезжают мыши. Их сотни и тысячи, их полчища, как в балете «Щелкунчик», они заполняют всю середину комнаты, но стоит пошевелиться, скрипнуть матрасом — и нет никого, как по мановению волшебной палочки.

У Барышни жутко интересно, да она и сама интересная: вспыльчивая, резкая, никогда не знаешь, в каком настроении проснется, но если уж настрой у нее милостивый или насмешливый, то ей можно задавать любые, самые дурацкие вопросы до бесконечности, и она будет отвечать и объяснять все подробно, пока не взорвется и не гаркнет, что «эта зараза... этот дар Куяльника! кого угодно переболтает и передолдонит», и не шуганет Владку да такой *даст прострации*, что подходить к ней пропадет охота на ближайшие три дня.

Однако самый интересный человек в квартире — дядя Юра Кудыкин.

Он занимает комнату, что когда-то была третьей частью бывшей ванной Этингеров. И в этой комнате можно сидеть без скуки целый год. Барышня говорит: «В комнате Юрки можно получить высшее техническое образование». Там мебели немного: узкая койка, три разных стула и стол. Но все стены обшиты стеллажами из простых досок, подобранных или украденных где попало, стеллажами, на которых... о, на которых гнездится *богатство человеческой мысли!* Здесь есть астролябия, квадрант и секстан, монокулярный пеленгатор на репитере гирокомпаса, навигационный транспортир, барометр-анероид, теодолит, дюжина биноклей, несметное количество разноцветной стеклянной посуды — от огромных бутылей до крошечных пузырьков таких причудливых форм, что оторопь берет; много старого золингеновского инструмента:

стамесочек, отверточек, ножичков, и все с фирменным клеймом — «лев на стреле»... Есть компас величиной с будильник, есть ржавая мина, подводные фонари, два лупоглазых водолазных шлема, штук восемь старых радиоприемников (все в рабочем состоянии) и ящики, ящички, банки и баночки с грудами гвоздей-шурупов и разных деталей к иностранным механизмам — например, игл для швейных машинок.

— Кто с фронта шмутки вез, — говорит дядя Юра, — кофточки-чулочки ажурные... А я — дело! — И про каждую вещь у дяди Юры есть рассказ и пояснение. Владка любит задать вопрос, но редко дослушивает до конца ответ — дальше несется, с новым вопросом. — Хорошая девочка, — говорит, улыбаясь, дядя Юра, — просто в ней три мотора.

Барышня считает, что дядя Юра — уникум. Судьба у него очень гремучая. На фронте он придумал ремонтировать трофейные немецкие автомобили, легковые и грузовые. Ремонтировал и ставил на колеса, *всё в ход приводил*, и весь штаб армии *ходил у него в подхалимах*. Он водил дружбу с маршалами, генералами и бандитами. В мирное послевоенное время где-то на задворках Молдаванки сколотил подпольный цех по производству мороженого. Это было самое вкусное в мире «честное» мороженое, в каждой порции которого вы нашли бы и масло, и сахар, и шоколад... ну и прочие полноценные *ингрудиенты*, чтоб не стыдно было от людей. А реализовали товар в разных точках города тетки-мороженщицы.

По этому поводу дядя Юра *сел*, но сидел всего года три, так как придумал в тюряге какую-то рационализацию, и благодарное начальство выпустило его по очередной амнистии.

Еще дядя Юра — *блядун*. Это говорит Баба — с одобрением. Ныне, конечно, не то, что прежде, ког-

376 да ежедневно из его комнаты выходила, потягиваясь и поправляя прическу, каждый раз новая женщина, но и сейчас они иногда возникают, как валькирии, легкой тенью проносясь из комнаты в уборную, а дядя Юра, в это же время зажаривая на сковороде изобретенный им омлет с манкой — толстенный, как подошва водолаза, — привычно бормочет что-то о *терпящих бедствие голодных на любовь* моряцких жен.

Дядя Юра старый, как Баба и Барышня, но очень сильный: у него мускулы литые, как чугунные чушки, потому что в молодости он работал силачом в цирке, грудью гири отбивал. Сейчас он — рабочий сцены в ТЮЗе, таскает на спине моря, и горы, и дуб зеленый у Лукоморья, а они, хоть и фанерные, но все ж тяжеловатые. Главное, запросто может провести тебя на спектакль и устроить на приставном стуле. Владка с Валеркой, верным дружком, сыном «тети Моти-подбери-свои-лохмотья», легко помещаются на таком стуле вдвоем. Садятся тесно, и мальчик обнимает Владку за плечо и крепко к себе прижимает, чтоб не свалилась в проход. Так и сидят, в-тесноте-не-в-обиде. А что? На каждого «приставняк» не напасешься, говорит дядя Юра. Они всё уже пересмотрели раз по пять, а «Остров сокровищ» — раз восемь. Валерке Барышня доверяет даже перламутровый лорнет прабабки Доры — старый-старый, с длинной прямой ногой, как деревяшка зловредного капитана Сильвера, ковыляющего по сцене с попугаем на плече.

Валерка подкручивает бронзовое колесико-поясок на талии лорнета, приставляет к Владкиным глазам и так держит, чтобы она рассмотрела артистов «вблизь»; сколь угодно долго держит, хоть весь спектакль; держит, даже если рука сильно устала.

Когда дядя Юра появляется где-нибудь, пусть и в кухне — он сразу распространяет вокруг себя беспокойство и энергию изменения, становится центром происходящего. Непонятно, как это делает. Иногда просто молчит и долго смотрит, скрестив могучие руки на могучей груди, да насмешливо цедит сквозь прокуренные желтые усы: «Ку-у-у-рицы...» — а бицепсы под сетчатой майкой вздыхают-шевелятся, так что их хочется пальцем ткнуть — может, сдуются?

На своем мотоцикле дядя Юра — если в приветливом расположении духа — катает мелкое дворовое население. И хотя Баба с Барышней запрещают Владке «искать на задницу приключений», дядя Юра подмигивает ей, с усмешкой бросает: «Курицы!» — сажает Владку позади себя и велит держаться насмерть, а потом долго-долго катает по городу, вернее, просто ездит с ней, как с рюкзаком за спиной, по своим делам, по разным адресам, и в центр, и на окраины, иногда разгоняясь так бешено, что рот забивается ветром, восторгом и ужасом, руки немеют, в пальцах покалывает, и кажется, вот сейчас оторвет тебя и закружит, и унесет прямо в море! Для Владки дядя Юра — как Гагарин.

Вот с ним-то она побывала и в кузне, и на Староконном, и на толчке, и на Привозе.

Разве что в баню на Молдаванку он ее с собой не брал. С дядей Юрой Владка по-настоящему *разведала* этот теплый, морской, с шершавыми стволами акаций и платанов город и горячо полюбила его, решительно позабыв все, что прежде было в ее коротенькой северной жизни.

* * *

Самыми уютными бывали зимние вечера, когда случался туман или промозглый холод загонял Владку со двора домой. Тогда дядя Юра затевал у себя чаепития, на которые приглашал избранное общество, «понимающих дам» — Барышню и Любочку (уже больную артритом, но все еще с непременным морковным маникюром на ломких узловатых пальцах).

Стулья предлагались гостям, хозяин сидел на кровати, а пронырливая Владка — бесплатный довесок — места не требовала. Он строгал бутерброды с сыром, выставлял банку резинового повидла и колол трофейным щелкунчиком желтый, слюдяной на вид сахар, который Владка обожала: засовывала за щеки сразу по два куска и сидела в углу, хомяк хомяком, верхом на лупоглазом водолазном шлеме, подобострастно слушая дяди-Юрины байки. Он был единственным, кого девчонка не решалась перебить, чтобы *вставить свои пять копеек*, при ком вообще способна была усидеть на месте «скока хошь годов»: минут десять.

— У нас при штабе дивизии канарейка жила, — начинал дядя Юра. — Пела под баян гимн Советского Союза и сама себя хвалила: «Какая хорошая птичка!» — говорила, да так внятно, будто ключиком ее завели.

— Не бреши, Юрка, — отзывалась Барышня, грея о чашку всегда холодные руки. — Канарейки не разговаривают. Они только поют.

— А вот и нет, Гаврила. Ошибочка твоя! Они могут говорить, но для этого нужно, шоб чей-то голос в унисон им соответствовал. Ту канарейку научила говорить Маруська, уборщица при штабе. Пискля такая, все сюсюкала: «Какая хорошая птичка!» — и досюсюкалась. Раз приходит, а канарейка, значить...

— А, знаю, знаю!!! — Владка вскакивала как ужаленная, перебирая ногами, точно сейчас сорвется с места и — вж-ж-ж-жик! — умчится прочь: — Я знаю!!! Раз приходят генералы, а уборщица в клетке сидит, а канарейка пол подметает!

* * *

Если Стешу Дора нарекла когда-то «запоздалой головой», то Владку она бы назвала «головой-торопыгой».

Все, что та делала или говорила, хотелось немедленно переделать и переговорить.

Каждое ее слово было лишнее.

За каждую вторую фразу ее хотелось прибить.

Воспитанию, которым объяли ее (каждая по-своему) две старухи, Владка не поддавалась ни в малейшей степени, будто внутри у нее сидел маленький осатанелый тайфун, просыпавшийся именно в тот момент, когда более всего событиям и обстоятельствам требовались вдумчивая тишина, осторожность и внимание к каждому слову.

С самого детства ее распирала такая радость жизни, такое несокрушимое ожидание ежеминутных чудес, с которыми обыденность конкурировать не могла. Этот сгусток энергии уравновешивался диким, необъяснимым и беспричинным враньем, враньем *не за ради чего*, просто так, без цели. Это было чистое творчество без претензий на гонорар, густая и красочная живопись сочиненного мира, который она вылепливала щедрыми ритмичными мазками. Да: этот неизвестно откуда взявшийся в девочке врожденный ораторский дар — способность к ритмической речи — вспыхивал и срабатывал в самые неожиданные моменты самым непредсказуемым образом («Хорошая девочка, просто в ней три мотора»).

Очень скоро Стеша с Барышней ощутили полное бессилие в вопросе обуздания и хоть какого-то управления этим мощным рыжим турбогенератором, а Барышня — та даже с удовольствием наблюдала, как, проводив до дверей учительницу, в очередной раз нагрянувшую со скорбной вестью о состоянии Влад-

380 киной успеваемости, девчонка врывалась в комнату с победным кличем, будто минуту назад разгромила вражеское войско:

> Не слушать Муфту!
> Подлая свинья!
> Она все врет, чтобы ей было пусто!!!
> Я написала на контрольной все...

— ...но выросла капуста, — подсказывала рифму Барышня и, чиркая спичкой, оборачивалась к Стеше: — Иди и купи этому трибуну-главарю авиабилет в Норильск на восьмое число, ее все равно выгонят из школы. А в условиях Заполярья такие мужественные и правдивые люди очень востребованы.

Владка на секунду замирала, приоткрыв рот и завороженно глядя, как дым папиросы сизыми слоями окутывает морщинистое лицо Барышни, и спокойно интересовалась у туманного кочана капусты:

— Почему на восьмое?

Она с горячим энтузиазмом ходила на парады со всем двором: воздушные шары, транспаранты, бумажные цветы и под конец дня — воодушевленные праздничные драки: вот та любимейшая среда, в которой она чувствовала себя своей до донышка. На ее кудрявую голову Стеша в детстве прикалывала украинский венок, и Владка *давила гопака* весь день до вечера, пока венок не сбивался и не повисал на ухе. Обожала огромные компании, любые дружные затеи, игры и *полезные дела на благо родины;* всегда с радостной готовностью выходила на школьные субботники и с упоением сажала деревья.

Когда в мае возвращалась китобойная флотилия «Советская Украина», Владка с толпой соседских ребят бежала ее встречать, и *проканывала* на причал, и весело толклась среди нарядных моряцких жен и детей, крутясь под ногами потных и красных, с барабанными щеками духовиков, вопя и размахивая алым галстуком, когда серо-белая громада корабля-матки (вон-вон там, на палубе разделывают огромных китов!) вырастала, заслоняя море и небо, и медленно швартовалась, как самый огромный кит, утробно подавая приветственные гудки, а за ней проходила Воронцовский маяк вереница маленьких, по сравнению с китобойцем, судов-охотников...

4

Еще со времен Ирусиного детства каждое лето снимали дачу у бабки Роксаны.

Домик на 12-й станции Фонтана, больше похожий на курень — две подслеповатые комнатки, беленая кухня с широкой печью и веранда, со всех сторон застекленная, с утра до вечера залитая солнцем, — торчал над обрывом, как корешок гнилого зуба. Зато — «у самого синего моря»! Собственно, на веранде и жили — завтракали, обедали и ужинали за столом, накрытым истертой, иссеченной ножами клеенкой, а вечерами вязали, писали письма или читали при свете голой продолговатой лампочки, неприлично торчащей прямо из стены.

Эту «дачу» с шаткой уборной во дворе снимали годами, хотя можно было подыскать и поприличнее. Но Барышня любила летнее житье у бабки Роксаны, говорила, что та — «возвышенная душа». Где она эту возвышенность в бабке отыскала, никто не понимал. Правда, та действительно часами слушала «театр у микрофона» (в кухне была радиоточка), подперев кулаком щеку и утирая слезы под выдуманные коварство и любовь. Но иногда посреди нежной фразы или пылкого признания в любви вдруг выключала радио и говорила: «Піду к свиням», — во дворе у нее жил поросенок. И если Барышня интересовалась — что ж, мол, спектакль не дослушала? — бабка разводила руками и туманно говорила: «Нема жару!»

И лето проплывало под бубнящую песнями и восклицаниями радиоточку, как жаркий послеполуденный сон в стайке радужных бликов.

Над двором — огромная крона сутулой акации. Во дворе — грохотучий ручной умывальник с ведром под ним и вытащенная в узорную виноградную тень кровать с набросанными перинами и подушками, чтобы дети бесились, валялись, ели фрукты. Каждый день Владку заставляли подмести этот проутюженный, прожаренный солнцем, выбеленный жарой и пахнущий сухим, снятым с веревки бельем, каменный дворик с опавшими листьями и принесенными бог весть откуда розовыми лепестками.

Худой базарчик, «два-три лотка и пять местных бабок», был на 10-й станции Фонтана — это так, прикупить для хозяйства по мелочи; ну, а серьезно «делать базар» ездили на Привоз. Первой там появлялась черешня, белая и черная, потом вишня, слива, абрикосы и прочий фруктовый рай. А еще в начале лета возникала непременная *пшёнка* — молодые кукурузные початки, обожаемые Владкой за то, что их можно долго подробно обгрызать, а потом еще выгрызать и догрызать острыми зубками сладкие корешки зерен. Ах, горячая вареная пшёнка! Сольцой присыпать, *кецик* масла кинуть — не едать вам ничего вкуснее! Баба наваривала полную кастрюлищу, уверенная, что на сей раз хватит до завтра. Куда там: к вечеру та оставалась пустой. А вот еще, если хотите, восхитительная летняя еда: вареные рачки. Ну, кто их не знает: мелкие креветки, отваренные в соленой воде; их по всему берегу в газетных кулечках продавали. Щелкали их, как семечки: спинку откусываешь, хитинчик выплевываешь, остальное выбрасываешь. И губы аж печет от соли, а остановиться трудно...

Ну а потом арбузы, виноград, дыни — это уже пик лета, его тяжелое, текучее, как свежий мед, солнце; сладкое изобилие степей...

Стеша, конечно, разворачивалась во всю свою кулинарную летнюю мощь.

Все перечислить нет никакой возможности, припомним главное:

неподражаемый ее *борщ на завтра* (ибо настоящую силу это волшебное варево набирает на второй день), чье благоухание перешибало все прочие запахи двора, включая ароматы нужника на задах огорода;

прозрачный, как горное озеро, бульон с фрикадельками (тот самый, вожделенный еще старым картежником Моисеем Маранцем, который после каждой ложки восклицал: «Мама моя!» и платком вытирал бисерный пот на лбу);

«куриные» котлетки из хека, перцы печеные, в слабом уксусе...

И не забыть бы жареную печенку и фаршированные яйца! И молодую картошечку с маслом и укропчиком. И кисло-сладкое жаркое с черносливом. И непременно вспомнить традиционную, но совершенно особенную у Стеши икру из «синих»! (Синенькие вообще пользовались особым почетом: сотэ, икра, жареные так и этак.)

А Ее Величество Курица?! Из курицы делалось минимум шесть блюд — и флагманом плывут куриные шкварки из кожицы с луком (предназначались только Владке, никому боле). Затем — котлетки из белого мяса, бульон из крылышек, горла и остатков *чего-ничего* на косточках, а отдельным перлом творения — *сбережэнная* кожица шейки, чтобы ее фаршировать, тушить и холить, не говоря уже о куриных *пульках*, заласканных такими соусами, о которых понятия не имеет никакой вам шеф-повар французского ресторана!

За неимением времени и сил *все это пережить*, пропустим целый перечень важных персон рыбного рая... Но карп... Карп, упитанный мужчина, облаченный (запеченный) в доспехи — от сметаны до томатного соуса! Ну, а уж котлетки из тюльки... А Стешина фаршированная рыба... Вспоминать о Стешиной фаршированной щуке невозможно даже на сытый желудок.

Ну, что вам сказать? Отдельным изыском шло варенье из мелких абрикосов, где вместо косточки *вкусившего* ждал сюрприз: четвертинка, и именно четвертинка, а не половина, ореха...

* * *

Дом стоял над крутым спуском к морю.

Владка ходить не умела — неслась с этого спуска, как ядро из пушки, вся расцарапанная, ободранная — жуть как падала. Баба увидит новый ушиб или ссадину — ругается страшенными словами, а сама плачет. Вот это было Владке странно: упала она, а плачет Баба.

Если мчаться с горы, быстро-быстро перебирая ногами, скорее всего, не упадешь, а просто врежешься в море, и оно все равно тебя затормозит: вода слишком густая для дальнейшего бега под парусами — густая сиреневая вода, в ней дружные вспышки бликов мостят дорожку вдаль, где под оседающим в море багровым солнцем вспухает и растекается огненная лава.

На огороженном участке стоит, накренившись в воде, *полуутонутый* ржавый корабль. Там очень мелко, по колено или по пояс. И живут там рыбы, не рыбы, хотя все-таки рыбы, они ведь и называются «рыба-игла». Пика острая такая, длиной с ладонь, толщиной с палец. Ловят ее ногой: прижимают к песчаному дну, захватывают пальцами и так, стоя на одной упорной ноге, осторожно подтягивают вторую, охотничью ногу с добычей, потом перехватывают рукой. Иглу можно засушить, увезти в город и пугать ею соседей — Любочку, например (дядя Юра скажет: «Девочка с большим юмором!»).

Хотя Любочку — нет, не надо, она добрая и в своей комнате разрешает трогать все-все-все без разбору, кроме пузатенькой вазы с коротким мужским именем. Как только тронешь пальцем ее прохладный керамический бок — просто так, для проверки запрета, — Любочка сделает страшные глаза, нахмурит наведенные карандашом морщинистые бровки, грозно вскинет высокий, как мачта, веснушчатый нос и скажет:

— Отойди, чудовище! Оставь Яна в покое!

И Владка сразу делает скучное лицо, оборачивается и произносит:

— Ша! *Вус трапылос?* — фразу *Инвалидсёмы*, которая ей страшно нравится за таинственность.

Мальчишки с окрестных дач ловят сверкающих изумрудных хрущей. Те сначала неподвижно лежат на ладони, как тяжелые драгоценные слитки, потом начинают щекотно перебирать мохнатыми колкими лапками. И если привязать их нитью за лапку и запустить на орбиту, они прожигают круги над головой, как взбесившийся вертолет. Улететь нельзя, а ярость и воля к победе швыряют их в воздух снова и снова.

А еще вокруг полно солдатиков — красных жучков с черным рисунком на спине, они живут в траве и в домиках из песка. Их можно посадить в спичечный коробок, привезти с собой в город и потом с толком использовать: например, напустить в чернильницу к училке ботаники, за то, что она так смешно произносит: фактицки, практицки, систематицки... (Потом она преподавала еще и химию в старших классах, и Владка со своей феерической безалаберностью на всю жизнь запомнила фразу, с которой начинался учебный год: «Химия — наука о вэщэствах и прэвращэниях».)

* * *

...Раз в две-три недели на дачу пешком заявлялся Валерка, верный дружок, сын тети Моти-подбери-свои-лохмотья, и видимо, так уставал в пути, что *передыхал* дня три, ночуя на кровати под виноградом, заодно маленько подкармливаясь. Если оставался, утром утаскивал Владку на рыбалку «на камни» — было такое место, вернее, полно было таких мест, где большие плоские камни уходили в море, как следы великанских шагов. Перепрыгивая с одного на другой, можно было удалиться от берега метров на пятьдесят.

Никаких особых снастей для рыбалки не требовалось: по пути отламывали от кустов прутки, вязали на конце суровую нитку, к ней крючок и поплавок — удочка готова. Валерка уже тогда сильно вытянулся и худющим был, как прут для удилища. Но с камня на камень перемахивал ловко; становился на край и говорил:

— Сигай, отвечаю!

И отвечал: раза два вытаскивал недопрыгнувшую Владку из воды. Но чаще ловил прямо из воздуха, подхватывал и опускал на твердь.

Располагались на том камне, что поплоще и пошире. Валерка снимал рубашку, расстилал ее на холодном песчанике, ложился на пузо и принимался шарить длинной рукой в воде, собирал рачков. На них и ловили: нанизывали на крючок и забрасывали в море. Тяжелое колыхание зеленовато-прозрачной массы воды, близкое дно с шевелящимися крабами и морскими иглами, свежесть утреннего бриза, что кропит пупырышками руки, плечи, голые ноги...

Вставало солнце, камень быстро нагревался, вода темнела, попыхивая золотыми мальтийскими крестами. И уже скоро солнечные лучи, как сквозь увеличительное стекло, выжигали в макушках огненные узоры — закрой глаза, и поплывут они в черноте расписными оранжевыми кренделями; а в ведерке постепенно уплотнялась густая жизнь пойманных бычков.

Когда ослепительный день и сверкающая синь воды заволакивались в глазах жарким маревом, дети сматывали удочки и собирались в обратный путь. Валерка прыгал с ведром в руке, *абы помяхше*, стараясь не выплеснуть содержимое: ведь Стеша потом из этих *бичков* и *глосиков* (так называли камбалу) наготавливала тонны вкуснятины: и блинки, и котлеты, и если просто целиком зажарить на сковороде обвалянную в муке рыбью личность, так ведь тоже — дурак откажется... И Стеша варила-жарила без устали, потому что знала: Валерка тогда меньше стесняется *за добавку*, чувствуя себя добытчиком, а не *нахлебкой на закорку*.

Большим достоинством отличался мальчик.

Однажды принес в подарок малиновый бумажный абажур, который мамке не удалось продать из-за цвета, дюже густого. Барышня глянула разок на это изделие и сказала:

— О, господи! — а Стеша что-то тихо и мирно ей возразила. Что касается Владки, та полюбила абажур мгновенно и всем сердцем: вкус у нее был в точности как у ее мамы-Ируси, широкий изобильный вкус без *всяких яковов*, она многому свое сердце распахивала.

Тогда Барышня хмыкнула и сказала:

— Ладно, пусть будет. Сколько оно провисит, то пугало... Мне б его ненароком папиросой не прожечь.

...что и случилось тем же вечером, и ей-же-богу, ненароком — просто Барышня при своем крошечном росте всегда так бурно жестикулировала! Что там абажур — она однажды ректору консерватории чуть глаз не выжгла. За эту ее оплошность Владке было позволено взять абажур в город, под успокоительный Стешин говорок: сколько оно провисит, то пугало...

Вы будете смеяться, но ведь висит сегодня абажур, аккуратно подлатанный-подклеенный дядь-Юрой, выцветший до декадентского устричного цвета, аж в самом городе Иерусалиме, у немолодой Владки в кухне; восхищает гостей, любителей ретро, и вполне там уместен, особенно по вечерам, когда включается электричество и за окном гаснут Иудейские горы, уступая место двойнику стильного абажура, под которым так уютно пить чай с кардамоном — довольно вонючий, неизвестно за что любимый Владкой.

И нет уже ни Стеши, ни Барышни, ни тети Моти-подбери-свои-лохмотья, и неизвестно, жив ли Валерка, доматывает очередной срок где-нибудь на зоне среди могучего лесоповала или отточенной финкой саданул его урка-дружок, — впрочем, это уже слова какого-то романса, которых во Владкиной башке понавалено видимо-невидимо. В ее музыкальной памяти всегда царил странный «каламбур» из репертуара Барышниных студентов-вокалистов и матерных частушек Валеркиных дружков, что возникали, как черти из табакерки, стоило ему вернуться после очередного «курорта».

5

Она производила впечатление гаубицы: пулеметная речь, бешеный напор рифмованных строк, мгновенная реакция в разговоре на любую тему: она отстреливалась подходящим «случаем из жизни», от которого собеседники *челюсти на пол роняли*, и неслась дальше, перескакивая через все препятствия. Это был коверный в идеальном воплощении.

Цирковое училище рыдало по ней горючими слезами.

Как это ни смешно и ни странно, школу она закончила: вытянула все та же общественная работа, некогда увенчавшая Ирусю, ее отличницу-мать, добавочными лаврами, а в случае Владки оказавшаяся спасательным кругом, буксиром, что с натугой тащил ее из класса в класс.

Аттестат выглядел жалко, но уж какой есть, надо радоваться, говорила Барышня, что она вообще научилась грамоте.

А вот это был уже обидный выпад со стороны жестокой старухи. Ведь вдобавок к ежеминутному выхлесту идей *по теме* и мгновенному их воплощению в стихах (что особо ценилось в срочных случаях посещений школы разными комиссиями) Владка еще и неплохо рисовала в стиле «а вот заделаем карикатурку к юбилею завуча».

Это были беззлобные и бесхитростные рисунки, обычно снабженные столь же простеньким четверостишием.

Вот типичный образец ее жизнерадостного творчества:

> Директор орден получил! Разве это плохо?!
> Чтоб он двести лет прожил и шел с нами в ногу!
> И жена чтоб рядом шла, чтоб взрослели детки
> Под кипучие дела нашей пятилетки!

Мгновенной готовностью *исполнить* Владка напоминала пляжных художников, безотказно вырезающих маникюрными ножничками из листа бумаги профили желающих курортников.

Между тем годам к шестнадцати это была невозможная красотка такой неотразимой рдяной масти, с такими бесстыжими *кружовенными* глазами, с зефирной кожей, которую нестерпимо хотелось лизнуть, что Стеша то и дело порывалась сделать Ирусе «категорический звонок»: ну как старухам совладать с этой юной кобылицей, беспредельно свободной в любых своих намерениях? Впрочем, Стешин упредительный залп ни к чему не привел. Ируся проговорила утомленным досадливым голосом:

— Если б ты знала, мама, какие у меня анализы! — и сквозь помехи голос звучал последним приветом умирающей.

Одно успокаивало: Владку оберегал и сторожил Валерка, верный и благородный друг, покровитель животных, защитник слабых. Но и он никогда ничему не мог воспрепятствовать, если она что затевала.

Впрочем, и такое умеренное осторожное слово никак не подходит Владке. Разве может что-то затевать гейзер или вулкан? Он просто извергает кипяток, пар, огонь и лаву — и тогда уж близко не подходи ни единая человеческая душа. Неужто справедливца Валерку так обессиливала нежность?

Он сказал однажды — ей было лет четырнадцать:

— Ты меня только полюби, я за ради тебя сто человек убью!

Странное дело — любовь: Валерка красивый был, смуглый, как цыган, рослый, сметливый. И любил эту рыжую задрыгу так нескрываемо, так честно, с такой надеждой на будущее, как дай вам бог любимой быть...

Нет. Не задел он ее никак, а напирать не хотел — уважал и берег ее безмятежность.

Казалось, она пребывает в постоянном горячечном поиске действия, что само по себе и было действием, даже если при этом ничего не производилось. Впрочем, иногда ее затеи неожиданно обретали материальные очертания. Какое-то время Владка изготовляла тушь. Да-да, «тушь косметическую» — тот самый позабытый ныне дефицит, при помощи которого дамы вооружались достойным «взмахом ресниц». Владка сама придумала варить тушь на чистом пчелином воске — ездила за ним на Новый базар или покупала на Привозе у продавцов меда. Варила тушь по собственному рецепту, разливала в спичечные коробки, выходила на толчок и бойко торговала: ей все было нипочем. «Щедрый дар Куяльника», — называла ее насмешница-Барышня. Ну и что? У нас в Одессе, говорил *Инвалидсёма,* не торгуют одни только слепые сифилитики.

Где только не продавались дефицитные вещи! На любом предприятии был уголок, куда забегали бабы. А женские туалеты, эти клондайки эпохи позднего дефицита! Одно слово — портовый город. Моряков на рейде зверская таможня шмонала так, что *мама не горюй.* Шмотки прятали и в переборках, и в брезентовых пожарных трубах, и в трюмах под ящиками. Но дорогих вещей моряки не привозили — невыгодно было. Их поставляли студенты-иностранцы, которыми Одесса кишела, как тараканами. Чулки ажурные на толчке шли рубликов по 12—15, что уж о прочем говорить! Привез джинсы на собственной заднице, толкнул за сотню — вот и живи себе чуть ли не месяц как человек.

Так что партия роскошной «махровой» туши расходилась за полчаса. В целях рекламы Владка приезжала не накрашенной и по мере торгов, энергично плюя в коробок, измазывала ресницы на правом глазу так, что те вырастали в индийское опахало. Поворачивалась в профиль и томно вытягивала шею, зазывно моргая: Нефертити! маркиза Помпадур! Дамы вскрикивали и выхватывали кошельки.

Назад Владка возвращалась трамваем, ни капельки не смущаясь и не обращая внимания на тех, кто оторопело пялился в ее лицо с одним лишь правым, оперенным угольно-черной тушью зеленым глазом, что сверкал, как драгоценная рыбка в аквариуме.

Вся Одесса пользовалась Владкиной тушью; ну, а щеточка в эпоху тотального дефицита у каждой женщины должна быть своя: плюнула-намазала, спрятала до следующей *ассамблеи.* Экономнее надо держать себя, дорогуша. А что: были такие, кто неделями эту красоту не смывал...

* * *

Сейчас уже трудно вспомнить во всех подробностях, каким ветром Владку задуло в художественный мир, как она попала в мастерские и как решилась — все же времена были не то чтоб пуританские, но аккуратнее, чем ныне, — позировать голышом.

Сначала просто согласилась «постоять» для подружки Соньки, студентки художественного училища. И та за несколько сеансов (стоять неподвижно для Владки было хуже казни египетской) замастырила шикарное «ню». На экзаменационной развеске даже педагоги интересовались, где она раздобыла такую великолепную модель.

И не сказать, чтоб Владка была как-то особенно хрупка или воздушна — нет, была она, как говорят в Одессе, «кормленая»; и не сказать, чтоб уж ноги какой-то сногсшибательной длины (у одесситок отродясь не бывало длинных ног; маленькие изящные ступни — были, маленькие ручки — были, а длинные ноги — это ж некрасиво).

Спустя дней пять Владку разыскал известный скульптор Матусевич, принялся уговаривать *поработать*: у него в полном застое и пыли пребывала скульптура «Юность мятежная».

— А я вам буду платить, моя радость, — сказал он. — Шарфик купите, шмуточки, конфетки-грильяж. И дело благородное, и красоту вашу увековечим.

Владку же, само собой, прельстили не деньги и не смешное перечисление дурацких шарфиков-конфеток, а вот это солидное и уважительное «мы»: *поработаем, увековечим красоту* — словно в создании произведения искусства он приглашал и ее, Владку, принять деятельное участие.

Она согласилась, хотя совсем не представляла, как это станет завтра снимать лифчик перед чужим дядькой не врачом. Оказалось, ни перед кем ничего снимать не нужно: вот тебе ширма, из-за которой ты выходишь... нет, *восходишь* (три ступени вели на деревянный подиум типа эстрадки в каком-нибудь кафешантане), *восходишь*, как луна, — и прямиком на небосклон искусства. И вроде даже не голая, а *обнаженная*, а это слово обволакивает тебя, как *пеплосом*, высоким художественным смыслом, так что стесняться и жаться нечего.

Тут заодно и выяснилось, что Владке совершенно по фигу, одетая она или нет. Держалась она с такой непринужденной доверчивой негой, точно была потомственной натурщицей, отпозировавшей двум поколениям обитателей знаменитого «Улья» на Монпарнасе. И хотя с трудом удерживала неподвижность в течение нескольких минут, а потом каждые четверть часа ныла и требовала перерыва «на чаёчек», творцы передавали ее из рук в руки ради вот этого момента полного паралича ваятеля или живописца, когда, обнаженная, она выходила из-за ширмы, бездумно двигая неподражаемо составленными природой членами, и, восходя на помост, была просто — римлянка, не замечающая рабов... А другие — те, кому она не досталась, — ходили смотреть, восхищенно цокали языками и качали головами.

Что у этой дуры было потрясающим, завораживающим — грудь. Античной красоты и формы, классических пропорций. Так что скульптор Маруся Мирецкая, которой повезло перехватить заказ на реставрацию кариатид в исторических зданиях центра города, форму их грудей восстанавливала по Владкиным умопомрачительным сиськам.

Впоследствии, когда у Владки спрашивали, что она оставила на родине, та глупо и утомительно мелочно перечисляла все вещи, выброшенные из тюков лютой таможней в Чопе, после чего добавляла: «И штук пятнадцать грудей на кариатидах», — по своему обыкновению, даже не в силах округлить умозрительное количество до четного числа.

* * *

Пестрая и разной степени трезвости компания, в которую угодила Владка, именовалась художественной средой, и, как в любой живой среде, в ней водились, творили, выпивали, мучились вопросами бытия и искусства разные сложные и попроще организмы. Среди них были и признанные художники, члены творческого союза, хозяева мастерских, участники официальных выставок и привычные насельники домов творчества. Но были и другие, кто называл себя «нонконформистами» — за *отказ участвовать в советском официозе и потрафлять партийным нормам советского искусства*.

Все это была публика колоритная и судьбами, и пристрастиями, а часто и обликом.

За одним тянулся шлейф семижёнства — и все жены дружили меж собой, обожая своего *единственного*, в четырнадцать рук вывязывая ему свитера и фуфайки. Другой в бухгалтерию Союза художников являлся исключительно со старым слепым ястребом на руке. Тот сидел, вцепившись в хозяина, и сдержанно булькал, наводя ужас на бюрократов.

Тот же Матусевич, когда выходил из запоя в завязку, был интеллигентен, эмоционально рассуждал о том, как важна оппозиция «мертвенной атмосфере застоя», убедительно доказывал, что талантливый и честный человек «не может творить в духоте советской тюремной камеры». Несколько экземпляров его рукописного трактата «Апофеоз тупика» постоянно циркулировали среди понимающих и доверенных людей.

Если же Матусевича закручивал стихийный вихрь протеста, а батарея бутылок под окном пугала даже коллег-художников, все речи о тупике духовности он заканчивал обычно тем, что мочился в умывальник, непринужденно сопровождая тугой звук струи прочими духовыми эффектами и удовлетворенно при этом поясняя:

— А сцыки без пердыки — шо свадьба без музы́ки!

Владка упивалась своей причастностью к искусству; ее переимчивость и артистичность расцвели на этих одесско-елисейских полях. На семнадцатый день рождения почитатели ее безупречного тела в складчину подарили ей гитару, и она очень быстро выучилась нескольким аккордам, как говорила Барышня, *уголовного свойства* — во всяком случае, ее репертуар поражал некоторой однобокостью:

> Хоп, мусорок,
> Не шей мне срок!
> Машинка Зингера иголочку сломала...

бойко выпевала Владка скромным по диапазону и силе, но точным хрипловатым голоском.

> Всех понятых,
> По-олу-у-блатных,
> Да и тебя, бля, мусор, я в гробу видала...

В то же время в ее лексиконе появились: «творческий импульс», «ритуал очищения», «культурная ам-

незия», «трансформация формы» и «минимализм тем».
Да, и «ковровая развеска», конечно же: это когда из-за
плотно, одна к одной развешанных картин не видать
цвета обоев.

В какой-нибудь многолюдной коммуналке, в бывшей зале для малых приемов — сорокаметровой комнате с эркером и высокими потолками — удавалось
развесить довольно много картин. И Владка была самым деятельным участником этих домашних верни-
сажей: помогала мебель двигать, стены освобождать,
таскать картины и какие-то абстрактные коряги на
подиумах. Она же, ввиду всем известной ее поря-
дочности, *сидела на лотерее*: все, кто являлся на подобный вернисаж, сбрасывались по десятке, и когда
набиралось рублей пятьсот, разыгрывали несколько
работ вечно безденежных художников.

Летними ночами, бывало, ездили купаться на Ланжерон или в Аркадию.

Безлунная глубокая тьма, прогретый за день воздух,
море светится от каких-то невидимых рачков... И ты
медленно входишь в пенный шорох прибоя и бредешь
в тяжко вздыхающую, ласковую глубину, расталкивая
волны коленями, животом и грудью. Наконец, погру-
жаешься и, опустив голову, видишь свое тело, при-
зрачно сияющее с головы до ног, и плывешь, плывешь,
плывешь до изнеможения, оставляя за спиной и берег,
и город, и, кажется, саму себя...

* * *

Валерка, верный рыцарь уже вполне печального
образа (он, кажется, стал осознавать, а не только чув-

398 ствовать Владкину *сердечную недостаточность*, некую песчаную мель вместо женской души, мель, на которой застревали все ее обожатели, по ошибке приняв бесшабашную дружественность за отклик совсем иного рода), — Валерка, мучась, все еще продолжал угрюмо взывать:

— Ты меня только полюби, я за ради тебя сто человек убью!

Он поступил в «среднюю мореходку» и, когда, красивый и смуглый, как цыган, проходил мимо соседей — в темно-синей своей «голландке» с пристегнутым на пуговицы полосатым воротником-«гюйсом», в бескозырке и клешах, метущих камушки двора, не было такой тетки или бабки, чтоб головой не покачала и не буркнула — мол, какого еще рожна той рыжей дешевке нужно? А громко сказать вслед боялись: Валерка за свою любовь мог и правда если не убить, то покалечить.

Между тем после известного вернисажа в квартире на Преображенской, куда Владка приволокла его причащаться искусству, а он, в своей форме, битый час простоял, как бельмо на глазу, перед картиной художника Никифорова (где обнаженная Владка оголтело мчалась куда-то на каменном льве), а потом на лестничной клетке отделал *хамуру* творца так, что та и сама недели две напоминала львиную морду, — стал Валерка попивать; не от горя, конечно, а так, от скуки. Раза два подрался *в экипаже* (общежитии мореходки) — и тоже из-за Владки. Пропуская занятия, таскался с ней по городу, придумав какие-то мифические опасности в случае, если его не будет рядом в нужный момент.

А через год его из мореходки отчислили, и он загулял уже по-настоящему; и однажды среди бела дня и при всем честном народе отбыл со двора в наруч-

никах, зажатый меж двумя *мусорами*. Рыдающая тетя
Мотя призналась Владке, что он с какими-то новыми
дружками «взял ларек».

— Что значит — взял? — наморщила Владка лоб.

— Та шо я, знаю? — плакала тетя Мотя. — И шо
в том ларьке искать — календари та костяные гребни,
ни то ще какую срань!

Напоследок она сказала обескураженной Владке,
мол, Валерка велел передать, шоб ходила остору-у-
жненько... Волновался, мол, — кто щас обэрежэт?

Но ходила Владка, куда хотела, появляясь в самых
неожиданных местах. Не в Интерклубе, конечно, не
дай бог — там ошивались гэбэшные проститутки, — но
на танцплощадку в парке Шевченко зарулить вполне
могла — от широты интересов. А уж бар «Красной», где
просиживала штаны вся одесская богема, а уж кафе «У
тети Ути», а уж летний ресторан на крыше морвокза-
ла — о, все это были утоптанные, усиженные, облюбо-
ванные места ее молодости.

Список ее знакомств был неохватным, много-
слойным, витиеватым и сложносоставным. В компании Владки можно было столкнуться с кем угодно.
Она умудрялась дружить даже с Феликом Шумахе-
ром, районным сумасшедшим. Маленький, щуплый,
с огромным носом, в шапке-ушанке и всегда с мятым
алюминиевым, полным воды чайником в руке, он
целыми днями бегал по городу, ездил в троллейбусах
и говорил, ни на мгновение не останавливаясь, обо
всем, что видел. Входил в салон с передней двери и
представлялся:

— Я композитор, пишу стихи, могу достать фокстрот
«Анечка».

Говорили, что Фелик — сын почтенных родителей, преподавателей политеха, а сынок просто неудачно переболел в детстве менингитом. Вежливый, милый, но не раз битый грубыми людьми, он уклонялся от близких знакомств.

Одной из немногих, кого к себе подпускал, была Владка. А та иногда просто так, от несметной душевной гульбы, брала его с собой «на прицеп», и это была картина — это была всем картинам картина: пламя огня, кудри вразлет из-под зеленой вязаной шапочки до бровей, шиковая походочка праздных ног, расстегнутое макси-пальто... а рядом, отставая на шаг, своим носом-форштевнем разрезая бульварные волны, с мятым чайником, полным воды, в шапке-ушанке семенит Фелик Шумахер.

В то же время она дружила с балериной оперного театра Ириной Багуц, была вхожа в два-три литературных дома и сама месяца три посещала литобъединение при каком-то клубе. При встрече чмокалась с известным пожилым архитектором и постоянно крутилась среди музыкантов, балетных и цирковых, и главное — среди художников, которые ее любили за легкость характера и «безотказный свист»: пригласить в компанию Владку было все равно, что повесить над окном клетку с канарейкой, — гарантия, что гости не заскучают.

— Что такое старость?! — выкрикивала она поверх хмельного застольного шумка. — Это когда уже не получается мыть ноги в умывальнике! — И первая заливалась таким искристым смехом, что не отозваться на него было невозможно.

Она, как Онегин, помнила все городские анекдоты, скабрезные и забавные случаи если не «от Ромула до наших дней», то уж за последние лет десять точно. Правда, лепила все подряд:

— «Серп и молот — ритуальные предметы для обрезания!» — «Ну, серп — понятно, а молот для чего?» — «Для наркоза!»

Но тут уже успех зависел от степени алкогольного оживления компании.

(А выпить в Одессе было всегда: рядом Молдавия с ее винами-коньяками и с «Негру де Пуркарь», поставлявшимся когда-то к столу английской королевы; Одесский завод шампанских вин — полусладкое, сладкое и мускатное. А настойки из фруктов, а знакомые деды из пригородов, что привозили вино канистрами! Ну, а сухим рислингом так просто мыли руки в холеру летом семидесятого.)

Нельзя сказать, что у Владки совсем не было никаких талантов. Самым неожиданным образом она оказалась *грамотной*. Да-да, и это был настоящий врожденный дар, ибо не стоит забывать: Владка не знала ни одного правила грамматики, книг не читала — то есть, по всем законам логики и практики, должна была остаться вопиюще безграмотной. Но внутри у нее, где-то в области диафрагмы, помещался некий природный справочник правописания русского языка. Во всяком случае, стоило кому-то поинтересоваться, как пишется слово, через «е» или через «и», Владка на мгновение опускала глаза, как бы вслушиваясь в подсказку, затем поднимала их и спокойно произносила: «Через "е"». Запятые вообще ставила безошибочно — как снайпер выбивает десятку; и, между прочим, рассказывая свои дикие невероятные истории («...Захожу вчера в дамский туалет в Городском саду, а там в позе лотоса сидит пожилой индийский мужчина, лысый такой, в желтом сари, и огромной сапожной иглой зашивает чей-то лифчик. Смотрю — елки-моталки! — да у него у самого груди шестого размера!») — так вот, рассказывая свои истории, она очень точно расставляла смысловые паузы и акценты; порой до самого конца не верилось, что все это она сочинила вот только что.

Барышня через знакомых устроила ее секретаршей к директору музучилища, и Владка быстро научилась печатать на машинке, разговаривать предупредительным голоском и «делать звонки». И хотя усидеть на месте в своем секретарском предбаннике долго не могла и потому все время болталась по коридорам, все же возникло впечатление, что со временем она угомонится и «выправится».

Даже Барышня была введена в заблуждение и однажды заметила, что, возможно, «из этого дикого мяса еще прорастет нечто человеческое».

Но любая служба, пусть и необременительная, была для Владки что клетка для птицы. Она выскакивала посреди рабочего дня и — на гигантских платформах, в джинсах-клеш или в мини-дальше-некуда, в кофташке-трикотаж-вырез-лодочкой, с чуть спадающим плечиком, с зелеными пластмассовыми клипсами в ушах, устремлялась неважно куда, совершенно не в состоянии объяснить, почему сорвалась с работы. Просто каждую минуту она ощущала потребность оказаться в двух или трех прямо противоположных местах, где без нее никак не обойдутся... Словом, «щедрый дар Куяльника»: «хорошая девочка, просто в ней три мотора».

Но если уж быть справедливыми до конца, надо упомянуть и о достижениях ее, о победах — например, о храбрых портняжкиных атаках, основанных, скорее, не на ремесле, а на идеях.

*Вот по части идей Владка оказалась истинным баро-
ном Мюнхгаузеном. Она и двадцать лет спустя в Иерусалиме пыталась пробиться со своими «открытиями» к
секретарю какой-то научной комиссии при университете. Среди ее идей были: проект экскаватора, вгрызающе-
гося с моря в сушу и прокладывающего каналы, и система
самораскрывающихся перевернутых зонтов для сбора дождевой воды в безводной пустыне, а также трансляторы
электронного шепота для отпугивания суеверных араб-
ских террористов.*

Так вот, машинную строчку ей еще в детстве —
ради развлечения — показала Любочка. Владка за-
бавляла ее своим энтузиазмом и решительным на-
мерением освоить все вокруг. Сама Любочка ничего
особенного не шила — так, простыню подрубить, шов
застрочить, — но девочке все, что требуется для дела,
показала: ногу вот сюда, крутим вот так, рукой легонько придерживаем здесь. А Владка, получив на
пятнадцатый день рождения денежки от обеих бабок,
от Любочки и от дяди Юры (она всегда загодя объявляла всем, что подарки возьмет самым легким *бумажным способом*), помчалась на Староконный и привезла
оттуда старинную пошарпанную машинку «Зингер».
Само собой, совершенно *убитую*. Стеша от досады аж
расплакалась: деньги этой обормотке выдали приличные, можно было и сапоги купить, не то что туфли...
Барышня же в своей обычной манере возразила, что
это прекрасно, когда человек верен себе и совершает
заранее предугаданные поступки, пусть даже и без-
мозглые.

И только мастер по ремонту швейных машинок,
старенький *Инвалидсёма* (Владка чуть не на собствен-
ном горбу приволокла его в кухню, где среди столов
и шкафчиков приблудной сиротой стояла в ожидании

своей участи швейная машинка) — только он не стал торопиться с приговором. Бывалых людей, сказал он (а *Инвалидсёма* отсидел лет пять за активную предпринимательскую деятельность и потому справедливо считал себя человеком бывалым), трудностями не испугать.

Он взмахнул костылями, как старый ворон крыльями, и каркнул старческим фальцетом:

— Ша! Шо вы кипетитеся?! Плесните у рот компоту! Щас кинем бельмо — *вус трапылос* с той механикой...

Правда, осмотрев рухлядь, смущенно признал, что нужной деталью не располагает.

Дядя Юра, сложив борцовские руки на могучей груди, скептически наблюдал за хлопаньем крыльев этой старой птицы.

— Какая именно деталь, уж выдай шпионскую тайну, красавчик! — кротко спросил он.

И *красавчик* тайну выдал: именно та деталь, что абсолютно стершийся от безумной работы челнок.

Тогда дядя Юра молча ушел к себе и вернулся с синей жестянкой из-под индийского чая. Громыхнул ею перед носом *Инвалидсёмы* и сказал:

— Трофейные. *Кербл* — ведро.

И тот, откинув костыли, бессильно опустился на табурет.

Возился он, правда, целый день, дважды Стеша его кормила, трижды чай заваривала, но ведь починил, починил ведь «инструмент труда», несмотря на то, что дядя Юра, гордый и насмешливый, крутился рядом и давал ценные советы. Фирма веников не вяжет, приговаривал счастливый *Инвалидсёма*, мерно нажимая на педаль и прислушиваясь к ровному стрекоту машинки, — фирма делает гробы!

И лишь недели три спустя, *промежду прочим,* Владка рассказала, у кого и как купила на Староконном «Зингера». Какая-то пожилая тетка, совсем уже отчаявшись сбыть негодный товар (и справедливо: умные люди знают, что запасных деталей к «Зингеру» у нас достать невозможно), все стояла и безнадежно взывала:

— Купите раритет! Историческая вещь! Принадлежала знаменитой модистке Заглецкой!

Ну, Владка и купила не глядя. Она обожала все знаменитое. И фамилия ей понравилась: Заглецкая! Модистка! Балы, менуэты-мазурки! «Полонез» Огинского!..

— Что-что?! — переспросила Барышня, проходя по кухне мимо Владки, которая как раз в эту минуту и рассказывала дяде Юре о сделке. — Что — Заглецкая? Это же великая Полина Эрнестовна! Боже, мой «венский гардероб»! Какой поворот сюжета! Да на этой машинке, знаете ли, музыку надо писать, астрономические вычисления делать! Это ж уникальная вещь, все равно что золотая карета императрицы Екатерины Великой. Надо ее у Владки забрать к чертовой матери!

— Я те забору, — добродушно отозвался дядя Юра. — Пусть строчит.

И Владка потихоньку освоила уникальный раритет и немного строчила. Придумала шить из мужских маек летние сарафанчики — «имер-элеган на пустой карман», называла их Барышня. Карман-то был не вовсе пустым, ее майки-сарафаны пользовались успехом у соседок и подружек, вот только деньги у Владки были с крылышками. Однако жили же как-то, жили...

Стеша говорила, что это Полина Эрнестовна с того света колдует-радуется, что спасли ее «Зингер».

Впрочем, довольно скоро Владка и к «Зингеру» охладела.

* * *

Через год из тюряги вернулся Валерка.

Бешеная весна была: цветущий Приморский бульвар под ширью синего неба, с бегущей пеной облачного прибоя, учебный линкор на рейде, серые военные корабли вокруг маяка, томительное гуканье сирен...

Вернулся он чужим человеком. Сразу дал понять, что на Владку больше не претендует — был кавалер, да весь вышел, — хотя она прибежала в тот же вечер с бутылкой коньяка «Молдова»; подружкой она всегда была преданной. И Валерка пил, веселел, потом тяжелел, уклоняясь от настойчивых расспросов матери на тему планов дальнейшей жизни. Зато раза три обронил, рассказывая *за жизнь на зоне*, о том, как *честно все там, справедливо, по закону* — пусть и воровскому. Он заматерел, приобрел тонкий лиловый шрам, тянущийся из густого ежика до левой брови. Но руки, как и прежде, поражали благородством: тонкие выразительные пальцы, продолговатые ногти с белыми лунками... Да что ему, маникюр там *на кичмане* делали? Раньше, мелькнуло у Владки, эти руки были *скромнее*. Может, и правда, у него там какая-то иная, шикарная жизнь?

— Валерк, — спросила она. — А татуировки есть у тебя?

— Есть, — помолчав, ответил он.

— Покажи! — воскликнула азартно.

Он нахмурился и стал еще смуглее от темной крови, прилившей к лицу. Стал медленно расстегивать ворот рубахи и вдруг отпахнул ее, обнажив безволосую сильную грудь. Там, вокруг левого соска аккуратно было выколото полукругом: «Владислава» — и лучи от каждой буквы, как от солнца.

Она ошеломленно молчала, впервые не нашлась, что сказать. Молчала, отвернувшись, и тетя Мотя, и со спины было видать, как провела она ладонью по лицу — слезы отирала. Валерка выждал пару мгновений и, не глядя на Владку, медленно, тщательно застегнул все пуговицы на рубахе.

И ни на какую работу устраиваться не стал, будто возвратился в отпуск из дальнего плавания: побудет на берегу, отдохнет-перезимует — а там и снова весна, и опять в море.

Время от времени к нему заглядывали довольно странные типы. Однажды двое темнолицых и щербатых (оба с пеньками бурых зубов в ухмылках изрытых физиономий) зажились целую неделю. Тетя Мотя варила-жарила, бегала за водкой и плакала не переставая. Целыми днями те пили с Валеркой, как-то темно разговаривали, не поднимая глаз, и бренчали на гитаре блатные частушки.

Владка запомнила одну, смысла которой не уловила:

Нас четыре, нас четыре, нас четыре на подбор:
Аферистка, чифиристка, ковырялка и кобёл...

И заходить к Валерке стала реже.

Барышня говорила:

— Загубили Валерку, нашего Франциска Ассизского. А какой парень был настоящий!

Владка слушала с недоумением — кто загубил, с чего бы? Кто такой мог найтись, кого бы Валерка испугался? И плечами пожимала.

И даже в голову ей прийти не могло, что вот она-то и загубила. Именно она.

Месяца через два он опять сел, уже надолго, на три года. Во дворе говорили, что Валерка стал гениальным медвежатником, что для него *нет замка*, что любой заграничный сейф для него — как вон тот дощатый сарай со щеколдой...

Владка не вслушивалась. Ее никогда не интересовали дворовые сплетни. Она и сама никогда не сплетничала, никого не осуждала, никому не желала зла.

И если исключить постоянное ее бескорыстное вранье и вдохновенную праздность, можно сказать, что, в сущности, Владка была почти святой — во всяком случае, по совокупности грехов и прегрешений.

6

Тут мы подходим к самой сердцевине нашей истории, к тайне зарождения человеческого существа, ибо это поистине есть тайна великая: нет, не тот давно всем известный физиологический *click* природы, от которого мгновенно как оглашенные начинают делиться клетки, прорастать кровеносные веточки, проклевываться хрящики и мышцы и взбухать дрожжевой массой владыка-мозг, — а то великое «почему?», ответа на которое никто еще не смог найти.

Почему Владка с ее феноменальной безбашенностью и легкостью в знакомствах не забеременела от кого угодно из художников, боготворящих эти сочленения прекрасной плоти? От какого-нибудь поэта из литобъединения, от любого из сотен знакомых ей мужчин? От *белого* иностранного студента, наконец, — от какого-нибудь чеха, немца или югослава и бог знает от кого еще, не говоря уже о бедном Валерке?

Могла бы, конечно, могла — в легкости своей, в хорошем расположении духа, особенно после выпитой бутылки полусладкого вина в интересной компании... да мало ли!

И тогда, конечно, витиеватый наш сюжет поскакал бы совсем в иные степи, в поисках иных, так сказать, изобразительных средств.

Но Владка была, как ни дико это звучит, абсолютно целомудренна. Весь жар и грохот ее куда-то несущейся крови, тревога и волнение готовой взорваться сердечной чакры, весь мощный ход парадно выстроенных и устремленных в космос гормонов, короче, весь яростный пафос ее созревшего и постоянно рифмующего тела — все уходило в гудок. Очень громкий, практически безостановочный, утомительный для близких и невыносимый для случайных пассажиров гудок. Она была похожа на музыкальный ящик в трактире, куда бросаешь мелочь, и он играет, играет, пока не захлебнется.

Понятно, что на ее любовь претендовали многие, иногда даже покушались:

— Я избила его носками! — И на недоуменно поднятую Барышней бровь: — Они были твердыми!

Иногда из товарищеского сочувствия к страдальцам она позволяла себя трогать и даже страстно ощупывать, от чего постоянно возникали недоразумения между нею и тем, кто ее великодушие неправильно понимал. Короче, все это не имело никакого отношения к... как бы это выразиться поточнее: к эротике? сексу? — обидно, что в русском языке нет почтенного слова, обозначающего это вековечное и увлекательное занятие, которое, видимо, Владку все же не слишком увлекало, если такая дикая красотка бродила по Одессе нераскупоренной.

— Зачем ты побила старичка? — пыталась понять Барышня, когда после очередного скандала Владка возникала в дверях квартиры в сопровождении милиционера (те слишком часто вызывались «сопроводить» ее, и не в отделение почему-то, а «к месту прописки», и затем, бывало, еще не раз наведывались осведомиться, все ли в порядке и нет ли каких жалоб на нее от соседей). — Он музыковед, профессор, приличный семейный человек... — И, выслушав пулеметную ленту оправданий, вранья, опять оправданий, да все в рифму, да очень громко, уточняла: — Тогда зачем позволять себя лапать? Ты понимаешь, идиотка, что существует логика отношений? Если у тебя нет намерения отдаться старому крокодилу, к чему допускать все эти незаконченные увертюры?!

— Он был красным и потным! — пускалась Владка в свой сивилий крик. — Он чуть не сдох!!! У него тряслись руки, и на плешь выпадала роса!

Милиционер (обычно это были мальчики из окрестных сел) глядел на Владку со смесью священного ужаса и циркового восторга, тем более что подконвойные монологи всегда заканчивались ее благодатными слезами:

— И мне его стало безумно ща-а-алко!

...словом, к великому нашему огорчению следует признать, что у Владки была атрофирована некая душевная мышца, та сокровенная секреция, что производит мускус любовной страсти, который, в свою очередь, источает аромат томления плоти и отвечает за позыв к продолжению рода. Так что продолжения рода вполне могло и не случиться, *последний по времени Этингер* вполне мог и не появиться на свет...

И тогда незачем было бы огород городить со всей этой историей.

Одной из несметного войска ее знакомых была медсестра Зинка, деваха из украинского села, рослая блондинка с шестимесячной завивкой — из тех, кого в народе называют «кровь с молоком». Это было банное знакомство (бывшие «Мраморные бани Буковецкого» в районе Нового базара). Мылись по субботам, и не в кабинке, а в общем зале, что и дешевле было, и пар там хоть ножом режь, и особо скрывать такие стати нет резона, а вода — она везде одинакова.

Жила Зинка с мужем и двухлетним сыном при клиниках ОМИ, в полуподвале под акушерской. Петька, муж, писаный был красавец: забойщик на мясокомбинате — ручищи, плечищи, синие глаза — уж красив! И вообще: красивая пара.

Для Владки Зинка была даже не подругой, а просветительницей: об *этих делах* говорила охотно, подробно и очень образно. Учитывая банный интерьер и откровенные костюмы беседующих, яркое выходило впечатление — «без вуали и сапог», как говорила Барышня.

О том, что появился у нее новый знакомый, Зинка рассказала сразу: студент медина, откуда-то с Востока, то ли из Ирака, то ли из Ирана, да какая разница... заграница! Чернявенький такой, симпатичный, с пронзительными глазами, по-русски только плохо говорит, но смотрит так, что кровь закипает — ах, как жгуче он на нее смотрит — не насмотрится! Владка хмыкала, сидя на лавке, ногу намыливала по всей длине.

В следующую помывку уже выяснилось, что «свершилось»: Зинка сошлась с чернявеньким — не то Махмудом, не то Мухаммедом, кто там в их именах разберется — короче, «Муха». И Зинкина любовь взметнулась яростным пламенем. Объясняла она эту бешеную любовь так:

— У Петьки — во! — показывала полруки до локтя, —
и ничего! А у Мухи — во... — показывала полпальца, —
а он им чудеса творит!..

Владка намыливалась, восхищенно качая головой,
полностью, само собой, Зинкин выбор одобряя.

Месяца через два Петька был изгнан, сын отвезен
в деревню к родителям, а в комнате у Зинки, в полуподвале под акушерской началась какая-то беспре-
рывная гульба с друзьями и сокурсниками новоявленного «Мухи».

— Ну, шо ты никогда не заглянешь? — спрашивала
Зинка в бане. — У нас весело.

Она с каждым разом расцветала все ярче, еще чуток поправилась, и когда наклонялась над шайкой,
ее тяжелые груди колыхались, и разгибалась она не
сразу, что казалось естественным — трудно такую тя-
жесть великолепную поднять.

Ну, Владка и пошла в тот же вечер. А чего не
пойти?

Компания, честно говоря, подобралась неказистая.
Владка любила выразительную речь, ценила остряков
и умниц, сама умела занять собой кого хошь, упивалась
собственной застольной ролью. А тут публика толклась
колченогая в смысле речевых достоинств. Оно и понятно: у большинства присутствующих русский был
совсем убогим, да и у других особыми достоинствами
не отличался.

Словом, недели две Владка там поблистала, попе-
ла песенок, припав к грифу гитары глубоким вырезом
фасона «сэрцэ на двор», порассказала легион анекдо-
тов и, заскучав, решила, что Зинка, пожалуй, лучше
всего смотрится с банной шайкой в руках. Баста! Нечего бисер перед свиньями метать.

Поначалу она даже не заметила, что вокруг нее вертится такой же чернявенький, как Зинкин «Муха», и тоже — маленький, даже, можно сказать, миниатюрный, с красивыми черными глазами... ах, да много их крутилось вокруг нее — цветной вихрь, как их всех разглядишь?

Но на третий вечер он осмелел, подошел к ней и старательно проговорил:

— Ти красыви, как пэри в снэ.

— Выучил, молодец! — отозвалась Владка через плечо. — Давай, учи дальше, пэри!

И он стал учить! И, видимо, много слов в день заучивал, правда, без всякой связи их в предложениях. Но не особо этим огорчался, просто шпарил прекрасные эпитеты нежно-умоляющим голосом. И она сменила ракурс: повернулась к нему лицом. («Он пал поверженным!» — это уже потом Владка объясняла, то ли кому-то из подружек, то ли Стеше, то ли даже сыну — когда, лет тридцать спустя, вынуждена была с ним, с бешеным, объясняться на предмет зарождения его жизни.)

Она увидела, что обожатель ее — очень даже симпатичный, чистенький, хорошо одетый паренек с учтивыми манерами. Руки не распускает, не нахальничает, место свое отсталое понимает. Пригласил на танцы. Отчего не потанцевать?

Она назначила ему встречу в парке Ильича, там, где в начале каштановой аллеи посреди большой квадратной клумбы, засаженной цветками табака и львиным зевом, громоздился *памятникленина* — привычный, как небо и звезды.

В парке Ильича была неплохая танцплощадка, по вечерам там гремела музыка, работали аттракционы —

414 подсознательно Владка помещала своего воздыхателя где-то в области проката настольных игр, педальных машинок и лошадок.

Опоздала она, как обычно, чуть не на час, но ухажер стоял и ждал, как заблудившийся ягненок, маленький на фоне памятника. Совсем какой-то недомерок.

Когда она подошла, снисходительно сияя зелеными глазами, в цветастой распашонке и зеленой юбке-солнце, он кротко спросил:

— Пачему ти нэ пришел ви сэмь часов, я готовил свой сэрце к семь...

И вот тогда ей стало его «ужасно ща-а-алко» — он был здесь таким чужим, потерянным, робким. И он *готовил свое сердце к семи*, бедняга, и стоял здесь, держа это самое чужое ей сердце в полной готовности. К чему, спрашивается?

— Ладно, — сказала она и рукой махнула. — Черт с ними, с танцами. Пойдем к морю, что ли. Погуляем.

...Как странно, что самый романтический эпизод Владкиной жизни — да что там! единственный, скажем прямо, эпизод подобного рода — не оставит на этих страницах ровным счетом никакого достойного описания. И чего там описывать: девушка не испытывала к внезапному избраннику никаких бурных чувств и уж точно никакого могучего влечения — того, что сметает на своем пути и так далее, — что могло бы послужить нам хоть каким-то подспорьем в объяснении этого идиотского, прямо скажем, ее поступка. Тут и досада, и злость разбирают: ну, мыслимое ли дело, чтобы главный герой романа был зачат так походя, так несерьезно — мимоходом, с кондачка, с шальной башки?!

Просто Владка была ужасно любопытна и деятельна, и любопытство ее давно подогревали Зинкины рос-

сказни. *Так что по пути на берег, где уже было темно,
и (давайте-ка торопливо включим соответствующее
освещение) одна лишь луна озаряла змеящуюся кром-
ку пенного, голубого в ночи прибоя, а в углублениях меж
«скалками» зияли черные провалы и пахло нагретым пе-
ском и морской галькой, — прямо по пути в ее кудрявую
голову пришла забавная мысль проверить наконец все эти
истории. А что? Просто проверить. Ей не терпелось рас-
стегнуть своему робкому спутнику штаны и поинтересоваться, что за такие чудеса эти «чернявенькие» вы-
творяют «во такусеньким» — тем более что до сих пор
никакусенького в деле не видала.*

*В темноте она не увидала и не поняла ничего: все
произошло так коряво и быстро, что можно было вообще усомниться в произошедшем. «Я так и знала, — подумала она мельком, — что все это глупости и размазня...»*

*И никаких чудес, разумеется, не обнаружила, кроме
чугунного сердцебиения подопытного кролика — бешеного сердцебиения, ощутимого даже сквозь его синтетиче-
скую рубашку. Это действительно показалось ей чудом:
его сердце грохотало так, что под Владкой, над нею и
вокруг нее раскачивались берег, луна и прибой...*

Вероятно, он был все же сильно в нее влюблен, потому что месяца через два ужасно плакал, расставаясь:
его вызвали из дома телеграммой — там отец умирал,
собирал сыновей для завещания.

— Да езжай ты, ради бога, — сказала Владка. Ей
уже давно наскучило выслушивать его тарабарщину и
жаль было обижать хорошего парня, который никак
не мог понять, чем он так провинился, что его коро-
лева все время уклоняется от повторения волшебной
ночи на берегу. — Ты ж вернешься?

— Я сделай все силы! — пылко выкрикнул он, сжав
обеими ладонями ее руку в кулак и тройным этим ку-

лачком гулко трижды ударив себя в грудь. Вероятно, то была какая-то особая клятва по-ихнему. — Все силы! Но я имей три старший брат, два — ничего, один очень злая. Может не хотеть платить мой учеба. Может сказать: работать, работать, как ты младший...

И когда, совсем заскучав, она срочно придумала, что должна бежать по очень важному делу, и, дружески чмокнув его в щеку, действительно *побежала* с большим облегчением — вот тогда он вскрикнул и залился слезами, крича ей вслед, что будет готовить свое сердце *к новый свиданий*.

Или что-то в этом роде, она не помнила.

* * *

О своей беременности Владка узнала слишком поздно. Вот уж кто никогда не прислушивался к жизни собственного тела. Никогда она не вела подсчетов, не закрашивала красной ручкой три квадратика в каком-нибудь бабском календаре. Вообще об этом не думала — может, потому, что была очень здоровой и никаких недомоганий никогда не ощущала. Поэтому ее несколько озадачила оживленная жизнь в глубине собственного организма, толкучая брыкливая жизнь, к которой в конце концов она была вынуждена прислушаться.

Стоп! В этом месте возьмем паузу...

Не слишком ли изобильна наша история женским бременем производства дальнейших поколений? Не слишком ли дотошны описания, по сути дела, скучной физиологии зачатия и вынашивания человека? Или все же мы связаны тугой пуповиной сюжета с героями, что исправно появляются на свет не иначе, как «ab ovo», по словам римлян, которые понимали толк в полнокровной телесности: в рождениях и в смертях, в началах и концах... Да и надо же как-то ввести в повествование новое действующее лицо, и, боюсь, иного способа еще не изобретено.

Человек зарождается, вызревает, выпрастывается в этот мир, прорастает в него душой, и судьбой, и сладостной болью любви. А потом его покидает.

Покоримся же этому кругу.

Когда кинулись разыскивать чернявого парнишку, выяснилось, что никаких концов и в помине нет, что эта дурында не знает ничего: ни в каком учебном заведении обретался, ни из какой страны прибыл и в какую отбыл, ни тем паче его фамилии басурманской. Кругом-бегом ничего, как в худших сентиментальных фильмах. Да и зачем, говоря откровенно, его искать, эту незначительную личность?

— Ну, просто «Бедная Лиза», — сказала на это Барышня. — Одна надежда, что топиться не побежит и даже глазом не моргнет.

Сущая правда: Владка не притихла и бега не притормозила.

Однако упаковать это событие для такой обширной аудитории, как *вся Одесса* да и просто *наш двор*, — оно как-то требовалось. Как?

В квартире проживал только один специалист по непорочному зачатию: Любочка.

Она уже еле жила — древняя, скрюченная артритом, как ветка платана, что скреблась в ее окошко. И что хуже всего — почти глухая. А посоветоваться Стеша желала втихую: дело такое, что орать-то незачем. Потому, прихватив листок из тетради и карандаш —

ну прям-таки сходка двух шпионов! — Стеша поздно вечером постучалась к ней в комнату.

Оглохшая Любочка, впрочем, отлично все поняла — то ли по губам научилась, то ли тема была захватывающая, то ли собственный опыт помог разобраться. Разговор Стеша вела осторожно, будто нащупывала каждое слово легкими шажками, хотя сама в то время уже ходила с трудом, правда, еще без палочки.

— Владка беременна, — сказала она, глядя Любочке прямо в слезящиеся, некогда яркие, а ныне тускло-серые глаза. Выждала паузу, убедилась, что событие понято однозначно, и продолжала: — Представляешь, она была в бане и... не туда села. В этих кабинках, знаешь, кто ток не моется, а дезинфицируют халтурно. Ну, и...

— Степанида, — перебила ее Любочка. — Не советую эту версию. Люди все же не идиоты. Не стоит дурить им головы.

Стеша подумала и сказала:

— Ладно. Я выясню.

Назавтра постучалась опять, тяжело опустилась в кресло у окна, собралась с духом и проговорила:

— Я выяснила. Она шла по улице, на нее напали трое бандитов, затащили в подвал и изнасиловали. Она еле приплелась на работу и не помнит, как досидела до конца рабочего дня.

Любочка помолчала, вздохнула.

— Стеша! — сказала она. — Все же надо еще подумать. Эта версия мне тоже как-то не глянется. Она и никому не понравится.

Стеша прикинула и сказала:

— Правильно, золотая твоя голова! Ладно. Я выясню.

На другой день она выглядела увереннее: так школьник, которому подсказали решение задачи, призывно тянет руку, потряхивает ею и даже слегка подпрыгивает на скамье, молча и страстно умоляя учителя вызвать его к доске.

— Я выяснила! — объявила Стеша, почти ликуя. — Он погиб в Афганистане.

— О! — сказала Любочка. — Это то, что нам надо. Афганистан — это хорошо.

Тут следует пояснить, какими тропинками женщины добрели до Афганистана, как возникла эта идея, как родилось полузапретное слово, страшно мерцавшее в советском воздухе того времени.

Стеша оплакивала Владку практически не переставая, не выходя в кухню, не готовя даже обеда, что вообще-то означало крушение мира. Ее удручал даже не сам факт, а то, с какими глазами она предстанет перед Ирусей, что скажет в оправдание: ведь не уберегла она, не уберегла внучку! Стеше представлялось, что Ируся немедленно примчится из Заполярья, дабы, как бог Саваоф, обрушить на головы нерадивых старух гнев, ужас и тьму египетскую... Когда появлялась Владка — которая, надо сказать, отнюдь не уменьшила высокоскоростные обороты своей жизни, ничуть не поблекла и не загрустила, — Стеша принималась плачущим голосом проклинать неизвестного подлеца и мерзавца, заодно костеря и внучку.

В конце концов даже необидчивая Владка не выдержала:

— Да почему, почему мерзавец? — выкрикнула она, вытаращив свои бесстыжие *кружовенные* зенки. — Никакой он не мерзавец. Он просто... просто Валид, вот и все!

— Кто-кто? — оторопела Стеша, перестав рыдать. — Инвалид?

Мгновение Владка смотрела на нее в замешательстве, затем лицо ее прояснилось, и она воскликнула:

— Да! Инвалид войны он, вот он кто! Герой за родину! Афганец!

— А еще будет лучше, — неразборчиво произнесла Барышня, вставляя зубы (эта священная ежеутренняя процедура производилась ею перед зеркалом и не всегда получалась с первого раза), — будет еще лучше, — четко повторила она, клацнув зубами, — если он в этом самом Афганистане взял да и своевременно погиб.

Это потребовало еще двух-трех мгновений. И Владка глубоко вздохнула с облегчением, и даже вдохновенно захныкала, с разбегу врезаясь в новость — *в Благовещение*, — как в детстве с разбегу вреза́лась в море:

— Да, он погиб... Погиб он, да! Красавец мой погиб, мой черноглазый со-о-ко-о-ол...

Странно, что на сей раз Барышня как бы даже и обрадовалась надвигавшемуся событию: может, считала, что пришел момент явиться на сцену жизни *последнему по времени Этингеру?* Она и впоследствии любила повторять, что выблядки — соль человечества, золотой его фонд. А вот Стеша убивалась, не стесняясь в выражениях, трусила написать Ирусе письмо, сидела грузным сиднем на табурете и от бессилия обзывала Владку то шалавой, то дешевкой, то проституткой, то *биксой* — подзабыв, будем уж справедливы, некоторые эпизоды собственной жизни. Но перед лицом такого горя — кто может упрекнуть старуху?

— Да никакая она не шалава и не проститутка, — спокойно возразила Барышня. — Слишком большая честь.

И обняв зареванную Стешу — а это крайне редко
случалось, раз в сорок лет, — погладила ее сильно по-
редевшие седые косы.

— Мелкая прошмандовка она, а больше ничего. —
И добавила: — Да — и пусть, наконец, поменяет эту
блядскую фамилию Недотрога. А то как бы в городской анекдот не угодить. Пусть наконец перепишется
в Этингеров, там ей самое место. Там и не такие случались.

Помолчала и добавила задумчиво:

— Дом Этингера — он как море. В нем все раство-
рится...

7

Наконец-то!

Наконец-то, спотыкаясь о редуты предков и дальних
родственников, к концу первой книги нашего романа мы
добрели, дотащились, доползли до появления Его — Глав-
ного Героя! Тут можно было бы произнести со всей тор-
жественностью повествователя восемнадцатого века:
пришло время герою выйти на авансцену нашей исто-
рии, к свету рамп (что звучало бы вполне естественно,
если учесть, что по роду профессии ему довольно часто
приходится выходить под свет этих самых вполне про-
заических рамп, щуриться, рукой махать осветителю:
крайний левый сними маленько, друг! а три правых чу-
ток наподдай!) — словом, можно было бы как-то по-
эффектней обставить появление главного лица, если б
этот прохвост, этот, будем откровенны, подозритель-
ный и странноватый тип уже и так не мелькал в нашей
истории где ни попадя, с присущей ему костюмирован-
ной таинственностью.

422   *Единственное, что можем мы наконец сделать открыто и с изрядным облегчением (ибо никогда не имели
склонности к тайнам и обинякам), — это назвать его
имя.*

*Во всяком случае, то имя, что было дано ему при
рождении.*

...Хотя и тут не обошлось без некоторой «киксы», с
точки зрения хорошего вкуса.

А какого еще вкуса можно было ждать от Владки?
Она вообще хотела назвать мальчишку то ли Эдгаром,
то ли Эрастом (Барышнин комментарий: «Эраст-пе-
дераст»).

Помаячил с мягких обложек каких-то американских детективов некий не то Джеральд, не то Джере-
мия, но усоп, раскритикованный всеми роженицами
в палате. Примерно полдня новорожденный прочмо-
кал, с сомнением примериваясь к неподъемному для
него богатырскому имени Руслан, сбросил его и далее
щеголял лакированным именем Адик. Но когда Эська,
под прикрытием белого халата проведенная в палату
знакомой медсестрой, уточнила:

— Адик? В смысле — Адольф?! Я тебя задушу, па-
разитка! — Владка с готовностью тряхнула свалявшей-
шейся гривой:

— Может, в честь папы назвать — Владиславом?

Никак не реагируя на это идиотское предложение,
которое могло прийти в голову только Владке (три
Владислава Недотроги! три форте в финале!), Эська
мельком глянула на туго запеленутый кулек с дитем
и вдруг поняла, в честь кого должен быть назван младенец.

В конце концов, столько лет ждала память Леонор
Эсперансы Робледо, лелеемая одним лишь ночным
сердцебиением ее фронтовой подруги.

— Леон?.. — задумчиво спросила себя Эська. — Хм... 423
Леон... В этом есть что-то: Леон Этингер... — И чуть
громче: — Солист — Леон Этингер! — и тоном ниже,
самой себе, не обращая на Владку ни малейшего внимания: — Недурно для афиши...

Всю жизнь проведя под бумажной сенью разнообразных афиш, звучание имени она привыкла пробо-
вать на язык.

— Ну что ж, решено и подписано: Леон! А звать и
по-человечески можно — Левкой...

...И не омраченная ни стыдом, ни совестью Владка
пожелала закатить праздничный обед в честь рождения младенца Леона, причем не где-нибудь, а в ресторане «Киев» — для чего было отнесено в ломбард (и
никогда уже не выкуплено) второе Дорино кольцо, а
согласия на сей гешефт Владка ни у кого не спрашивала.

— Ну и молодец, — отозвалась невозмутимая Барышня на горестные Стешины рыдания. — Победить
этот мир можно только неслыханной наглостью.

И шикарный получился обед, очень *богатый*, ибо
смирившаяся и уже влюбленная в черногривого младенца Стеша, не доверяя искусству шеф-повара, на-
жарила штук сто воздушных блинчиков с бычками, а
также сварила невероятных размеров говяжий язык,
при жизни принадлежавший, видимо, не корове, и
даже не быку-производителю, а какому-то библейскому Левиафану. Она притащила его в хозяйственной сумке целым, подозревая, что частями его может
раскрасть на кухне ресторанная обслуга. Говяжий
язык горбился на блюде в центре стола пупырчатым
утесом, благоухал перчиком и лаврушкой, и Стеша от-

резала от него куски, наделяя каждого гостя, а язык все не кончался и не кончался.

Тетя Паша-сновидица пела под «Спидолу», принесенную дядей Юрой, «Койфен бублички» и даже танцевала (в меру возраста, конечно; все старики во дворе как-то сильно сдали за последнее время).

— «Одесса, мне не пить твое вино и не утюжить клешем мостовые...»

Дядя Юра в темно-коричневом костюме, с галстуком-бабочкой на все еще могучей шее, бормотал Владке в ухо:

— Посмотри на того седого господина за столиком справа, только незаметно, не пялься. Он пытался грабить меня в двадцать первом году в подворотне, на углу Старопортофранковской и Большой Арнаутской... А я парнишка мелкий был, но сильный уже тогда. Зубы с тех пор он, конечно, вставил...

— «Скрипач аидыш Моня, ты много жил, ты понял: без мрака нету света, без горя нет удач...»

Потом, когда все уже крепко выпили, Стеша подралась с *девочкой* Лидой *за ее невинное замечание*, что от черножопых завсегда получаются уж такие красивые детки, такие красивые детки... Перед тем как вцепиться в жидкую пену Лидиных крашенных хной бывших кудрей, Стеша спокойно заметила — мол, женщина, у которой половина жизни прошла под крики «девочки, в залу!», может на старости лет отдыхать по хозяйству и полоскать свое окно, а заодно свой грязный длинный язык.

Кстати, по башке-то Лиде она шарахнула именно языком — говяжьим, тяжелым и скользким, как мокрый булыжник.

— «Рахиля, шоб вы сдохли, вы мне нравитесь!..»

А на Владку напал неудержимый хохот, и сквозь икоту она выкрикивала:

— Да он афганец, можете понять?! Герой-афганец, за Родину погиб!!! Гремели пулеметы, пушки били! Граната взорвалась — его убили! На радость всем врагам, на горе мне!

...и хохотала, хохотала, пока дядя Юра не подхватил ее вместе с давно орущим младенцем и не поволок в туалет — мыть *рыжую физию* холодной водой. И убеждал ее там, и горячо твердил в жалкое мокрое лицо, истекающее черной тушью собственного производства:

— Владка, ты — мадонна! Не слушай ни единую блядь: ты — мадонна!

И знаете что: ведь он прав. Если спокойно и здраво осмыслить историю с этим нелепым знакомством и юннатским соитием на пляже — без малейшей греховной страсти со стороны, так сказать, принимающей, — надо согласиться, что для Владки это был учебный эксперимент, бесстрастный опыт, зачатие непорочное. Разве что понесла она не от Святого Духа и принесла не Спасителя.

Ой, не Спасителя...

* * *

Вот опять надо описывать чье-то детство... Опять надо его любить — нового человека, рожденного из пены потока, что несет нас, нещадно колотя о берега повествования, не давая времени ни вздохнуть, ни отряхнуться.

А ведь надо его любить, деться-то некуда, сердце не каменное: как повозишься с его загаженными пеленками; да прислушаешься, постепенно привыкая, к странно звенящему голоску, задающему вопросы двум уже глубоким старухам и до оторопи легкомысленной женщине; как поймаешь себя на том, что торопишься скомкать проходную сцену, ибо ждешь не дождешься топота ножек по коридору коммуналки; да как обомлеешь от песенки, спетой им на детсадовском утреннике так чисто, с такой молящей ангельской интонацией, что вся выстроенная для него благополучная биография покатится куда-то к чертям собачьим...

...Что касается песенки про *нашу елочку*, что *срубили под самый корешок*, главным образом от нее обомлела Стеша, медведицей сидевшая на детском стульчике среди прочих мам-пап. Удивить ее голосовой благодатью было трудно — все же выросла и жила среди такихто голосищ, — а поразило вот что: это как же он, малёк такой, дома всё молчал?! Как же он свою самость-то драгоценную-горловую-сердечную прятал-укрывал! С чего это и почему решил так ее охранять, что ни бабка, ни мать, ни вострая Барышня ничего не ущучили... Вот те и малёк!

И по пути домой, когда, тяжело переваливаясь с одной слоновьей ноги на другую, она вела правнука, сжимая его цыплячью лапку в своей рабочей разбитой ладони, сердечно уговаривая повторить дома для Барышни и Владки «концерт», он даже не отвечал, засранец: глядел по сторонам, будто не с ним говорили.

И дома точно так же молчал, словно не о нем она рассказывала, а о каком-то постороннем диве.

...Странно, что этот «малёк» чуть не с рождения строго различал — где, с кем и как себя вести, всегда поступая так, а не этак, в зависимости от обстановки, будто понятия «место» и «время» были изобретены нарочно для него или родились вместе с ним.

На музыкальных занятиях в детском саду петь *полагалось*, там ему петь *хотелось*. И он пел.

Он и вообще был страшно чувствителен к окружению и ситуациям, в которые попадал, и когда ему не нравились обстановка или люди, решительно действовал по своему усмотрению. Мог удрать и прибежать домой один, потрясая старух своей самостоятельностью. Дорогу запоминал, как кошка, — откуда угодно; номера трамвая или троллейбуса различал по очертаниям (ибо читать и считать в то время еще не умел). Мог прилюдно устроить такой тарарам, что Владка подхватывалась и из гостей, или с выставки, или даже из кинозала убегала с плачем, волоча сына по ступеням, потряхивая его и со злостью выкрикивая:

— Дрянь гремучая! Падла злючая! Рожа мрачная! Жизнь бардачная!

Позже, когда вполне осознал силу своих голосовых связок, мог взять и держать ноту такого сверлящего накала, будто где-то высоко врубили небесную дрель, и тогда уже не выдерживал никто в радиусе с полкилометра.

— Да спой же, мамынька, спой еще про елочку, шо ты говнишься! — умоляла Стеша, ибо ей обе не верили. Барышня парила крошечные ножки в тазу до прихода взыскательной педикюрши Сони — та всегда торопилась и с порога требовала «ни минуточки не терять!». А Владка шлифовала личность перед зеркальцем, боком присев на подоконник и болтая дивной ногой.

— Что за дела чудные, — бормотала Барышня, подливая в таз кипятку из чайника. — Дитя закукарекало?

— Ну, давай, Лео, — вставила полунакрашенная Владка с одним махрово-прицельным, а другим пока еще домашним и пушистым глазом. — Сделай им тут Робертино Лоретти!

И губы вытянула под карандаш «анютиными глазками», так что вышло — «Лоберсино Лоресси»...

Леон не отвечал, копаясь в своем картонном ящике, задвинутом под ломберный столик.

Кстати, интересно бы и нам заглянуть в этот ящик.

Ничего похожего на мальчишеские свалки машинок, рассыпанных частей пяти разномастных конструкторов, ослепшего калейдоскопа и разрозненных солдатиков — всего того, что хранят мальчики в своем заповедном углу, — там не водилось. Леон всегда собирал что-то *из жизни*, для каких-то своих таинственных планов, о которых никому не докладывал. Это было странное собрание ни к чему не пригодных одиноких вещей «с характером». Например, он уволок у Барышни круглую шляпную коробку, где съёженной мышкой в уголку валялась черная вуалетка и от стенки к стенке ездил одноногий театральный лорнет с тремя отпавшими и грубо приклеенными пластинами тусклого перламутра. Еще там обитал старый серебряный наперсток, годный на чей-то толстый палец: Леон самолично выковырял его из щели в паркете, и не иначе, как великая Полина Эрнестовна уронила его лет семьдесят назад, в незабвенную эпоху сотворения «венского гардероба».

Если по воскресеньям кто-то из соседей брал его на Староконный, Леон всегда тратил там свой «кербл», пожалованный Бабой или Барышней, на старые, кустарно раскрашенные открытки или даже старые фотографии совершенно чужих, ни к селу ни к городу людей, в чьи лица вглядывался так же внимательно и подолгу, как в лицо Большого Этингера или в растерянное, под паклей рыжего парика личико Леонор Эсперансы Робледо.

И страшно любил эти свои «картинки»; сортировал их, перекладывал из одной папиросной коробки в другую. Главными среди них были: «Одесский портъ. Поклонъ изъ Одессы» — картонка, подкрашенная вручную штрихами красного и зеленого карандаша, — и чернобелая «Одесса въ снѣгу», где несколько дворников с метлами откапывали занесенную снегом театральную тумбу.

У дяди Юры он выклянчил три синих пузырька «из древней аптеки», у Любочки — одну серьгу с висюльками из синего бисера (вторая была потеряна в 1904 году в Киеве, в приемной у гинеколога).

На вопросы, чтó со всем этим барахлом он намерен делать, Леон отвечал, что станет директором Музея Времени, и каждый сможет прийти и посмотреть, как люди раньше жили. Но разговор поддерживал, только если видел, что собеседник и вправду заинтригован. Чаще никак не отзывался на вопросы и попытки гостей «подружиться».

Владка считала, что у сына уж-ж-жасно тяжелый характер, и однажды — ему было лет пять — даже повела его к знакомой тетке-психологине.

Но консультацию вряд ли можно было назвать удачной: все полчаса мальчик молчал, как немой, закрашивать картинки не пожелал, отвечать на вкрадчивые вопросы о том, кого он любит — не любит, и не думал.

— Ну почему, почему ты так вредничал, Лео?! — волоча его за руку по бульвару, вопила Владка. Он спокойно ответил:

— Не дергай мне руку, оторвешь. — И, помолчав: — Она очень глупая женщина. С такими говорить нельзя.

Чуть ли не с младенчества он четко разграничивал по ролям свое женское семейство и с каждой вел себя по-разному.

К Стеше, которую, как и Владка, звал «Бабой», относился снисходительно, с обескураживающей прямотой. «Лепит, что хочет, — отмечала та не без гордости, — все думки выкладывает!» Искренне считала, что может угадать все его мысли. Но ошибалась. Никто не знал, о чем этот ребенок думает.

Мать обожал, хотя и совершенно игнорировал ее мнения, требования, вопли и даже слезные просьбы. Но когда зимой та растянулась во дворе и вывихнула ногу, плакал от жалости и просидел с ней всю ночь, держа на своих тощих коленках обмотанную бинтами и полотенцем кувалду ее ноги, ни за что не соглашаясь пойти спать. Вообще, был привязан к матери как-то иначе, нежели обычные дети. Всегда был равнодушен к ее байкам, вспыхивающим с такой ослепительной силой изображения, что все вокруг замирали и молча выслушивали всю эту чушь до победного финала. Все, только не Леон и не Барышня.

— Так много сумасшедших на дорогах, — начинала Владка спокойно, еще, видимо, не зная, куда заведет ее тема. — Хватаю я сегодня такси, опаздывала, — (это — Стеше, мимоходом, чтобы та не ругалась *за деньги на ветер*). — И водитель такой симпатичный попался, разговорчивый... Ну, едем, треплемся за жизнь. Вдруг видим: машина впереди страшно вихляет. И водитель в ней что-то говорит-говорит-говорит тому, кто рядом сидит, и все время руль бросает и руками размахивает.

В этом месте голос ее уже креп, уже, и сама увлеченная сюжетом, она мчалась на всех парах, подбрасывая в топку рассказа все новые детали.

— Я таксисту: «Ну-к, обгоним!» Обгоняем... Тот, в машине, все говорит-говорит-говорит, да так запальчиво, так злобно! Вдруг — р-р-раз!!! р-р-раз! — оплеуху пассажиру! И опять что-то говорит-говорит-говорит... И опять р-р-раз!!! — оплеуху, и бьет его, и бьет, и бьет. А машину, как пьяного, так и мотает по дороге. А несчастный, кого он лупит, — ма-а-аленький, только ушки видны. Ребенка бьет, думаю! Ах, падла!!! «Гони! — кричу таксисту. — Гони, мы его в милицию сдадим! Там ему дадут *прострации!*» Обгоняем и видим!!!

Она выкатывала глаза, лицо розовело, гнев заливал его волной, малиновой, как абажур тети Моти, и тут же волна спадала, уступая место оторопи и цирковой паузе, сходной с той, что повисает в зале, когда фокусник за уши вытаскивает кроля из шляпы:

— А там — миш-ка плю-ше-вый пристегнут! Большой! Плюшевый! Мишка! И тот его лупит и лупит, понимаете?!

Тут крещендо шло, как говаривала Барышня, «до трех форте»:

— Лупит и лупит! Лупит и лупит!!! Понимаете вы или нет?! И в этот самый момент...

Леон понимал. Он понимал, что мать придумала всю историю от начала до конца. Она не терпела спокойствия и тишины, и если становилось скучно, вызывала в своем воображении поистине фантасмагорические картины, и выпевала их, как вышивала.

А Баба — та всегда велась на внучкины запевы-переливы и лишь в конце очередной саги приходила в себя, пожимала плечами и замечала:

— Ну, чистый Желтухин! И свистит, и щелкает, а в конце еще и руладу пустит! Так и ждешь от нее «Стаканчиков граненых»...

* * *

Единственным человеком, кого Леон воспринимал всерьез, была Барышня.

Когда они вполголоса перебрасывались двумя-тремя фразами (она никогда не сюсюкала, никогда не звала его уменьшительными именами, часто вполне добродушно величала «выблядком», а пребывая в хорошем настроении, могла торжественно именовать «последним по времени Этингером»), казалось, что эти двое, не сговариваясь, только друг друга считают ровней.

Вот кого Леон безоговорочно сопровождал куда угодно по первой просьбе, что тоже удивляло и Владку, и даже Стешу: ну какой интерес пацану в посиделках старых пердунов! Например, чуть не каждую субботу они отправлялись вдвоем в знаменитый дом с атлантами на улице Гоголя, на ужин к «Сашику» — утконосому долговязому старику в уютной бархатной куртке. Помимо «Сашика», его седенькой жены Лизы и не совсем нормальной пожилой их дочери Ниночки, которая на протяжении всего ужина с неутомимым ожесточением выстукивала по краю стола фортепианные пассажи, на ужин приплетались еще два старичка и две старушки, и разговоры за столом велись исключительно на музыкальные темы. Леона здесь всегда хвалили: он был *неслышный*...

Словом, со Стешей Леон никогда не разговаривал о том, о чем мог поговорить с Барышней, и наоборот. А Владку вообще не удостаивал никаких обсуждений и рассуждений, никогда не докладывал ей о своих планах и настроениях. Но ни разу — ни разу! — даже совсем маленьким, не засыпал, пока где-нибудь в первом часу ночи не услышит цокот ее каблучков от входной двери по длинному коридору коммуналки.

Вот они все звонче, все быстрее, она врывалась, бросалась к его подушке, и измотанный страшным желанием спать мальчик проваливался в облако ее духов, в запах холодной с улицы щеки или шеи — уже уплывая в туманное озеро сна...

Он явно изучал их, своих женщин: задумчиво послеживал за передвижениями Стеши по кухне; внимательно наблюдал за лицом и руками Владки, сочиняющей очередную свою невероятную историю; проскальзывал во время урока к Барышне, что вообще-то строго запрещалось, но Леон умудрялся проникнуть в комнату беззвучно, за ее спиной. Забивался в уголок и просиживал так полчаса, сорок минут, а то и час (в отличие от матери, даже маленьким он был способен сохранять полную неподвижность очень долго), неотрывно следя за студенткой, смешно разевающей рот. И порой так же молча, словно передразнивая, разевал рот, как бы запоминая движение лицевых мышц.

— Внучок ваш, Эсфирь Гавриловна, — пробормотал однажды студент-вокалист, собирая после занятий ноты в папку, — паренек не простой.

— Надеюсь, — парировала Эська. — Надеюсь, что не простой.

До какой степени внучок не простой, выяснилось довольно рано — Леону тогда исполнилось лет семь. Эсфирь Гавриловна была уже о-о-очень преклонного возраста человек: все же под девяносто — не шутка. Уже и глаза подводили, и правая рука тряслась так, что про аккомпанемент давно следовало забыть. Но в почетные

434 *председатели жюри конкурсов ее еще приглашали: ее огромный опыт и безукоризненный музыкальный вкус по-прежнему придавали вес любому серьезному музыкальному событию в городе.*

Разумеется, за «старухой Этингер» присылали машину и двух студентов, которые потом препровождали ее обратно, с медлительной торжественностью — под руки с обеих сторон — втаскивая ступень за ступенью по лестнице до самой двери в квартиру. Это не представляло особой трудности даже для девушек: в старости Эська так ссохлась (Стеша говорила: «скукожилась»), что превратилась в морщинистого седоголового гномика, временами даже трогательного — пока не открывала рта. И лучше было на язык ей не попадаться.

...Вернувшись однажды домой, Эська обнаружила у себя в комнате очень странную посетительницу, чем-то смутно знакомую, но подозрительно таинственную и почему-то в шляпке с вуалью. Сумерки уже погасили в комнате окна, так что Эська не сразу заметила миниатюрную фигурку в кресле, а увидев, от неожиданности так сильно вздрогнула, что чуть равновесия не потеряла.

— Вы... кто такая? — отрывисто спросила она, вглядываясь в молчаливую гостью.

— Я неизвестная незнакомка! — заявила та стеклянным голоском.

— Пошла вон! — каркнула неприятная старуха. Эська не любила сюрпризов, не любила неизвестных незнакомок и вообще боялась сумасшедших. Особенно в вуалях. — Что вам здесь надо? Какого черта вы эту тряпку нацепили! Я в милицию сейчас...

— Да ладно тебе орать, — из-под вуали отозвалась посетительница. — Я тебе сейчас ка-ак спою!

И полилась из-за «тряпки» беллиниевская «Каватина Нормы» с такой хорошей артикуляцией и так прилично интонированная, что Эська милицию звать не стала (да и как бы она это сделала, интересно предположить? В крайнем случае крикнула бы дядю Юру, если бы тот был жив. Но дядя Юра года два как умер от рака).

Выключателем она сразу щелкнула, и секунды две еще понадобилось, чтобы опознать кружевную блузку и серую габардиновую юбку из своего «венского гардероба», а заодно и шляпку, которую она лет сорок не извлекала из картонной коробки. Нащупав ближайшую думку на кровати, Эська с воплем швырнула ее в Леона...

— Ну, как я тебя сделал, Барышня? — Это было первым, что он ей сказал, сияя чернущими глазами и стягивая с кудрявой макушки Эськину шляпку.

И в этот момент произошло вот что: Эська впервые как бы со стороны увидела, насколько этот выблядок похож на нее саму, на маленькую Эську. Внутренне ахнула и, схватив другую думку, дослала ее вслед первой — впрочем, он все равно увернулся. Главное, в те минуты на нее впервые нашло: на днях ехать в Вену, там все договорено с Винарским, а папы все нет, и хорошо бы дать ему телеграмму, только вот адрес, адрес...

Впрочем, это был лишь миг затмения, все сразу миновало, и уже минут через десять она рассказывала на кухне Стеше и Владке, как этот мамзер *ее обмишурил. Шляпка! — вот почему сразу-то не опознала: она эту шляпку лет пятьдесят не доставала из коробки.*

К его открывшемуся голосу она отнеслась холодно и даже враждебно.

— Никаких теноров! — отрезала. — Баста. Напелись! Плохая примета. К тому же, еще лет пять, и голос у него сломается. Если хочет музыкой заниматься — пожалуйста. Есть много замечательных инструментов.

— Арфа, например? — с подковыркой спросила обычно мирная Стеша, намекая на неудачный эпизод Эськиного детства, а также на маленький рост Леона.

— Например, кларнет, — отбила выпад Эська.

* * *

На том семья и порешила.

К сожалению, изумительный кларнет Большого Этингера бесследно исчез. «Румыны унесли», — говорила Стеша так, как говорят о цыпленке, унесенном ястребом, или о лодке с рыбаками, унесенной штормом в открытое море. (И если задуматься — где-то он сейчас, божественный инструмент, кто к нему прикладывает губы? В каком бухарестском шалмане наяривает на нем забубенный бессмысленный лабух? А может, и хуже: где-нибудь в селе под Констанцей или Тырговиште крестьянин размешивает им пиво в бочке?)

Словом, фамильный кларнет французской фирмы «Анри Сельмер» был потерян безвозвратно, но Григорий Нисаныч, духовик в музыкальной школе при консерватории, который только из уважения к Эсфирь Гавриловне согласился учить пацана (таких маленьких не брал), выдал мальчику казенный, старенький, в футляре из потертого папье-маше, но все же деревянный, а не эбонитовый кларнет с посеченными временем деталями корпуса и потускневшей никелировкой металлических рычагов и клапанов.

Был Григорий Нисаныч нежнейшим человеком, беззащитным в своей доброте, и, чтобы защититься от этого мира, в том числе от жестокого мира детей, выдавал себя за сварливца и деспота.

— Так: не таращиться, а запоминать. Буду бить и трепать как с-с-собаку! Что улыбаешься? Нравится кларнет? Ах, нравится, хулиганское твое отр-р-родье... Вот если когда-нибудь сможешь выдавить из этой дудочки звук, хоть отдаленно напоминающий кларнет твоего прадеда!.. Мой папа (между прочим, гобоист милостью божией) мальчишкой трижды бегал слушать кларнет Большого Этингера в экспозиции Пятой Чайковского. Какими басами тот пел! Ах, сердце — вдрызг!.. Так вот, эти басы у кларнета называются красиво: *шалюмо*, во как! Это — безотказное благородство, визитная карточка, голос чести. Потом — будем откровенны — октава у нас бледновата, пока не передуешь. Что значит «передуешь»? Я так и знал, брандахлыст несчастный, что все тебе надо разжевать! Молчи и слушай, и только попробуй не запомнить — распотрошу к чер-р-ртям собачьим! Вот клапан передувания, его открывают, чтобы перейти на третий обертон. И запомни: кларнет — единственная деревяшка, у которой передувают не на октаву, а на дуодециму... Ах, ты такого слова не слышал! А слову «хер» тебя дворовая шантрапа уже научила? Не сомневаюсь... *А гитэ халястрэ!*[1] То-то бедная мадам Этингер валялась в ногах у Григория Нисаныча: вырвите малого идиёта из лап улицы!

По замкнутому лицу мальчика невозможно было понять, что он думает и как реагирует на выкрики и взлаивания учителя. С этим лицом он невозмутимо выслушивал всю цветистую предысторию вопроса, хотя кому, как не ему, было известно, что, во-первых, Барышня никогда ни у кого в ногах не валялась, и скорее небо упадет на землю, чем это случится, а во-вторых, ни в каких дворовых «халястрах» он в жизни

---

1 Хорошая компашка! (*идиш*)

не околачивался. Он вообще не выходил во двор, хотя Владка все время гнала его *поиграть и погулять с друзьями*. И никаких друзей во дворе у него не водилось, и они ему были совершенно не нужны.

— Слушай, пока я жив, *ферец*[1]... если тебе так нравится кларнет, хоть знай, с чем эту дудочку едят... Дуодецима — это квинта через октаву, потому твой любимый кларнет называют инструментом квин-ти-ру-ю-щим... И «пустой звук», когда все дырки открыты, у кларнета си-бемоль — фа. Ну, а у кларнета ля, чей ствол на два сантиметра длиннее, — какой? Поработай *абисэлэ*[2] мозгами. Правильно — ми! Не все с тобой потеряно, *ферец*... Так вот, запомни: стоит закрыть все дырки, прижать и открыть клапан передувания, как кларнет становится чистым бриллиантом! Это, конечно, если вставлен в нужный рот...

* * *

В общеобразовательной школе мальчик занимался с третьего на десятое. Не так кошмарно, как Владка, — этого типчика держали на плаву отличная память, умение слушать, не отвлекаясь, и выхватывать из объяснений учителя самую суть. Уроков никогда не готовил, и *за это*, как говорила Стеша, *горел*, хотя материал каким-то образом знал всегда.

Едва звенел звонок с последнего урока, он в нетерпении уже забрасывал в ранец все школьные *бебехи*. Предвкушал: сейчас прибежит домой, первым делом вымоет руки (Григорий Нисаныч настрого запретил касаться инструмента немытыми руками), откроет футляр, достанет из бумажного конверта одну из трех

1 Деятель (*идиш*).
2 Чуть-чуть (*идиш*).

камышовых пластинок-тростей и, прикоснувшись к ней языком, аккуратно приложит к отверстию клюва-мундштука, прикрутив пластинку металлическим хомутом. Ну, а теперь вставить мундштук в бочонок, соединить верхнее и нижнее колено, в нижнее вставить элегантный раструб, а бочонок надеть на отделанный пробкой выступ верхнего... готово! И тогда... тогда, наконец (вот оно: «вставить кларнет в нужный рот!»), прикрыв покатость мундштука верхней губой, осторожно коснуться трости нижней губой и языком и — дунуть, рождая легкими, горлом, трахеей и тем, что бьется под левым ребром, томительно густую, серебряную ласку звука...

...Его лицо, необычно бесстрастное для ребенка, совершенно менялось, когда он пел в школьном хоре: блаженная нежность во всех чертах, губы округло-старательные, молящие, а голос выпевает благодарность *всему вокруг*...

Неплохой был детский коллектив, и не мудрено: школа специальная, слух чуть не у половины ребятишек абсолютный, в крайнем случае просто отличный. А для хорового пения особой силы голоса и не нужно.

Хоровичка Алла Петровна, одышливая старая дева, всю душу отдавала своей профессии, репертуар выбирала так, как выбирают невесту сыну: все классика, что ни вещь, то бриллиант. На Леона, едва тот на прослушивании открыл рот, набросилась, как людоед на мальчика-с-пальчик, чуть не проглотила с ботинками. Ахала, бледнела, руками всплескивала, бросая клавиатуру...

— Разве что ноги не целовала и в обморок не хлопнулась, — сообщила Владка, которая была свидетелем этого события.

И Леон стал солистом детского хора. Владка перешила ему одну из блузок «венского гардероба» — белую, с черной бархатной ленточкой вокруг шеи, с нежнейшим пенным жабо цвета слоновой кости, на фоне которого смуглое лицо мальчика приобретало какую-то чеканную значительность.

Алла Петровна оборачивалась к публике и объявляла:

— «Ночевала тучка золотая»! Музыка Чайковского! Слова Лермонтова! Солист — Леон Этингер!

Нацеливала вздрагивающую палочку на двойной ряд сосредоточенных детских лиц, взмахивала...

Из шепотливой тишины под высоким потолком далеким хрустальным колокольчиком зарождалось:

— «Ночева-а-ала ту-у-чка... золота-я... на груди утё-о-оса... велика-а-на...»

(Леону, в то время совсем крошечному, под ноги ставили скамейку, чтобы из зала можно было если не разглядеть, то хотя бы заметить «солиста».)

Он вытягивал звенящий ручей мелодии, и ему казалось, что и сам он стоит на утесе — одинокий, как перст, легкий, как облако, готовый сорваться в широкую дугу полета. А хор, вздувавшийся волной за его голосом, — это шлейф, его полуопущенные крылья, и только от него зависит — от него, а не от жалкой палочки Аллы Петровны, — взмахнут ли крылья в полную силу, расправятся ли могучим шатром, вздымая его на бездонную высоту, или поникнут навсегда.

Именно в это время обнаружилось одно из уникальных врожденных свойств его дарования, для профессионального певца бесценное: он пел, мгновенно выучивая текст партии на любом языке — немецком, итальян-

ском, французском... Но это-то дело нехитрое, особенно в детском возрасте, с цепкой детской памятью. А изюмина в том, что ни тени акцента в его произношении не смог бы заметить ни один природный носитель языка. Проверено: в разные годы весьма лестные комплименты на эту тему ему приходилось слышать от своих итальянских, немецких, латино-американских и прочих коллег.

* * *

Вот уж кто унаследовал фамильную страсть! Вот кто стал прямым потомком Большого Этингера по родовой музыкальной ветви. Вот кто трепетал и возносился при первых же звуках и потому — ну согласимся же, наконец! — заслужил полушутливую Эськину кличку «последнего по времени Этингера».

Власть музыкальных звуков над этим мальчиком была поразительной, парализующей. Однажды он пропустил урок сольфеджио, простояв под дверью соседнего музыкального класса, откуда доносились звуки расстроенного, со сбитыми молотками пианино. Волнообразная мелодия речитатива (траурный, черного солнца ре минор), подобно приливу, вздымалась все выше и выше, разливая оцепенение по всему телу. Вот мерное похоронное шествие сбил растерзанный аккорд, и начались синкопы, от которых мальчика обуял ужас: перед ним разверзлось ледяное дыхание ада. И даже бодрый, истинно моцартовский, в духе ранних сонат финал не мог развеять впечатления от увиденной бездны. (Годы спустя, изучая строение музыкальных форм, он узнает, что этот старинный, родом из Испании, остинатный танец называется сарабандой.)

Дождавшись, когда из класса выпорхнула ученица, Леон бросился к ней:

— Что сейчас играла?

Девчонка (типичная отличница, нейлоновые бантики в косицах) фыркнула:

— А ты не знаешь? — И, взглядом скользнув по прижатому к груди кларнетному футляру — ну ясно, духовик, что с него взять! — снисходительно бросила, убегая: — Ре-минорная фантазия Моцарта...

...Время от времени Барышня брала Леона на оперные и балетные спектакли, и забавно было наблюдать этих двоих в ложе бенуара, где Барышня *держала абонемент*, — одинаково серьезных, одинаково молчаливых, перекидывающихся двумя-тремя скупыми фразами по ходу оперы.

Иногда дальнозоркая Барышня говорила:

— Нас лорнируют... — и действительно, издали им кто-то кланялся, и она благосклонно отвечала легкой рукой, а в антракте к ним в ложу непременно кто-то входил с приветствиями.

Однажды после «Севильского цирюльника» они зашли за кулисы к «Сашику». Леон давно знал, что этот старик, оказывается, «Сашик» — только для Барышни да еще для тех трех старичков, которые сто лет назад занимались с ним на фортепианных курсах Фоминой в Красном переулке. А вообще-то он блистательный дирижер Александр Аркадьевич Галицкий, заслуженный деятель искусств УССР...

Так вот, «Сашику» в тот день исполнялось восемьдесят пять, и вечером в его квартире на Гоголя собиралась небольшая компания ближайших друзей, все тех же еле живых старичков: юбиляр терпеть не мог юбилеев.

«Сашик» стоял у бархатной кулисы огромной полупогашенной сцены, совсем иной, чем дома, — в прекрасно сидящем фраке, в белой рубашке с черной бабочкой, и его округлое брюшко забавно рифмовалось с округлым лицом в морщинах вокруг яблочек-щек.

Он еще не успокоился после спектакля и, нагруженный букетами (кто-нибудь, черт возьми, заберет у меня эти веники?!), порывисто договаривал что-то Барышне, скупо похваливая и щедро поругивая всех — оркестрантов, певцов, осветителей, рабочих сцены...

— Галина сегодня была не ай-яй-яй, — согласилась Барышня, и «Сашик» отозвался:

— Вообще-то, она нездорова. Но ведь и этот пройдоха Россини хорош: писал Розину для своей жены с ее редчайшим даже для Италии колоратурным меццо. Ты ж понимаешь, сегодня певицы — либо высокие меццо, либо колоратурные сопрано, с их жидким низким регистром! Так и поют — *мит а крэхц*[1]*!*

— Она не дотянула в арии, — вдруг вставил Леон, на которого, как обычно, никто из взрослых не обращал внимания.

«Сашик» запнулся (похоже, он вообще впервые услышал голос этого молчуна), выразительно вздернул бровь и глянул вниз, на черную кудрявую макушку где-то у него под животом. Спросил, пытаясь состроить уважительное серьезное лицо:

— И где ж это она не дотянула, я вас умоляю, дорогой эксперт?

— А вот тут... — сказал Леон и — невероятно легко, полетно, звонкой прозрачной струей — вылил горлом сложнейшую фиоритуру из арии Розины. Звенящая птичья трель свободно взлетела над пурпурными ло-

1 С кряхтением, с натугой (*идиш*).

жами бенуара с их золоченой лепниной, к огромной притушенной люстре под знаменитым расписным потолком Лефлера и там еще два-три мгновения трепетала крылышками, прежде чем стихнуть.

После чего наступила тишина (публика уже покинула зал, а на пустой сумеречной сцене стояли только эти трое). «Сашик» свалил на пол все букеты и обеими руками схватился за бабочку на шее, точно она душила его и он хотел отшвырнуть ее прочь.

Так и застыл, молча глядя в упор — но не на мальчика, а на свою старую подружку. Наконец, увесисто проговорил:

— Эська, ты — свинья!

На что она отозвалась легко и по виду даже бездумно:

— Да, я свинья! Я свинья, потому что не знаю, где могила моего отца...

— А что, убивали только теноров?! — взвился «Сашик» и даже ногой в лаковой концертной туфле притопнул, на что Эська так же спокойно ответила:

— Нет. Еще канареек...

Весь диалог звучал вполне безумно для постороннего уха, но не для Леона, который, пропев сложнейший пассаж, стоял с прежним незаинтересованным видом. Барышня потрепала его сухонькой ладонью по макушке и добавила:

— Зато этот останется в живых. И больше певунов у нас не будет.

— Будет, — спокойно и уверенно произнес «Сашик». Взял своими толстыми мягкими пальцами Леоново ухо и медленно повел-закружил мальчишку по дощатому полу сцены, среди упавших букетов, втолковывая: — Вот! Здесь! Будешь! Петь! — как щенку, что оставил лужу.

И надо было видеть, как послушно, с алым удовольствием на физиономии, Леон, у которого авторитетов не было, следовал этому странному маршруту.

Потом они посмотрели друг на друга, будто узнавая, и оба засмеялись...

Через месяц Леон уже выходил в первом акте «Кармен», где прелестный хор мальчиков подражает сменяющемуся караулу драгунов; а еще через месяц оказался занятым в театре чуть не каждый вечер: пел в хоре во втором акте «Щелкунчика», пел маленькое соло в «Богеме»; в первом акте «Пиковой дамы» исполнял крошечную сольную партию командира, звонким голосом отдавая команды мальчикам, играющим в солдатики в Летнем саду. А вскоре «Сашик» поручил ему небольшую сольную партию в «Русалке», да какую! — партию девочки, дочери Русалки.

И Леона гримировали в *настоящей гримерке*: натягивали на голову роскошный золотой-кудрявый парик! И после спектаклей он купался в восторгах Барышниных студентов и приятелей — ах, какой артист, а как в роль вошел, ни за что не скажешь, что это мальчик, а не девочка!

Но главным его выходом стала песня пастушка в начале третьего действия «Тоски» Пуччини, когда после коротенького, в несколько тактов, грациозного терцета виолончелей взмывает легчайший, серебристого окраса мальчишеский дискант. И после идиллической интермедии вступает кларнет с мотивом знаменитой арии Каварадосси...

Часто в зале — нелепо разодетая, неохватно грузная, в какой-нибудь не по возрасту яркой кофте — си-

446 дела Стеша. Вот кто сильно радовался успехам правнука! Она сидела рука в руке (как обычно, когда *не имела на что их деть*) и плакала...

На старости лет у нее развилась сильная дальнозоркость, поэтому вблизи ее окружал туман, и видела она только лицо смуглого мальчика на сцене, его маленький, подвижный, как у птенца, рот, то бубликом, то в бантик, то в улыбку, выпевающий такие ангельские трели, что под них сладко было умереть, не переставая благодарить Бога за все.

Она уже всю свою жизнь считала наградой: все, что в этой жизни было и есть. И даже то, что так и не узнала, где могила Большого Этингера, тоже считала определенной удачей — ведь все эти годы можно было перед сном представлять, как очнулся он в той телеге с мертвецами, да и бежал, и скрылся.

Можно было, презрев естественный ход времени, представлять себе его дальнейшую, безбедную и прекрасную жизнь где-то там, где не бывает ни старости, ни смерти.

* * *

А время бежало, и двор менялся, и годы пришли совсем унылые: старики, что так долго жили рядом под одной крышей, умирали один за другим. Прямо во время операции умер Юлий Михайлович Комиссаров, знаменитый хирург, бурно оплаканный своими пациентами. Умер в полной умственной тьме и паркинсоновой дрожи злосчастный Яков Батраков, а его старуха-дочь Анфиса дней пять скрывала его смерть, по-прежнему стирая и стирая его кальсоны и вывешивая их на штакетнике. И когда соседи, чуть ли не скрутив дуру-бабу, ворвались к ним в полуподвал, то увидели там такую нищету и грязь, что даже оторопели: неужто Батраков так и пропил все немереные деньги, вытянутые им из жильцов?

Умерла Любочка, прихватив с собой за компанию мужа: это дядя Юра догадался положить в ноги к Любочке урну с прахом смешливого Яна, заждавшегося человеческой могилы. Юра и сам был уже очень слаб, но еще порывался встрять меж молодыми и «маленько, хотя бы по двору» понести гроб. Еще чуток смог выпить на поминках, а через месяц весь двор уже выпивал за упокой дяди-Юриной души...

Зареванная Владка крикнула:

— Почему — за упокой?! Пусть она там летает весело, его душа! Дядь Юра, слышишь меня?! — завопила она, задрав в небо двора кудрявую башку. — Ни пуха тебе, ни праха! — и захохотала, что всеми было списано на ее большое горе: уж какими дружками были эти двое...

Сил у Стеши становилось все меньше, и почему-то казалось, что все меньше сил остается у целой окрестной страны. Страна разваливалась, как и Стеша, задыхалась, ковыляла с трудом, застревая на каждой ступеньке и пробуя отдышаться трудными хрипами.

Любую мелочь надо было «доставать» или «брать». Подсолнечное масло *брали* где-то за городом. Снаряжали всем двором племянницу тети Паши Зойку, нанимали в складчину машину, составляли список — и вперед. Шоколад *брали* огромными кусками у *дворнички Маши* — у той в Виннице дочь работала на конфетной фабрике. Ворованные в порту чай и кофе приносили по воскресеньям близнецы-докеры, внуки давно покойной Баушки Матвевны. Они же добывали где-то и рулоны туалетной бумаги, которая считалась лучшим подарком на праздники.

А Владка, вместо того чтобы устроиться наконец на приличную работу, продолжала гонять, как савраска, по каким-то своим идиотским затеям: что-то где-то покупала, потом «толкала» через каких-то «своих человечков», навар был копеечный, но дыму, бенгальского грохоту, скандальных разборок с теми самыми «своими человечками»...

Девка была, в сущности, неплохая, добрая, но такая шебутная! И такая... несчастливая. Стеше страшно было подумать, как мальчишка останется здесь с такой «каламбурной» матерью, как будет дальше учиться и на что они будут жить, когда обе пенсии растают вслед за старухами.

А на Ирусю не было никакой надежды: там, в этом *здоровом климате Заполярья,* скоропостижно, посреди производственного совещания умер здоровяк Владик. Видимо, сердце не выдержало нагрузки: столько лет быть главным инженером комбината — шутка ли, такая ответственность! Стеша грешным делом думала, что вот теперь Ируся уж точно вернется «домой», хотя что такое для нее «дом» теперь, спустя целую жизнь, затруднялась себе ответить. Но Ируся мечтания матери пресекла: сказала, что врачи категорически запретили ей менять климат.

— Да как же ты там будешь одна, без Владика, доця?! — заливаясь слезами, восклицала Стеша.

— Мама, — вздыхала Ируся, — если б ты знала, какие у меня анализы...

Внука Леона она любила по фотографиям. Хороший мальчик, но мелковатый. И смотрит как-то... затравленно; таких обычно обижают все, кому не лень.

Ируся, как всегда, попала пальцем точнехонько в небо.

* * *

Где-то в это время опять возник Валерка и объявил, что устал от зоны, вернулся, мол, навсегда, и баста, хочет пожить по-человечески.

Во дворе поговаривали, что Валерка на зоне — пахан, уголовный авторитет и все *порядочное общество* уважает его за строгость и справедливость, так что неясно было, от чего он так устал. Как обычно, Владка прибежала к нему, и они долго сидели, выпивали, и Валерка сначала убедительно доказывал, что человек рожден быть свободным, как ветер, а по мере опорожнения бутылки столь же убедительно доказывал, как все *там, за проволокой*, справедливо и толково — по сути, по разуму. Какие честные воровские законы, неукоснительные, уважительные для порядочных людей, не то, что здесь, в этом бардаке...

У него появилась подруга Сима, гораздо старше его — сошелся он с ней в благодарность за то, что она ухаживала за смертельно больной его матерью и не оставляла ее до конца. Сима работала раздатчицей в заводской столовой на «Январке», каждый вечер притаскивала в хозяйственной торбе разную еду из котлов, что Валерку страшно возмущало. Это ж воровство, Сима, говорил он. Что ж получается, говорил: не продукты, а КРАдукты! Где законы?! Ничего здесь не работает!

Но на сей раз, видимо, и вправду решился переломить судьбу: устроился грузчиком на станцию Одесса-Товарная. Со смен приходил полумертвым, но не от физической нагрузки (он казался и был очень сильным, хотя и тонким в кости), а от отвращения: сокрушался, что всюду воровство и бардак, закона нет нигде и никому. Ворье кругом, и все на воле.

В конце концов очень скоро он опять что-то натворил и снова сел. Сима сказала: это он нарочно. Уже не может тут быть.

...А Владка — что, Владка и дальше оставалась одна и нисколько не тяготилась своим положением матери-одиночки. По-прежнему красивая, забавная, искрометная — если не вслушиваться в смысл ее историй, а просто следить за жестами и мимикой да глядеть во все глаза на эти краски: нежную зелень глаз, ржаные кудри с красноватой искрой, прозрачную кожу все еще гладких щек.

Словом, она, как и раньше, производила впечатление гаубицы, но какой-то... бесполезной. Ничегошеньки не могла мужику предложить, и мужики это чувствовали, давно наградив ее стойкой репутацией «динамистки».

К тому же она утомляла даже на коротких дистанциях, что уж там говорить о целой длинной жизни. Семья ведь — не цирк, не Ка-вэ-эн, не игра «Шо-где-когда?».

Молодость ее шмыгнула за спину и притаилась там, полюбоваться: как Владка намерена дальше скакать — тем же аллюром или все же на шаг перейдет?

Но Владка свой азартный бег сменить на шаг не торопилась. Она скорее сменила бы дом, привычное окружение... Или даже страну.

8

Решение эмигрировать пришло ей в голову так же внезапно, как и все остальные идеи.

В то время друзья устроили ее в Музей морского флота. Должность была какая-то смутная, мелко-бумажная, неинтересная, но азартная и артистичная Владка, потаскавшись недели две по музею с экскурсоводами, однажды лихо заменила кого-то из них, заболевшего, и с тех пор время от времени «выступала» с яркой экскурсией: модели судов, древний якорь, романтика морских легенд и былей, украшенная собственными эмоциональными «фактами» из жизни пиратов.

Своей неподражаемой походочкой Владка плыла из зала в зал под парусами, уверенно жестикулируя, выдерживая эффектные паузы, простирая руку в сторону экспоната и щелкая пальцами над головой, когда требовалось перевести группу из одного зала в другой. Посетителям очень нравилась ее непосредственность. Курсанты мореходки таращились и млели. Уже все чаще на группу заказывали именно Владиславу Этингер. Да ей и самой нравилось: место оживленное, народу вокруг навалом, и в центре — что главное. Тут тебе Приморский бульвар, там — Оперный с его шикарным цветником, за ним — Пале-Рояль.

В любой момент можно выскочить по делам.

Вот как раз по этим «делам» она и поцапалась с бабой из отдела культуры Горсовета. Та привезла номенклатурную делегацию из Киева, которую назначено было вести Владке, но той приспичило по пути на работу заскочить к подружке *по очень важному делу* (они примеряли *шмутки*, привезенные из Польши), так что часа на полтора Владка опоздала.

Потом было разбирательство в кабинете директора, и *баба-горсоветка* вопила:

452   — Какие у тебя дела, шлендра протокольная! Какие дела, кроме захода с песней?! Байдыки бить — все твои дела!

Ну, и так далее. Невыносимо, оскорбительно, грубо.

Владка примчалась домой, топала ногами и рыдала, заявила обеим старухам, что всё! всё! всё!!! Не желает больше жить в этом дерьме! Уедет из этой гребаной страны, из этого гребаного города, уедет — не оглянется!!!

Миновало бы и это затмение...

Но тут Барышня, которая уже путалась в разных событиях, и бывало, что Стешу именовала *мамой*, а бывало, что на целую неделю вновь воскресала для нормальной жизни и беседы, — Барышня вдруг спокойно и трезво сказала:

— Конечно, ехать надо, если отпускают. Только не в Америку. Там даже Колумб ни черта не нашел, кроме индейцев. Надо в Палестину ехать.

— В Израиль, что ли? — огрызнулась Владка. — Что я там забыла?

— А что ты вообще помнишь? — осведомилась Барышня.

И тут Стеша вставила:

— В Палестину Яша переправил наши книги.

Возникла пауза. Владка с Леоном переглянулись, и та спросила:

— Какие еще книги?

— Гаврилскарыча книги, очень ценные, — вздохнула Стеша. — Фамильные, еще Соломона-солдата приобретение. Там на первой странице в уголку наша печать черной тушью: лев такой всклокоченный, лапу на барабан положил, и труба перевернутая. И арка над ними золотая: «Дом Этингера».

— Гос-спо-ди, в каком бреду я живу с этими стару-хами!!! — завопила Владка, которая никогда в жизни не сняла с полки и не раскрыла ни единой книги из пра-дедовой библиотеки. — «Дом Этингера»?! Вот этот вот говенный дом?!

— Не, то в другом смысле, — поправила Стеша. А Барышня сказала презрительно:

— Хабалка! Выправляй документы в Палестину. Туда мы еще кое-как дотащимся.

— А в никуда другое даже не поеду, — уточнила Стеша.

И тут можно Владке посочувствовать: старухи были обе неподъемные. Одной девяносто, другой аж девяносто пять. Но у Стеши, по крайней мере, моз-ги в порядке, хотя и двух шагов без двух палок она не сделает. А у Барышни такие видения, такие фантазии вдруг расцветали, на фоне которых Владкино трепли-вое вранье бледнело и казалось невинным лепетом.

То вдруг старуха объявит, что к ней завтра приез-жает подруга из Испании и надо организовать встре-чу на вокзале. Даже деньги на цветы выдаст из своей пенсии. И бедная Владка полдня пытается добить-ся — номер поезда, время прибытия, перрон... пока не выясняется, что подруга — та самая легендарная тощая дылда в рыжем парике с фронтовой фотогра-фии, в чью честь Леона назвали... То прицепится, чтоб срочно звонить в Вену какому-то Винарскому, и пока разберешься, что это за Винарский и с какого года (с 1923-го), звонить ему уже бесполезно, так это мож-но и самой спятить!

Надежда была только на Леона. Ему исполнилось двенадцать, он все чаще выступал на большой сцене, весной ездил с хором в Москву на всесоюзный конкурс детских хоровых коллективов, пел в Колонном зале Дома союзов и «произвел фурор в столице» — во всяком случае, «поразительно сильный и чистый, с редким диапазоном голос юного одессита» был отмечен в каком-то специальном недельном музобозрении.

Алла Петровна с тревогой ждала мутации его «золотого голоса», заранее оплакивая «незаменимые утраты в репертуаре», раза два даже зазывала прямо на репетицию хора приятеля-отоларинголога, и тот — седой и мрачный, со звездой рефлектора во лбу — внимательно изучал широко разинутую драгоценную Леонову глотку, в которую с благоговейным трепетом пыталась заглянуть и Алла Петровна. Но сказать что-то определенное не мог. Плечами пожимал:

— Природа! Она сама знает — чем и когда ей петь.

За последний год мальчик очень повзрослел, стал и вовсе немногословен, но уже прислушивался к просьбам матери и выполнял их, если находил в том резон.

Именно Леон перетаскал в букинистический отдел книжного магазина дедовы книги, а особо ценные старинные клавиры Барышня распорядилась передать в дар консерваторской библиотеке — их все одно не разрешили бы вывезти.

Мебель, которую так страстно оберегала и сохранила во всех штормах двадцатого века истовая Стеша, пораспродали по соседям и знакомым, а деньги Владка растратила на гулянки и проводы, которые начинались с утра и колбасились до вечера по всему городу. Мелкие вещи раздарила подружкам на память; легендарную швейную машинку Полины Эрнестовны отдала Валеркиной подруге Симе — та и шила прилично, и понимала, что за вещь ей в руки приплыла. Эськину комнату и Стешину каморку на антресоли (ошметки некогда великолепной квартиры Этингеров) «сдали» в ЖЭК. Что еще? Да все, пожалуй... Вот теперь и ехать можно: практически налегке.

И никто из них еще не подозревал, до какой степени *налегке* придется ехать.

Перед самым отъездом Владка затрусила по-настоящему — не потому, что осознала весь беспросветный риск своего шага, а потому, что накатила на нее *ужасная неохота* расставаться со всем вот этим своим-своим... Затея с отъездом представлялась ей теперь дворовым, из детства, «махом не глядя», когда, зажав свое мелкое имущество в потном кулачке, ты надеешься, что в кулаке приятеля окажется нечто полезнее.

Но Владка со своей головой-торопыгой никогда не выигрывала в подобных слепых менах, и об этом стоило бы ей помнить. Какого черта она психанула с той горсоветницей? Мало баб-начальниц в ее жизни было? Вагон и тележка! И, в конце-то концов, какого лешего она послушалась своих старух, безумную ветошь, и навострила лыжи на загадочный и жаркий Восток, в то время, когда *вся Одесса* ехала в богатую и вожделенную Америку?

До отъезда оставались недели две, и каждый вечер Владка усаживалась на кухне перед очередной бутылкой: подискутировать с невидимым оппонентом. Сидела, курила, доливая себе по чуть-чуть, быстро-горячо бормоча и вскрикивая, возражая и доказывая свою правоту явно кому-то определенному. Легчало, как правило, после второй рюмки: дрожащая в горле *жалость за город и молодость* слегка рассеивалась, и

456 новая жизнь впереди принималась мигать огоньками
реклам, зазывать шикарно одетыми манекенами в витринах, слепить солнцем над широкой набережной за
частоколом рослых пальм... Последним успокоительным доводом всегда было море: Средиземное, блин!..
Ну, а Красное — плохо ли вам?! Сменим цвета нашей
команды на более яркие...

— Ничего-ничего-о-о... — говорила начальнице
Владка. — Еще посмотрим, поглядим еще, сука ты неохватная, кто и где байдыки будет бить!

В один из подобных вечеров набрела на нее совсем уж старенькая тетя Паша-сновидица. Из своего
чулана она выползала теперь крайне редко и, судя по
ровному храпу из-за двери, много спала в преддверии
собственного перехода в область профессиональных
своих интересов. Видимо, проводила нескончаемые
совещания со всеми покойниками, коих когда-либо
знала.

Ее пышная белая борода закудрявилась, зато на
темени образовалась детская лысинка добродушного
святого, сиявшая под ярким электрическим светом
кухни, точно розовое зеркальце.

Увидев Владку, тетя Паша встала руки в боки, сурово оглядела это безобразие и припечатала:

— Квасишь! Знач, дрейфишь.

— Да чего там... — отозвалась хмельная Владка,
разгоняя ладошкой дым от сигареты. — Ну, немного
разве. Так, чуток...

— А ты у покойников интересовалась: ехать — не
ехать, шоб наверняка?

— У каких еще покойников? — отшатнулась Владка. Лысинка у тети Паши светилась, как нимб.

— Ну, к примеру, у афганца своего. Может, чего посоветует... Могу приснить; ему ж не все равно, куда его баба с дитем поперлась, драку на сраку искать.

Владка поперхнулась дымом, помедлила, пробормотала:

— Э-э... ну ладно! — И уверенней: — А что? В самом деле: пусть скажет мнение. Ему там виднее.

— Заказ принят, — через плечо сообщила тетя Паша и, удаляясь по коридору в уборную, повторяла: — Все покойники — все! — ходят через меня...

На другой день она появилась опять и доложила: новости хорошие. *Афганец* всё одобрил.

— Что — всё? — уточнила Владка, как обычно, мгновенно втягиваясь в тему, начиная домысливать и обсуждать детали, поправлять рассказчика, спорить-горячиться, обживая чужую историю как собственную комнату.

— Та всё, шо было, шо есть и будет. Такой веселый пришел, я аж зарадовалась. Веселый, чернявый, стоит под злым таким солнцем, лепешки продает...

— Как — лепешки?! — совсем уж удивилась Владка. А ничему удивляться-то и не следовало. Явления пророчествующих покойников в снах пышнобородой *веры-павловны* ничем, собственно, не отличались от обычной динамики Владкиного вранья. Так что, поразмыслив как следует, она решила благоприятный сон принять к сведению. А что ж — ну, лепешки, пусть. Это ведь хлеб? Намек, что с голодухи не помрем, значит...

И весь вечер пребывала в своем обычном *каламбурном* состоянии. Только перед самым сном мелькнула некая задумчивая мысль: а может, *парнишка* и правда уже покойник? Может, ему действительно *виднее?* И на каком, интересно, языке он с тетей Пашей беседовал?

458   Обе старухи тоже худо-бедно собирались, хотя личного скарба у каждой было немного. Знаменитый «венский гардероб» Барышня велела выкинуть на помойку вместе с парусиновым, пожелтевшим от времени саквояжем — кому в наше время нужно это старье, чтоб через границы его тащить! Но Леон категорически воспротивился. Заявил, что все вещи возьмет себе.

— Ты что, сбрендил? — засмеялась Владка. — Ты баба, что ли?

Он мог бы и не отвечать; он вообще очень редко что-то матери объяснял и никогда не оправдывался. Но на сей раз ответил — по-своему:

— Им же много лет, — сказал серьезно. — Они жили-жили... среди людей. И привыкли...

Владка закатила глаза, издала нечто среднее между индейским воплем и погребальным стоном и крикнула:

— Господи, с кем я еду! Они все трое больные на голову! Да продуй ты свои оперные мозги!!!

Свою коллекцию старья (ко времени отъезда она вполне тянула на небольшую музейную экспозицию) Леон чуть ли не оплакивал. Такой хлам, повторяла сердобольная Стеша, его ведь и не отдашь никому. И торопливо добавляла, чтобы не огорчать мальчишку:

— Понимающих-то немного. Кому нужен старый будильник, Левка? Только в музей, да?

Владка фурией носилась от комнаты Барышни через кухню на Стешину антресоль, пинала собранные баулы, орала: «Выкинуть на хрен всё!!!» — и не было уже дяди Юры, чтобы сказать ей: «Я те выкину!»

Французский гобелен, что лет девяносто провисел над кроватью Барышни (мальчик-разносчик уронил корзину с пирожными, два апаша их едят, мальчик плачет, и так далее), Леон вырвал из рук старьевщика, которого Владка заззвала в квартиру и велела *забирать гамузом все шмутье*; вырвал и затолкал в парусиновый саквояж, к «венскому гардеробу», под неистовые Владкины вопли: «Сам, сам потащишь!»

Он и потащил. А лет двадцать спустя один из удачливых антикваров парижского блошиного рынка на Монтрё, признанный «Король броканта», крошечный эфиоп Кнопка Лю говорил ему: «Ты только свистни и назначь сам любую цену, я куплю у тебя этот гобелен и все равно на нем заработаю! Не улыбайся! Я понимаю: un vieux connard comme toi[1] *никогда не вдается в суть вопроса. Невежа, что с тебя возьмешь! Ты имеешь великолепный образец Пансю. Цени мою откровенность, хотя она и расточительна: я тебе объясню, как изготовляли такие гобелены. Сначала делали эскиз в натуральную величину, с учетом переплетения всех нитей, да? Потом в том же эскизе прорисовывался каждый стежок в долевой и поперечной нитях, да? Адская работа, называется "жаккардовый картон", занять может и более тысячи часов... И лишь после того, как он был готов, на жаккардовом станке ткали пробный образец. Но! Долевую нить все равно натягивали вручную, да? И каждая нить крепилась отдельно..."*

Леон шутливо отсылал его ладонью восвояси, хотя они были знакомы уже лет пять и выпили бутылок двести хорошего вина, и Кнопка Лю даже не подозревал, кому поставляет ценные сведения — и отнюдь не только по гобеленам — в самой легкомысленной приятельской болтовне...

...На те жалкие бумажки, что остались от всей *проданной жизни*, были куплены льняные простыни и по-

1   Зд.: такой старый мудила (*фр.*).

460 додеяльники, двенадцать зачем-то скатертей, дубленка с особой плотности мехом в подкладке (вероятно, для прогулок между пальмами широкой Тель-Авивской набережной), а также — главное стратегическое вложение средств — три картины известных одесских художников. Владка собиралась продать их на европейских аукционах «тыщ по двести зеленых каждую», но поскольку и в этом судьбоносном предприятии все сделала так, как привыкла делать («с пионерской зорькой в заднице», как говаривала Барышня), необходимого по закону *разрешения на вывоз произведений искусства* не оформила; вернее, хотела, хотела оформить, да как-то руки не дошли.

Был бы Валерка на свободе, поехал бы с ними до Чопа — всё, возможно, кончилось бы иначе. Но он сидел, а присланного им «верного человека» Владка брезгливо отослала восвояси.

И зря...

* * *

Это было время, когда приграничную станцию Чоп распирали непереваренные толпы народу. Именно там друзья и родственники отъезжавших на ПМЖ покидали поезд.

Вагоны отгоняли на запасные пути, где таможня свободно потрошила уже бесхозных, бездомных, беспаспортных и бесправных эмигрантов перед процедурой смены колесных пар «с наших на не наши» для вполне символичного *дальнейшего следования поезда по европейской колее.*

Толпы людей — и провожавшие, и челноки, — что
сновали туда-сюда по своим торговым надобностям,
неделями не могли вырваться из Чопа. Зал ожидания
битком набит, кассы большую часть дня закрыты, буфет не работает, ни кофе, ни чая раздобыть невозможно. Целыми днями люди сидели на заснеженных
рельсах — обессиленные, с опустошенными лицами.
Выскакивали на привокзальную площадь в попыт-
ке хоть что-то купить, но быстро возвращались, боясь упустить момент, когда откроются кассы. Словом,
«Полонез» Огинского, «Прощание с отчизной»...

К процедуре таможенной проверки Владка готовилась загодя и по-своему: она себя взвинчивала, раз-
дувала пары, чуя глупой задницей, что с картинами
сваляла дурака (по пути ее просветили соседи).

Она готовилась к бою, явно путая таможню с одесским трамваем, где дралась неоднократно и делать это,
отдадим ей должное, умела.

Картины же были шикарными, каждая — метр на
полтора: одна — густо-алая, с тремя черными крестами на крутой горе (художник Никифоров собственноручно снабдил ее названием на обороте холста: «Вос-
ход над распятым Иисусом Христым»).

Вторая картина его же кисти демонстрировала легко узнаваемую обнаженную Владку, сидящую верхом
на каменном льве (парафраз «Похищения Европы»
Валентина Серова). Эту она собиралась оставить себе
и повесить «в зале», абсолютно уверенная, что *зала* у
нее будет в самом скором времени.

На третьей картине, художницы Юльки Завидо-
вой, изображен был стол, где стояло блюдо с наре-
занной дыней, вокруг которой сидели четверо голь-
бейновского вида господ с золотыми цепями на шеях.

462 Эти цепи спускались под стол и, обратившись в наручники, сковывали руки господ за спиной, так что те сидели с идиотскими улыбками, не способные дыню укусить. Гольбейновские господа — бог с ним, фантазия художницы, но дыня изображена так доподлинно, что, по словам Владки, аж дух по всему вагону!

Словом, задолго до Чопа Владка изрядно себя накрутила и сейчас, мотаясь по вагону, пыталась накрутить остальных пассажиров.

Рита из соседнего купе с немногословным мужем Колей, мастером спорта по вольной борьбе, безуспешно пытались ее угомонить.

— Та шо ты парисся! — втолковывала Рита. — Сунь ребятам пузырь водяры, ну, коньяка пузырь... Они пару сумок глянут та и уберутся себе...

Это был совет умного и осведомленного человека, совершенно не годный для Владки.

Та уже галопировала со всех ног, не разбирая дороги; она была и всадником, и конем одновременно; она уже облачилась в стальные латы *ярости благородной* и бряцала восставшим впрок *человеческим достоинством*.

— Я не играю в эти игры! — кричала Владка на весь вагон. — Моя игра — свобода, воля, честь!

И доигралась: погранцы — трое неразличимых меж собой сиволапых молодчиков — после первой же ее вызывающей грубости велели вытаскивать на перрон все чемоданы и сумки — кранты, мол, досматривать будем всерьез, мало не покажется.

И не показалось...

Леон, напряженный и бледный, стоял на перроне рядом с матерью — прекрасно-алой, как закат на картине художника Никифорова, — и безнадежно пытался ее унять, хватая за руки. Когда запахло жареным и масштабы бедствия были явлены во всю ширину перрона, Владка протрубила такую зорю, выдав фонтан ослепительной брани, что остановить этот дурной-трамвайный скандал уже не было никакой возможности.

Погранцы взъярились по-настоящему и тоже материли _задрыгу-жидовку_ на чем свет стоит. Та, само собой, не отставала, обещая _такую дать им щас прострацию_...

Уже и драка подкатывала, а точнее, очевидное избиение Владки — особенно после того, как парни разодрали листы картона, в которые картины были упакованы, и выкинули произведения искусства прямо на грязный снег. Назревала такая страшная история на снегу, что Леон сбегал за Ритиным мужем Колей, мастером спорта по вольной борьбе, чтобы тот Владку скрутил. И Коля (все же спортивная реакция — дело хорошее) мгновенно выскочил и за секунду до катастрофы, до того как Владка бросилась на таможенников с кулачками, схватил ее сзади за локти, легко поднял и унес в купе, где запер, и она билась там о дверь, воя и выкрикивая свирельным голосом рифмованные непотребства, пока погранцы — уже _за принцип_ — не повыкидывали из сумок абсолютно все в снеговую жижу перрона.

Вокруг вагона цепочкой выстроились автоматчики, не давая провожающим подойти к окнам.

Все это продолжалось так долго, что поезд в конце концов дернулся, и все уже досмотренные пассажиры, наблюдавшие из окон сцену погрома, завопили мальчику, чтоб прыгал скорее.

Леон успел подхватить одну из сумок — полупустую, где, как выяснилось потом, оставался лишь утрамбованный парусиновый саквояж с «венским гардеробом» да скомканный французский гобелен, принятый таможенниками за старую тряпку, — и взлетел по ступеням в вагон.

В купе у окна, держа на коленях огромный, как школьный глобус, давно уже ставший родным бумажный абажур, скорчилась бывший доцент кафедры вокала Эсфирь Гавриловна Этингер... Эська, Барышня, седой полоумный гномик.

А Стеша стояла у окна в коридоре, опираясь на обе палки и глядя на перрон, на уплывающие прочь разверстые сумки и чемоданы — на все, что осталось от прожитой жизни: подушки, скатерти, одеяла и несостоявшееся Владкино богатство: три великие картины, проткнутые каблуками таможенников.

Стеша не плакала. Просто смотрела и твердила сухим протокольным голосом:

— Это слезы, слезы, слезы...

* * *

...«La-acri-mosa die-es illa», «Полон слез тот день»...

Хор вступил на фоне сдержанных всхлипываний скрипок: «Лакримоза», восьмая часть моцартовского «Реквиема», первая ее фраза, идеально вписанная в широкую мелодию дважды повторенного такта.

— Это вам задание на зимние каникулы, — сказала преподавательница по музлитературе. — Просто слушайте, и все. Изучать будем серьезно, ребята, и долго, многого вы еще не поймете, так что просто слушайте много раз, чтобы эта великая музыка была у вас на слуху. Договорились? — Но никто ее уже не слышал — и пото-

му что звонок трендел, и потому что каникулы, и свобода на целых десять дней...

Кто об том Моцарте думает?

Но Леон — слушал и думал, тем более что, наряду с «венским гардеробом» и бумажным абажуром тети Моти, плеер с наушниками был единственным, что осталось во владении семьи после великого таможенного шмона в Чопе.

Все первые недели Леон ходил по Иерусалиму под «Реквием», не снимая наушников, даже когда к нему обращались на улице.

Лет пятнадцать спустя психолог конторы, молодой симпатичный парень, с которым он даже приятельствовал какое-то время, объяснил ему, что то была реакция ребенка на перемещение в чужую среду; «линия защиты».

Леон и защищался: слушал «Реквием», все части подряд, возвращаясь назад, щелкая кнопками и произвольно выбирая то стремительную фугу «Kyrie», то шквальный «Dies irae», то короткий, как клинок кинжала, ошеломляющий напором «Rex»... Лишь самое начало пропускал, «Introitus» — потому что боялся его.

А «Лакримозу», великую «Слезную», очень любил — за прерывистую нежность, за мужественную грусть, за — несмотря ни на что — упрямо мажорный финал.

Краткие вздохи, прерванные паузами, двигали мелодию поступенно вверх, и хор, перекликаясь со струнными, всхлипывал: «Qua resurget ex favilla» («Когда восстанет из праха...»).

Линия мелодии поднималась и плавно опускалась: «Huic ergo parce, Deus» («Так пощади его, Боже...»). И возвращались всхлипы струнных, и классическая реприза молила о главном: «Dona eis requiet. Amen» («Дай им вечный покой. Аминь»), и нисходящие четверти с точкой звучали комьями земли, брошенными на крышку гроба.

Стеша умерла в Иерусалиме спустя три недели после приезда.

Они успели недорого снять трехкомнатную квартиру в самом дешевом и до изумления замусоренном районе, в каком-то неуютно-сквозном, без двери, подъезде; успели записать Владку на курсы иврита, а Леона — в шестой класс местной, перегруженной детьми школы, где он ничего не понимал, чувствуя лишь пустотный гул под ложечкой. Однако единственного из «русских» детей его не дразнили и не шпыняли: он был похож на всех «марокканских» мальчишек в классе, на улице, во дворе, и те несколько фраз, что успел выхватить из всеобщего ора на уроках и переменах, произносил в точности, как эти черноголовые горлопаны, — с *арабским* придыханием, от которого ему еще предстояло избавиться.

Стеша покинула этот мир, исполненная радости и покоя, — как ни странно это звучит.

Она вообще много радовалась под конец, становясь чем дальше, тем светлее и легче, хотя физически уже не в состоянии была передвигаться. Радовалась, словно выпавшая ей последняя дорога в Иерусалим была вовсе не случайностью, не Владкиной придурью, а наградой за какие-то тайные заслуги.

Она и рождение Леона считала теперь чуть ли не главной себе наградой. И никогда не сердилась, если он ее копировал, подтрунивал над ней или откровенно передразнивал. Да и он знал, что ничем ее не смутит.

Леон был единственным, кому Стеша накануне ухода рассказала о том, как убила управдома Сергея.

...Она лежала в третьей палате отделения внутренних болезней больницы «Адасса», что на горе Скопус, — подключенная к капельнице, с кислородной трубкой в носу. Леон сидел рядом, каждые десять минут дотошно проверяя, хорошо ли держится у нее на руке залепленная пластырем игла в дряблом шнурочке вены.

Они с Владкой менялись — та дежурила ночью, Леон (пропуская уроки) с утра до вечера, хотя уход здесь был на совесть и такого круглосуточного дежурства от родственников никто не требовал. Но они все равно не бросали Стешу ни на минуту, потому что носатый и спокойный, как слон, врач сказал: «Ей немного осталось, и наша задача — не дать ей страдать». Так что, пока Стеша хорошела под наркотиками, Леон сидел рядом, перебрасываясь с ней двумя-тремя словами, когда она — все реже — всплывала со дна своего туманного забытья. С собой у него были журнальчик-приложение к местной газете на русском языке и плеер, по которому он маниакально, как обреченный, слушал и слушал «Реквием».

В какой-то момент Стеша очнулась и знаками показала, чтобы он снял наушники. Глаза у нее были понимающие и ясные.

— Большой Этингер, — проговорила она с трудом. — Ему ТАМ хорошо. Он там поет, как птица, готовится меня встретить. Я сейчас видела... Не волнуйся, ему там хорошо, — повторила она со значением.

— А я и не волнуюсь.

— Вот и не волнуйся, Левка... Слышал, что управдома Сергея убили в тот день, как расстреляли Большого Этингера? Так вот, это за Гаврилскарыча. За него было кому отомстить.

— Партизаны? — спросил мальчик.

— Какие, к черту, партизаны, — тяжело дыша, презрительно отозвалась Стеша. — Гаврилскарыч был, слава богу, человек семейный. За него было кому отомстить.

— И кто ж это такой оказался храбрый? — насмешливо спросил Леон.

— Я, — ответила Стеша.

Она спокойно переждала, пока мальчишка, по-обезьяньи подпрыгивая, изобразит ее за пулеметом, с винтовкой и гранатой. И когда схватил в кулак большую круглую ручку с восемью стержнями и замахнулся на нее, дико вращая глазами, Стеша благосклонно проронила:

— Да... Вот так.

Он застыл:

— Ты его заколола? В сердце?

— Не. Вот сюда. — Приподняла руку, за которой потянулся шнур капельницы, и показала на горло, трепещущее от нехватки воздуха. — Я тебя научу когда-нибудь.

— Ба! Научи прям щас! — взмолился он. — Я завтра физрука убью.

— Хорошо, — отозвалась она. — Завтра утром покажу. Отдышусь только...

Но — не вышло, нет. Ранним утром — уже светало — Стеша отошла. В тот момент, когда она утихла, Владка требовала на стойке медсестер пластиковый стаканчик — напористым голосом, по-русски, точно речь шла о чем-то судьбоносном; о срочной операции, например.

Леон, самостоятельно приехавший на первом автобусе сменить Владку у постели Стеши, невозмутимо прошел мимо скандалившей матери, точно был с нею не знаком (обычная его манера), и направился в палату.

Интересно: столкнулся он при этом в дверях со Стешиной душой, что, испуганно оглядываясь, в эти минуты искала выход из дома страданий к устью широкой воздушной реки, что принесет ее прямо к Большому Этингеру?

Плюхнувшись в кресло рядом с койкой, минут пять он привычно сидел в наушниках. Но вдруг, ощутив пустоту над неподвижной грудью замершей Стеши, приподнялся и склонился над ней. Минуты две вдумчиво изучал потухшую радужку и восковые морщины милого лица... Спросил прерывистым заговорщицким шепотом:

— Ба! Ты... умерла?

И она впервые не ответила на его простой вопрос.

Так что тайны ремесла уничтожения людей — точнее, тайны мастерства, даже искусства — Леон постигал гораздо позже, в других местах и у других знатоков этого дела. Но перед тем, как применить известный прием, наивно обозначенный Стешей «вот сюда», неизменно выхватывал из бегущей памяти ее образ: на больничной подушке, с кислородной трубкой в носу, с пластиковым шнуром капельницы у горла.

...Барышня не спала, когда он вернулся. Сидела за столом на табурете, одном из двух, подаренных соседкой, и пила очень сладкий чай. В последнее время она клала в стакан (стаканы тоже занесли соседи — другие, с третьего этажа) не меньше четырех ложек сахара. Владка, совершенно спятившая после «трагедии Чопа» и с того дня считавшая потери, кричала ей:

— Что, хочешь заработать диабет?! Или проглотить за пять дней все наше пособие?!

— Баба умерла, — доложил Леон и в наступившей тишине сел напротив, за стол — дорисовывать дурацкий комикс в приложении к русской газете.

— Стеша... — проговорила Барышня и левой, не трясущейся рукой положила в чай еще ложку сахара. — Стеша... Эта женщина стала Домом Этингера. Она сберегла мамины кольца в голод, в войну. Она сберегла кольца Доры, Леон!

— И где же они? — спросил мальчик, закрашивая фиолетовым толстый нос пузатого идиота на картинке. Барышня присвистнула, вяло махнула рукой и жадно отхлебнула горячего чаю. Зима в том году была холодной, квартира не отапливалась, изо всех щелей неистово тянуло ледяным иерусалимским ветром.

— Там же, где белый червонец и папины книги, которые украла для Николая Каблукова она же... Говорю тебе: она стала Домом Этингера, во всем его противоречии.

Леон поднял голову. Он смотрел на Барышню серьезно, не отводя глаз. О книгах разговор возникал каждый раз, когда старухи препирались. О белом червонце и Николае Каблукове тоже.

— Помню, как одна называлась: «Несколько наблюдений за певчими птичками, что приносят молитве благость и райскую сладость». Напечатана в типографии Сцибор-Мархоцкого, этого безумного графа, республиканца... Папа называл ее «Посвящение Желтухину». Ее легко узнать по экслибрису: полковой барабан, на нем перевернутая труба и лев под золотой аркой из букв «Дом Этингера». Если встретишь ее, Леон...

— Хорошо, — сказал он.

— ...выкупи...

— Ладно, — сказал он.

— ...за любую цену, и не жмоться!

— Ну хорошо, хорошо.

Он давно уже научился разговаривать с *такой* Барышней: главное — не перечить. Книга так книга. О'кей. За любую цену.

Конечно же, он вспомнит эти ее слова, когда однажды в подвале лавки Адиля, присев над ящиком из-под пива, двумя пальцами вытянет из стопки разноязыких потрепанных томов некую старую книгу — потому лишь, что заметит на переплете кириллицу в старом правописании. А раскрыв ее, замрет над гривастым львом под золотой аркой из тяжелых букв «Дом Этингера» — и отвернется, чтобы Адиль не увидел его лица.

Конечно же, в эти минуты он вспомнит слова своей Барышни — «за любую цену», и конечно же, это будет как звук трубы, как властный порыв к действию. Но (он всегда славился скоростью и точностью принятия решений) мгновенно передумает, всё переиначив. Медленно улыбнувшись, достанет из нагрудного кармана куртки свой талисман: зеленый фантик от мятной карамели (где по кромке золотые буковки «Eucalyptus Lavagetti Genova») — этой конфетой много лет назад в аэропорту угостил уже беспамятную Барышню итальянский монах-францисканец, благочестиво назвавший ее «Белиссима!» — и ее морщинистое личико расцвело грустной улыбкой.

И старинная книга с закладкой-фантиком на восемнадцатой странице, двойной талисман (ах, ее надо бы с заглавной буквы писать: Книга! — если б заглавная буква уже не была отдана другой великой Книге), станет тем тайником, тем гениальным дуплом, через которое с ним будут сообщаться два его самых ценных агента.

Леон с Барышней долго сидели молча, ожидая, когда за ними приедут и повезут на кладбище — хоронить Стешу. Они еще не знали, как здесь положено.

У него в наушниках стихла фуга «Kyrie», сменившись третьим номером — «Dies irae», «День гнева».

И грянул хор, взметнулись копыта, во весь опор помчалась адская конница, развевая огненные гривы, и тысячи летящих стрел затмили солнце. Вихри Ада закружили в гигантскую воронку фигуры и лица, и голые жалкие руки, протянутые в мольбе. Рокот хора грозно перекатывал океанские валы, а поверх валов, в зияющую тьму небес взмывал леденящий вопль, слитный от ужаса голос хора: «Де-ень гнева!!! Де-ень гнева!!! «О, как все вздрогнет, когда придет Судия, который все строго рассудит!»

И сумерки заполняли комнату в ожидании Судии, и страшно было щелкнуть выключателем...

Вечером, часов в девять явилась Владка.

Ввалилась, затопала ногами, крикнула:

— Всё! Всё!!!

Побежала по холодной чужой квартире, всюду включая свет ударом кулака.

— Всё! Похоронили нашу Бабу!!!

Эти двое обомлели, ослепли, зажмурились.

Леон снял наушники и, проморгавшись, бросил тревожный взгляд на Барышню.

— Кто похоронил? — в напряженной тишине спросила та. Она уже во многом путалась, но твердо знала, что после смерти с человеком прощаются близкие, ждала и готовила себя к последней беседе со Стешей, с которой коротала длинную жизнь с самого своего рождения — с небольшим, но огромным перерывом на войну.

За часы ожидания, что прожили они сегодня с Леоном, она перебрала в своей оскудевшей памяти то немногое, что было живо: летние вечера на даче, блеск закатного моря и два тенора — две чайки, парящие над темно-синей водой. А еще — бесшумные движения юной Стеши, убиравшей со стола посуду; мудрой Стеши, библейской Фамари, для надежности запечатавшей в своем теле двойное семя Этингеров во имя сохранности и продолжения Дома...

— Кто... похоронил?

— Я! — шмыгая носом, отозвалась Владка. — Здесь все это быстро: чики-чики! Обернули в саван, закопали и адью! Не шикарная процедурка, скажу откровенно.

— Как! — слабо воскликнула Барышня. — Ты не дала мне проститься — мне, которая... Ах ты, гадина, гадина!..

Два тенора парили над морем, кружили над морем, будто прощались, перед тем как навсегда улететь... Здесь тоже есть море, вспомнила она, здесь даже несколько морей.

— С кем прощаться?! — крикнула Владка. — С мертвым телом?! Простись с ней в своей душе...

Не произнося ни слова, Леон пристально смотрел на мать, будто изучал ее — с пугающе замкнутым, каким-то задраенным для любых эмоций лицом. Спасибо, что не в рифму, — только и было написано на этом лице.

Отвернулся, надел наушники и включил плеер на «Introitus», начале «Реквиема», которого боялся до смерти.

И распахнулась мертвенная равнина мессы, невыразимая тоска вечного плена...

Он знал, что сейчас начнется, и боялся этого, и покорно склонил голову, будто в ожидании топора.

Это позже он будет мыслить тональностями, музыкальными терминами и, всем своим существом следуя мелодии, про себя обозначать: «вводный септаккорд», «цепь синкоп-диссонансов» — все то, что станет для него прозрачным смыслом музыки, ее хлебом, ее наработанным, но вечно неутолимым счастьем... А пока его обнаженная душа скорбь звуков впитывала напрямую, без толкований и анализа — беззащитно, на ощупь, наотмашь...

Грядущего вступления басов он боялся до дрожи: грозного, потустороннего, неумолимого зова подземного мира — восстания мертвецов!

По затылку его проскальзывал ледяной сквозняк, он инстинктивно поднимал плечи и зажмуривал глаза, перед которыми вставали бородатые тени в длинных белых саванах, неумолимые стражи мертвенного света, повелители белесой пелены, пожирающей синь и золото солнца; и это означало конец пути, и мальчиком ощущалось как конец пути, хотя и было лишь началом мессы — ее каноническим «Introitus».

Не печаль и не скорбь, не предвкушение страха — это был ничем не объяснимый, не подвластный доводам рассудка ужас, от которого шевелились волосы на затылке и дрожь прокатывалась по спине. Завывание адских ветров, зловещий клекот, и в глубине его, как в порывах бури, звучали далекие голоса потерянных душ, и время от времени молящий голос: нежный, сильный, отчаянный голос Души сквозь угрюмый рокот Ада.

Он чуял, он смутно догадывался, как можно спастись: самому стать Голосом Души. Вот этой неистовой серебряной трубой, пронизáющей далекие и темные пространства. Все можно изменить, думал он, все переиначить, победить адский мрак звенящей горловой силой. Ему хотелось тотчас вступить в эту битву, с самой высокой — над мрачными низинами ледяного тумана — искрящейся ноты: «Я — Го-о-оло-о-ос!!! Я — Голос!..»

Да, да: стать Голосом, прорвать глухие пелены ненавистного тлена, вырваться к сини морского простора и отменить Стешину смерть да и свою смерть когда-нибудь — тоже...

Но сквозь навязчивый кошмар оркестровых всхлипов звучали безутешные голоса. И черное солнце Страшного суда прорезало клубни тумана, и минуту назад восставшая душа поникла, смирилась, приготовилась принять свою участь...

...Закрыв ладонями уши и зажмурив глаза, Леон молча плакал о Стеше, представляя, как в эти минуты в невозвратную даль ее увлекают бородатые стражи бескрайней равнины, где синь и золото гаснут, где душа цепенеет, мертвеет, погружается в тень — навсегда.

Конец первой книги

Содержание

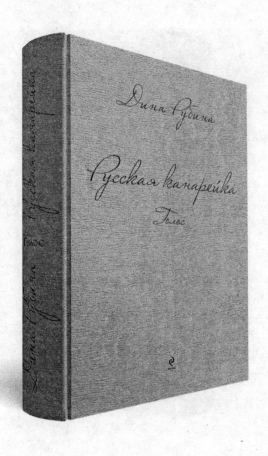

Дина Рубина

Русская канарейка

Голос

ВТОРАЯ КНИГА РОМАНА
ВЫХОДИТ В КОНЦЕ МАРТА
2014 ГОДА

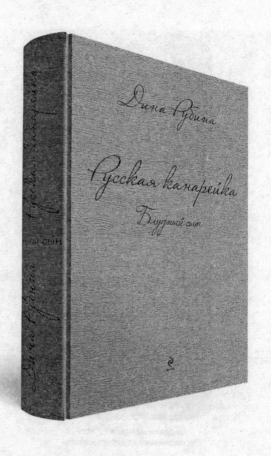

Дина Рубина

Русская канарейка

Блудный сын

ТРЕТЬЯ КНИГА РОМАНА ВЫХОДИТ ОСЕНЬЮ 2014 ГОДА

Литературно-художественное издание

Дина Рубина

РУССКАЯ КАНАРЕЙКА
ЖЕЛТУХИН

Ответственный редактор *Н. Холодова*
Редактор *А. Грызунова*

ООО «Издательство «Эксмо»
123308, Москва, ул. Зорге, д. 1. Тел. 8 (495) 411-68-86, 8 (495) 956-39-21.
Home page: **www.eksmo.ru**   E-mail: **info@eksmo.ru**

Өндіруші: «ЭКСМО» АКБ Баспасы, 123308, Мәскеу, Ресей, Зорге көшесі, 1 үй.
Тел. 8 (495) 411-68-86, 8 (495) 956-39-21
Home page: www.eksmo.ru   E-mail: info@eksmo.ru.
Тауар белгісі: «Эксмо»
Қазақстан Республикасында дистрибьютор және өнім бойынша
арыз-талаптарды қабылдаушының
өкілі «РДЦ-Алматы» ЖШС, Алматы қ., Домбровский көш., 3«а», литер Б, офис 1.
Тел.: 8 (727) 2 51 59 89,90,91,92, факс: 8 (727) 251 58 12 вн. 107; E-mail: RDC-Almaty@eksmo.kz
Өнімнің жарамдылық мерзімі шектелмеген.
Сертификация туралы ақпарат сайтта: www.eksmo.ru/certification

Сведения о подтверждении соответствия издания согласно
законодательству РФ о техническом регулировании можно
получить по адресу: http://eksmo.ru/certification/

Өндірген мемлекет: Ресей
Сертификация қарастырылмаған

Подписано в печать 30.04.2014. Формат 84х108¹/₃₂.
Печать офсетная. Усл. печ. л. 25,2.
Доп.тираж 12 000 экз. Заказ 8563.

Отпечатано с электронных носителей издательства.
ОАО "Тверской полиграфический комбинат". 170024, г. Тверь, пр-т Ленина, 5.
Телефон: (4822) 44-52-03, 44-50-34, Телефон/факс: (4822)44-42-15
Home page - www.tverpk.ru Электронная почта (E-mail) - sales@tverpk.ru

ISBN 978-5-699-71725-5